José Lezama Lima

LA DIGNIDAD DE LA POESÍA

José Lezama Lima

LA DIGNIDAD DE LA POESÍA

VERSAL
travesías

Diseño de la cubierta: Vila Bertran

Esta edición es propiedad de Ediciones Versal, S.A.
Calabria, 108. 08015 Barcelona
Teléfono (93) 325 74 04. Télex 54155 CVOX E
Primera edición: junio de 1989
Depósito legal: B.24.481-1989
ISBN: 84-86717-86-8
Impreso en España
Imprime: Sirven Gràfic. Santander, 60. 08020 Barcelona

Nota a la edición

La dignidad de la poesía *es una recopilación de ensayos de José Lezama Lima realizada a partir de la edición de Abel E. Prieto* (Confluencias, *Editorial Letras Cubanas, La Habana, 1988), que estableció los textos a partir de las ediciones príncipes que aparecen reseñadas a continuación, respetando las peculiaridades de la escritura de Lezama.*

La selección que ahora editamos muestra la trayectoria del Lezama ensayista, desde los estudios literarios hasta el vislumbre de la utopía al que le condujo su intento de establecer una poética. Así, el lector encontrará ensayos sobre lo que podríamos denominar «fuentes francesas de la poética lezamiana», sobre el siglo de oro de la literatura española, y los que muestran su voluntad de establecer un «sistema poético del mundo».

FUENTES BIBLIOGRÁFICAS DE LOS TEXTOS

Pascal y la poesía
Tratados en La Habana, *Universidad Central de las Villas, Impresora Úcar García, S.A., La Habana,1958, pp. 178-180.*

La calle de Rimbaud
Tratados en La Habana, *op. cit., pp. 102-106.*

Cumplimiento de Mallarmé
Analecta del reloj, *Ediciones Orígenes, Impresora Úcar García, S.A., La Habana, 1953, pp. 241-243.*

Nuevo Mallarmé
Tratados en La Habana, *op. cit., pp. 135-143.*

El acto poético y Valéry
Analecta del reloj, *op. cit., pp. 253-255.*

Sobre Paul Valéry
Analecta del reloj, *op. cit., pp. 249-252.*

Loanza de Claudel
Tratados en La Habana, *op. cit., pp. 82-85.*

El secreto de Garcilaso
Analecta del reloj, *op. cit., pp.* 7-39

Sierpe de don Luis de Góngora
Analecta del reloj, *op. cit., pp. 188-214*

Cien años más para Quevedo
Analecta del reloj, *op. cit., pp. 244-246*

Calderón y el mundo personaje
Analecta del reloj, *op. cit., pp. 259-263.*

Del aprovechamiento poético
Analecta del reloj, *op. cit., pp. 255-258.*

Las imágenes posibles
Analecta del reloj, *op. cit., pp. 151-182.*

Introducción a un sistema poético
Tratados en La Habana, *op. cit., pp. 7-41.*

La dignidad de la poesía
Tratados en la Habana, *op. cit., pp. 379-411.*

Preludio a las eras imaginarias
La cantidad hechizada, *UNEAC, Colección Contemporáneos, La Habana,*
    1970, *pp. 7-30.*

A partir de la poesía
La cantidad hechizada, *op. cit., pp. 33-51.*

La imagen histórica
La cantidad hechizada, *op. cit., pp. 57-65.*

Introducción a los vasos órficos
La cantidad hechizada, *op. cit., pp. 69-78.*

Confluencias
La cantidad hechizada, *op. cit., pp. 437-457.*

Índice

Pascal y la poesía

LA POESÍA es la anotación de una respuesta, pero la distancia entre esa respuesta, el hombre y la palabra, es casi ilegible e inaudible. En *El libro de los muertos*, a la entrada y salida en la cámara subterránea, los viajeros empuñan «pasteles de azafrán en Tanenet». Ejemplo de hieratismo indescifrable, no obstante parece verse en un relieve funerario, entrar en el mundo subterráneo y salir de él comiéndose un pastel de azafrán. Quizás ambos pasteles representasen el cielo y la tierra. Afirman que los pasteles de azafrán son los ojos de Horus. Tanenet es la sepultura de Osiris. El hecho de entrar en la muerte comiéndose un pastel de azafrán, nos suspende y desazona. Pero el relieve, con su visibilidad como arañada, le presta la gravitación de la verdad poética. De pronto, frente a ese enigmático relieve, cobra su hechizo la reclamación de Pascal: un arte incomprensible pero razonable. La incomprensión que se razona, una desmesura que cobra un tiempo, un humillo a la altura del hombre, es la agujeta que señala la forma tocada. Toda materia tocada despide como un fulgor, su herida de costado, por la que se ve y penetra.

Para completar ese ideograma plástico de lo indescifrable, viene el apólogo de Pascal: el náufrago recibido como el rey desaparecido. Obrar como rey y tratarse como impostor, vivir en el misterio de la doble naturaleza. Vivir en la visibilidad de la conducta y en el misterio de la extrañeza de las alianzas. El contacto de los infusos círculos de la sangre de que descendemos, que de pronto afloran, según Pascal, para expresar la infinitud que está en el otro extremo de la doble naturaleza, de una visita que se esboza, del encuentro como forma de conocimiento, una conversación, fuera de la causalidad, en la que inopinadas preguntas y respuestas, se enlazan, se corresponden, se hacen imprescindibles. La certeza del naufragio, es aquí la correspondencia al encuentro con el rey falso, aceptado violentamente en la necesaria fatalidad de su falsía. He aquí una gran grandeza que va por encima del ceremonial y del acto de escoger. Devolver en el hombre es intuir el escoger de los dioses. El único indicio que podemos tener es ese escoger de la divinidad, es su correspondencia con el devolver de los humanos. Luego ese devolver es la raíz de la imagen. Devolver con los dones acrecidos es vivir dentro de la gracia. La sobreabundancia en los dones corresponde a la infinidad de la gracia. Devolver, como en el orden de la caridad soñado por Pascal, la única región no concupiscible, aclara como si recibiésemos por el espejo, pero al mismo tiempo, devolviésemos también por el espejo. Al «por enigma en el espejo», podemos responder «por el acrecentamiento en el espejo», buscando una correspondencia amistosa entre el hombre y la divinidad. La grandeza del *devolver* pascaliano es un relámpago en la historia de las imágenes. El manteo y la voz de Bossuet, hallan así su correspondencia con la noche jansenita en la que Pascal cumplió treinta años, y comenzó lo que pudiéramos llamar su comprobación de imágenes en el misterio de Jesús.

Hay inclusive como la obligación de devolver la naturaleza perdida. De fabricar naturaleza, no de recibirla como algo dado. «Como la verdadera naturaleza se ha perdido —dice Pascal—, todo puede ser naturaleza.» La elaboración de la naturaleza en el hombre, que nada tiene que ver con el hombre como enfermedad o excepción de la naturaleza en los existencialistas. Si la pérdida de la naturaleza se debió al pecado, no lo puede ser en el hombre el afán de colocar en el sitio de la naturaleza después de la caída, otra naturaleza segregada o elaborada. En el siglo de esa naturaleza caída, enemiga del hombre, no se percibe un misterio ni una claridad, ni el misterio que desliza la sustancia de la fe ni la momentánea claridad que se deriva de penetrar en las esencias quiditarias. «Como las oscuridades no son misterios, y las claridades son estúpidas», vuelve a decirnos Pascal, cerrando aún más el camino para reemplazar la naturaleza caída. Es ahí cuando percibimos que aun sin haber tratado Pascal el tema de la poesía, algunas de sus frases son su mejor preludio, tal vez su primera fascinación irritada.

En frente de esa oscuridad sin misterio, de esa claridad estúpida, Pascal, al señalar su inquietante *entre-deux*, como una primera posición a superar, señala, sin proponérselo acaso, la región de la poesía. En realidad, la poesía es el único hecho o categoría de la sensibilidad, donde no es posible la antítesis, es la total ruptura del *entre-deux* pascaliano. Nos acercamos a un bosque sin árboles, donde, no obstante, el viento entona entre los árboles, y donde la estrella, sobre una fría región, exenta también de árboles, recibe la cantidad de arbóreo perfume evaporado que ella necesita. Bosque sin árboles, donde, paradojalmente, el fuego recibe una prodigiosa combustión que exige como inexorable materia prima resinas y ramajes.

Pascal mantiene su furia frente al padre Bouhous que parecía capitanear la pugna entre jesuitas mundanos y la iracundia más tenebrosamente exigente, que no acepta que el gusto literario sea concupiscible, en un alegato que Sainte-Beuve califica de «una página de buen sentido limpio y vivo, un poco menudo y completamente superficial». Pascal adolecía del misterio de lo concupiscible, creía que el gozo de los sentidos impedía hipostasiar lo simbólico, pero en la hipóstasis los sentidos se transfiguran, necesario esplendor para la irrupción de la gracia. No es en esos debates donde se desprende su visión en la poesía. En su afán de vulnerar la oscuridad desinflada y la claridad insensata, al situar sus golpes al *entre-deux*, es ahí donde hay que buscar las tierras incógnitas de la poesía, colocándose cerca de San Agustín, cerca también de Baudelaire. En la tradición de Pitágoras, que creía que sólo el símbolo daba el signo, y que la escritura, tesis incomprensible para el contemporáneo romanticismo antisignario, nace de un misterio, no de la horticultura de la pereza.

8 de septiembre, 1956

La calle de Rimbaud

EL SÚBITO de la obra de Rimbaud presupone la revisión de lo que Worringer llama «la cultura de las altas empalizadas». La ciudad de barro que parece que gira con las ordenanzas solares, situada como fin momentáneo del desierto, con el júbilo albar de la llegada insegura y de la despedida a hora indeclinable. La ausencia del padre por la muerte, engendrando la rigidez sustitutiva matriarcal, con el misterioso sentido de su hermana Isabel para seguir, anotar, cuidar mágicamente el prodigio cercano, exacerban la raíz tribal de Rimbaud, como festival por la penetración en la ciudad y con el paso fuerte, sonado sobre el tambor de los conjuros, de una retirada que todavía nos deja encandilados y como invadiéndonos de asombros. Esa insistencia que aparece en las *Iluminaciones* como un árbol cuña que termina por destruir un paredón, por la ciudad a la que se llega, por la ciudad que se fue deshaciendo sobre la arena de su imagen, nos deja como la sensación de los gritos de asombro de los cuadrilleros, cuando sin poder anclarse en el sueño, tienen que llegar al cambiante paraíso del mercado, donde su erotismo se evapora por los laberintos y las fuentes, para jugar a perderse y a reconstruirse.

La ciudad como punto de avanzada en el desierto representa en Rimbaud un deslumbramiento ante la energía de su marcha, más que una preocupación por la finalidad sin fin, palomita kantiana, o con fin, desgarramiento místico por lo inmediato.

En el mundo de los egipcios, donde la penetración en el desierto estaba fijada en las pirámides, es decir, en la ciudad de los muertos, el alma comenzaba por apegarse a la extensión, al límite de las nubes como cercanía o lejanía; en Rimbaud, cuyo mundo carece de una preocupación teocrática de finalidad, la energía tan solo por llegar a la ciudad del alba o del crepúsculo, el mero asombro ante las empalizadas, la ciudad es para los pocos apoyos que necesita su imaginación al ponerse en marcha el remolino de la caballería, donde al fin la linealidad obstinada del jinete danza con voluptuosidad su propia dispersión. Obstinación de la dispersión, como una descarga de pólvora extendida por toda la ciudad.

Su imaginación parece mostrar incesantemente el nacimiento del que llega y el asombro alcanzado como su contrapunto y su costumbre, es decir, en él el asombro no nace de dos naturalezas dispares unidas en un tumulto *foudroyant*, sino de la adecuación a un mundo al que se acaba de arribar. Cuando en las *Iluminaciones* se alboroza por el descubrimiento de una cascada, no corre a los otros para entregarle el secreto, sino es al gallo a quien le entrega esa ofrenda. «El alba y el niño —nos dice para subrayar el deslumbramiento del nuevo surgir de aguas nuevas— cayeron a lo hondo del bosque.» La magia del garzón se ha encontrado con el nacimiento primitivo del alba para penetrar en el bosque. El bosque y el alba participan así en la leyenda del infante, que antes de penetrar en los mercados o en los fortines, en las grutas elaboradas o en los jardines boquirrubios, ha sido tocado por las transmutaciones de la naturaleza. Sus paseos por la ciudad serán siempre la nostalgia primitiva, la salvaje desconfianza por el escamoteo de los distintos trofeos naturales mostrados durante el desenvolvimiento meteórico o vegetativo de cada día, guardados en una imaginación como agazapada mientras se verifican aquellos retiramientos y después suelta de golpe el júbilo de su estar de nuevo, de entregarnos una confianza que se hace fiesta en la sangre.

Ese tipo de imaginación instaura siempre la pequeña ciudad africana, con la casa como finalidad del desierto. En la adolescencia, su obra con ese tipo de ciudad en la imaginación; en la madurez, lograda ya por su realidad esa ciudad que su imaginación necesitaba como su ley de gravedad, constituye el centro de sus contracciones de apetencias y rechazos. Su mismo silencio posterior parece, en su severidad inapelable, que al vivir su imaginación sus propias exigencias mágicas, no necesitó de esa lejanía que le comunicaba el golpe súbito, el nacimiento sin casualidad de apoyo a su poesía. A veces, pensamos que si Rimbaud hubiese hecho su infancia en una ciudad eritrera, en Casablanca o en Dakar, que desde niño su imaginación hubiese vivido en un fortín de avanzada de uno de aquellos desiertos, tal vez como hijo de un capitán aventurero, y hubiese después pasado a París o a Londres, su poesía se hubiese conservado en el acierto de esa ausencia, de su propia gravedad imaginativa, a lo largo de muchas estaciones. Pero así como es, con ese fragmento que parece como si le faltase y que es su sostén y su prodigio más perdurable, el que se acerca a su poesía parece como si tocase la misma «fuente de seda». La obsesión que muestra en la adolescencia por esas imágenes donde interviene la seda, con su frío de serpiente rozando la piel, con la irritación agradable de las dos pieles, como si avanzasen entrelazadas hasta escaparse voluptuosamente por la punta de los dedos, es del mismo tipo mágico que sus cuarenta mil francos de oro cosidos a su cinturón de colono africano. En un momento de las *Iluminaciones,* después de trazar uno de esos paisajes que lo hacen parecer como el perenne desembarcado en las islas, nos dice, como si hablase con el timonel de guardia nocturna: «tiene que ser el fin del mundo si avanzamos». O el principio, añadimos, de la poesía ¿y quién podrá desplazar al joven cazador de ese lugar?

La tierra que erotiza su poesía necesita de esa calle que se extiende desde las empalizadas hasta el pintarrajeo portuario. Y en esa calle, ofrecida como una secreta granada salvaje, la catedral, el colegio, la librería, la casa del profesor rebelde, el placer, ferias, la jaula de mimbre, los sombreros turcos, las escarapelas. Y las bibliotecas convertidas en guarida, donde se refugia como escolar fugado, y convierte las lecturas en paisajes, en islas movedizas ancladas en una flora de agua. Mientras leo las *Iluminaciones,* gusto de fingirme un Rimbaud leyendo los éxtasis de algún iniciado supercherista del siglo XVIII, las *Memorias* del conde de Saint Germain, por ejemplo. El conde, salido del sueño, conduce la *armónica* como un paraguas para penetrar en lo desconocido. «El fastidio y el sueño comenzaban a apoderarse de mí, cuando me vi sorprendido con la llegada de algunas carrozas.»Lo despierta un palafrenero malicioso, que ahora es el que conduce la *armónica*. Las trompetas brotan de la gruta, como si quisieran romper la tierra. Penetra en la gruta rodeado de salmodias funerarias, y en el centro un ataúd con un hombre muerto o adormecido. A su lado una figura de blanco, con la vena de la mano derecha fluyendo una sangre lenta. Los demás en capas negras, con espadas. El visitador de la gruta está ahora en el cenador rodeado de lámparas, y el hombre del ataúd se acerca desfallecido. A los sones de la *armónica*, el hombre va reapareciendo en sus preguntas. Fugado adolescente encuentra, lo suponemos siguiendo ciertas leyes secretas de la gravitación imaginativa, un islote con su parasol, ensalmos para caminar por una tierra a la que se acerca el oído como para comprobar su propio despertar. Luego visita a su profesor en rebeldía, que no quiere distanciar lo real de su imagen. Lentamente ha llegado hasta el extremo de la calle, donde al nacer en él la conciencia de su persecución, contempla la jaula de mimbre donde una ardilla penetra en una fragata danesa.

Ese asombro entre misterioso y energético del desembarcado, lleva a Rimbaud a esas alternancias que fijan bruscamente la poesía; si interjecciona: ¡palmas!, parece que su barco embriagado raspa la arena por el Índico o el Archipiélago de la Reina. Si exclama: ¡diamantes!, nos da la sensación de haber obtenido de una bandazo las cristalizaciones de las filtraciones por las entrañas del plutonismo. Sus temeridades, sus vertiginosos inicios apartados de cualquier adormecida causalidad, son hoy los primeros caminos seguros de la poesía y las tierras a las que llegó están pobladas de colonos vigorosos. ¿El sostén durante los entrecruzamientos de la nueva visión en las nuevas islas? *Alimentados del vino de las cavernas*, pues Rimbaud se abandona más al tiempo poético del descubrimiento del rezumo inaugural del pámpano que a la era de la escritura del rostro en el espejo. ¿El sitio? En las *posesiones de las aristocracias ultrarrenanas, japonesas, guaraníes*. Qué exultante para nosotros sería perseguir esa palabra *guaraníes*, hasta que se despliega como una cartografía del paraíso en la imaginación de Rimbaud. ¿La fórmula? *El espíritu de* los pobres y un muy alto clero. De esa manera, Rimbaud en sus fragmentos totalizadores, no es tan solo el vigoroso empujón a la metáfora y a la penetración en la región del incesante nacimiento de las cascadas y de las casas arquetípicas, despertadas en esa nueva tierra de la poesía, al adquirir sus dominios soterrados, sino el hijo secreto del hechicero, que a hurtadillas pronuncia sílabas para las consejas, superiores a las de su padre, y estructuras para que las enfermedades no se aposenten, con más brevedad y fortuna de toques, que la curación del jefe de la tribu por el venerable y centenario hechicero.

Agosto 7, 1955

Cumplimiento de Mallarmé (1842-1942)

¿EL SIMBOLISMO? se había ido convirtiendo en el banquete sin comensales del que solo se escapaban el frío último de los manteles y el rebrillo inicial de los candelabros. Se levantaba un murmullo, un reflejo, pero nos alejábamos desdeñosamente para habitar una sustancia que repartía —instantánea unidad de lo continuo y sutil—, en la proporción del sueño en los músculos de la serpiente. El símbolo se entremezclaba con el címbalo, de la misma manera que la serpiente se enrosca en la rama del almendro (moviente, nutrida de otoño, semimoviente). La misma música no acompañaba en su primera situación campesina de par de la palabra, de aprovechadora de una imperturbable condición, sino que en la embriaguez de no estar, intentaba nutrir los residuos de cada poema, de cada abandonada experiencia, con las tubas del órgano en sus más difíciles situaciones de medianoche.

La música sí detenía las palabras, las impulsaba de nuevo, ya infinitamente, hasta hacerlas girar y sobregirar, de tal manera que aquel impulso pensado poderoso, terminaba en el poliedro de cristal de roca, que la punta de los dedos se entretiene en girar y sobregirar. Mallarmé encontraba en eso lo que él llamaba *la dicha de una desigualdad movilizada*. Pensaba él que ese instrumento móvil nivelaba las palabras, haciéndolas sólo especial nadada, sólo especial túnel de nubes. En ese ya mostrado caracol, las letras iban siendo el corpúsculo, el hilo y el propio laberinto para el reencuentro del que no se ha perdido, quedando así las palabras en suerte de su igualdad desigual, convertidas en propio cortejo real, propia hora desigual del fauno, o monotonía del pez hialino dentro del líquido mayor que es también cristal.

Mallarmé creía nutrir sus recursos de lo que él consideraba como *reflejos inversos* (véase su *Crise du vers*). Esa luz última de cada palabra sobre la otra, impedía la presunción banal de que hubiese una sola palabra, distinta, distinguida, diferente, si no una palabra que gira en la espuma propia y de su escala. Si las palabras se nutren de sus reflejos —igualdad del móvil— habrá hastío: caso de Valéry. Ese *reflejo recíproco*, nutrido de sonido par y primero, de luz igual y repartida, termina con la estatura o alegoría de un destino demasiado invariable, demasiado indivisible.

El reflejo recíproco merece ser decapitado por el reflejo inverso, mientras el recíproco verbal se perdía en la indestructible homogeneidad del móvil del impulso; en el inverso verbal, se iba borrando como par de la propia progresión, un mundo distinto, acompañante, pero que iba a quedar como trágico conocimiento del no ser, existir del no existir. En el reflejo inverso si yo digo: *bosque de la Germania* o *ramo de fuego en el mar*, o simplemente *cortejo*, estoy formando una pertenencia distinta, pero que se dilata y recorre. Se ha desprendido la palabra que se desprende del mudo, del ineficaz y desamparado. Ya que sin duda, nadie puede saborear las palabras como el mudo, o aquel que le está permitido hablar sólo una vez después del canto coral.

Quería lograr Mallarmé lo que él llamaba *reemplazar la respiración perceptible*. Intentaba borrar así todo indicio, todo rasgo para conseguir tan solo un viviente en el que los signos externos o groseros de la vida del poema no pudiesen sorprender con su gruta no interpuesta. Se podía molestar en ocasiones por la perversa presencia de lo reminiscente o por ciertos objetivos ya predados como preciosos. Al borrarse esa respiración como signo externo, el poema tenía que nutrirse de propia pervivencia, pero se sentía desfallecer en cuanto le acudía alguna comprobación, de tal manera que tenía que formarse y deshacerse con una cantidad tan numerosa como invisible de corpúsculos. Después quedaba una estela acompasada, una oquedad diminuta que podía abarcar el flujo de lo marino. Lo que ha venido después de Mallarmé le ha aclarado, torcido y habitado despiadadamente. Dos de sus palabras más frecuentadas: espejo y entreabierto, le distinguen sutilmente de lo que ha venido después. El espejo

Oh miroir
Eau froide par l'ennui dans ton cadre gelée
Que de fois et pendant les heures...

no es el espejo de Valéry, *eau froidement présente*, extensión helada que nos rodea, presente que muestra sus reflejos como el metal de la serpiente. Cuando Mallarmé emplea la palabra *entr'ouverte* la aplica al encaje, pero cuando Valéry la indica la lleva a la granada. En los juegos del aire y el encaje, la blasfemia se teje con la última pureza de su nutrición, pero al entreabrirse la granada, el aire le impulsa los granos con una sagrada levedad. Así, por este exceso de lejanía, la poesía que engendró Mallarmé, parece ir habitando la delicia correspondiente a las primeras monarquías, cuando con el refinamiento más perdurable, las túnicas eran cosidas con espinas de pescado.

Mayo, 1942

Nuevo Mallarmé

I

EL NOMBRE de Stéphane Mallarmé ha comenzado a destilar sus prodigios al alcanzar nuevas figuras, nuevas entidades en lo temporal. Veinte años después de su muerte se asociaba su nombre al primor o al refinamiento, a las insinuaciones, a las variantes sutiles de la destilación, a los laberintos trazados por alcanzar la gota o el diamante. Medio siglo después de su muerte, se ha superado ya el festín de las delicias, el *liqueur framboisé*, el *jus de cerises*, para penetrar en el hombre absorto ante las provocaciones y burlas de las palabras, al desmesurado precio que nos cobran desde que, exhaladas, recobran su suspensión y se diluyen en el ajeno laberinto. Persiguiendo con total reverencia y acatamiento los dictados de su llamado o de su visión. Ya no es el hombre preocupado por la nitidez, la unidad o la simple irreductibilidad en la destilación de la gota; el afanoso de que los corpúsculos de las palabras, convertidos en sustancia, mantengan su incandescencia. En esa dimensión el nombre de Stéphane Mallarmé, redondea su sombra como un enigma que al deshacerse reaparece, en nuevo puro enigma permanente para lo temporal, por las Cabrillas o por Casiopea. Ya es el semejante de Empédocles, Pitágoras, Hamlet, Pascal, o el rey Sebastián, cuyas permanencias en la posteridad no dependen tan solo de su obra, sino de sus gestos reconstruidos por sus imágenes, del contrapunto que lograron establecer, o de una inmensa novela, donde aún después de muertos sus dedos de escriba egipcio como en un sueño, van pasando nuevos capítulos. Es ya entonces, una cualidad, una pura vocación, una desconocida variante en la historia del ceremonial. En ese sentido Thierry Maulnier, refiriéndose a un poeta contemporáneo de Ronsard, aunque su antítesis, hablaba de una *intensité mallarméenne de pensée*. Ésa es la presencia actual y más perdurable de Mallarmé, hay una intensidad mallarmeana, como hay un gemido en Pascal, una voluptuosidad a lo Montaigne, una dignidad en Racine, una lucidez a lo Baudelaire. Un hombre trocado en el esplendor de una cualidad, de una esencia que reobra y actúa como la propia persona, su testimonio y la resistencia de su contorno.

El esplendor, la fuerza irradiante de esa esencia era capaz de reobrar sobre el pasado, en una hiperbólica paradoja, como causa. De la misma manera que el redescubrimiento de Ronsard, aun dentro de las dificultades que el siglo XIX oponía para ellos, acompañadas al mismo tiempo de las necesidades que se imponían en ese encuentro para ciertas leyes ineludibles del verso francés, se debe más que a la sorpresiva lupa de Sainte Beuve, al movimiento de lenta serpiente en el verso de Baudelaire. En ese sentido la *école lyonnaise*, en sus dos ramificaciones de Maurice Scève y de Louise Labé, no puede ser considerada como el antecedente de la factura y de los prodigiosos hallazgos del verso de Mallarmé, sino, por el contrario, cuando Mallarmé obtuvo el resultado incomparable de su alquimia y de la irradiación de su palabra, aquella zona del siglo XVII, se aclaró como si el destello mallarmeano fuera la chispa para la evaporación histórica de la Plaza de Lyon, cuando los músicos y los poetas comenzaron sus exigentes y circunspectas visitas, sus amables conversaciones para el recitado y la danza, y el mismo Maurice Scève avivó su palabra al acompañarla de las orgullosas demandas de un instrumento delicado tañido con rigor.

En el recorrido del verso francés, a lo largo del siglo XIX, se había asegurado la posición de peligro, el riesgo del descubrimiento, la arrogancia de una aventura que se había levantado con las inmensas exigencias del yo separado. Esa aceptación, sin reparos y a entero gusto de la simpatía, de la novedad, del reto, de la presunción de infinitud, que nos hacía desfallecer y como obligarnos al abandono de la pereza, había alcanzado un peligroso prestigio cuyo destello sigue fascinando el enlace de las generaciones. Hugo había logrado ya esas evaporaciones mediante las cuales el verso desprende el reflejo de las arengas nocturnas en las ciudades sumergidas o las risueñas provocaciones de los filtros. A lo que había añadido Nerval una virtud como de oficiante, hierática, que comenzaba por llevar la poesía a las nocturnas, implacables rocas del sacrificio. Baudelaire había jugado en una forma desgarrada a la lenta, voluptuosa conducción de la poesía desde la *areteia*, el destino, el espíritu en la sangre, a la *aristia*, es decir, a la protección en el combate de Pallas Atenea. Pero le estaba reservado a Mallarmé, el secreto de las inmensas acumulaciones exigidas por el movimiento del verso o por las penetraciones de la estrofa. El temblor que sigue a sus poderosos recursos verbales, cuando tiene que lograr sus transmutaciones en el verso, venía a perseguirlo hasta el límite de la indiferencia o el rehusamiento, pues el acto mismo de la creación parecía extender su onda hasta el escriba o el escucha dispuestos a abandonarse a las mismas pesquisas, a idénticos éxtasis o tormentos.

Nosotros hemos deseado agrupar los momentos más significativos del desarrollo de Mallarmé, en cuatro estaciones que llenan la factura de su trabajo o las secretas contenciones de sus designios. El día en Tournon, la *Noche de Idumea*, los sentidos en Valvins, la inteligencia de la *Rue de Rome*, aclaran en su polarización los agrupamientos de sus trabajos.

No pretenden esos cuatro momentos señalados abandonarse a la banalidad de lo causal, de lo sucesivo cronológico. Etapas no, integración del ser en el ser, identidad de una sustancia sobre sí misma. Los agrupamientos del tiempo en un escritor corresponden a los momentos en que éstos alcanzaron un signo. Así, por ejemplo, *Igitur*, corresponde cronológicamente a los inicios de Mallarmé, sin embargo, es en la última etapa de su vida, cuando esas páginas cobraron su significación y su destino. Las revisó Mallarmé, las guardó con específicas señales, y es ahí, en la coronación de su forma y de su destino en la *Rue de Rome*, donde deben señalarse. *Les loisirs de la poste*, sus versos de circunstancia, los escribió, con una gracia incomparable, a lo largo de toda su vida; sin embargo, nosotros preferimos incluirlos en la *Noche de Idumea*, es decir, en sus momentos de indiferencia, de imposibilidad de trabajo, esa graciosa llamada a la amistad inteligente, donde cobran su sentido, no de juego, sino de necesidad para ponerse a flote, para rehacerse en el gusto de la fugacidad.

La vida hamlética de Mallarmé por alcanzar la destilación de la palabra, comienza, una vez casado, por su viaje a Londres. Entonces se nos presenta como una especie de Julián Sorel más la voluptuosidad, precisamente en ese momento en que Julián Sorel va también a Londres de la misma manera que Thibaudet afirma que Baudelaire es Sainte Beuve más la poesía. Claro que nuestro Mallarmé, dominado por las ascensiones de Hugo y de Baudelaire, como el de Stendhal por las de Napoleón. En su afán de reintegrarle a las palabras el sentido de la tribu, estudia Mallarmé las palabras inglesas, en ese momento en que las costas británicas y las normandas están llenas de hogueras. Su libro *Les mots anglais*, afirma Paul Valéry, es quizás el documento más revelador que nosotros poseemos sobre el trabajo íntimo de Mallarmé. «Me parecía a veces —añade Valéry— que él hubiese pesado, mirado, una a una, todas las palabras, como un lapidario sus piedras, ya la sonoridad, el brillo, el color, la limpidez, el alcance de cada una, y yo diría casi su oriente...» Desde el primer capítulo en que establece un distingo entre las familias de vocablos y las palabras solitarias, eso que ahora los filólogos llaman la parataxis o nexo de las palabras por su igual nivelación, parece preludiar al conversador de la *Rue de Rome*, dueño de ese conocimiento de increíbles detalles que hacen la cultura de un poeta, estudiando los matices de las palabras abstractas, según terminen en «té», como *verité*, en «tion» como *transition*, o en «ment» como *entendement*, mezclando como dice don Miguel, los hechizos salmanticenses con la pedantesca dulzura. Pero delicia de una formación, mientras se desenredan esos estudios sobre el nacimiento de las palabras inglesas, precisa también las aventuras, las metamorfosis, sus disparidades o disfraces nominales, entre los dioses helénicos o romanos. Todo allí está dirigido, como decía el mismo Mallarmé, a demostrarnos cómo los personajes galantes de la fábula se han transformado en fenómenos naturales. «Extraer las divinidades de su apariencia natural, y llevarlas como volatilizadas por una química intelectual, a su estado primitivo de fenómenos naturales, como auroras o puestas de sol, he ahí la finalidad de la mitología natural.» De tal manera, que vemos en su inquietante aprendizaje en Tournon, como su intento de reintegrarle a las palabras su sentido tribal, está acompañado por ese calculado, sutil tapiz donde los dioses y los hombres se bañan de nuevo en sus mágicas soberanías. «Nuestro amigo el sol ha muerto», subraya levemente Mallarmé como uno de los placeres que acompañan a las palabras de ese hombre primitivo, «volverá de nuevo». Y siente entonces, la inmortalidad de esa irradiación, el festival de las estaciones, la reiteración de lo primigenio, acompañándolo en la ceremonia de sus faenas o en las misteriosas pausas de su sangre. Tres siglos después parece como si Mallarmé hubiese escrito la mitología que debe servir de pórtico a don Luis de Góngora. En las últimas porciones del aire donde el aliento se extingue, ¿cómo rehallar esas palabras, con las vacilaciones del hombre tribal ante la huida de su amigo el sol, fijarlas, como la fugitividad de las ninfas detenidas en el inseguro, momentáneo espejo de la onda?

Febrero 26, 1956

II

PARA CONTESTAR en su obra a esas temerarias preguntas, Mallarmé procuraba simultanear a darle una rápida sucesión en sus poemas a la oquedad, al terrible vacío que lo hostigaba, con la destreza de los sentidos para desplegarse por el cuerpo que los provocaba. La obstinación de huir, que aparece en *Brise Marine*, sugerida tal vez por la Andrómeda, marfil de Cellini, en el Museo de El Louvre, donde el cuerpo encadenado desdobla la tensión de escapar; de oír como Baudelaire, el canto de los marineros, de rescatar sus sentidos de «la claridad desierta de la lámpara sobre el vacío papel defendido por su blancura», está contrastada por la aridez de la *Noche de Idumea*. Evidentemente, le decía Villiers en una carta, una tentación del demonio, donde parece suprimirse de la misma raíz del poema la posibilidad creadora de todo diálogo, quedando como una devoradora amenaza sobrehumana, monstruosa. Esta necesidad de Mallarmé de unir las inexistentes articulaciones del vacío junto a la sensación de los cuerpos y de los objetos, adquiere su forma más grandiosa y trágica en la sucesión de un trabajo poético, de *La Herodiade* seguida por *L'après-midi d'un faune*. *La Herodiade* es el poema de la esterilidad, de la virgen danzando tan solo la diabólica riqueza del espejo, de la nodriza que despierta con cada una de las preguntas de sus perfumes la danza de los poros complementarios. En los vapores del estío, donde se resuelve la acumulación del fervor sexual, coincidiendo la parábola solar con el ascenso estelar y la caída de la cabeza de San Juan en su degollación.

> ...una lejana sombra,
> pero también, atenta en tus severas fuentes.
> ¡Horror! He contemplado mi gran desnudez.

Ante esos retorcidos dioses del invierno, comienzan a hundir los faunos sus cuernos en la enmielada corteza de los árboles. Se ha pasado de la contemplación de la esterilidad, del vacío del cuerpo al convertirse en absoluto, a las danzas frenéticas de Nijinsky para lograr la altura de los frutos. La bondadosa primavera nos ha extraído con la llama de su violencia, del bostezo del espejo. Parece también como si el poeta extrayese de su propia esterilidad el drama con más ritmo que el verso libre, según él reclamaba, del fauno para conservar la temperatura de su energía. Ahí se encuentran, según el decir de Paul Valéry, los más hermosos versos del mundo:

> Tu sais ma passion, que pourpre et déjà mure
> chaque grenade éclate et d'abeilles
> [murmure...

y donde pudiera señalarse el origen de los espléndidos sonetos de Valéry sobre las granadas y las abejas.

¿Es posible que Mallarmé partiera del cuadro de Boucher, *Pan y Siringa*, para su poema? No lo creemos, de la misma manera que años más tarde creía innecesario el trabajo de Debussy en torno a su poema. Creía que el poema conllevaba su propio acompañamiento musical, y que cualquier otra glosa o variante, tendía a desvirtuar la dirección del poema.

Por lo que hemos relatado en esa primera etapa de Mallarmé, que hemos llamado el día en Tournon, se puede apreciar que Mallarmé hizo un aprendizaje extremadamente acucioso, acercándose al desierto de la lámpara, como él decía, durante muchas noches para moldear cada palabra. Si Valéry ha dicho de Mallarmé que para leerlo hay que aprender a leer de nuevo, es innegable que él comenzó por ahí, por aprender a leer de nuevo toda la asombrosa diversidad del saber y del acto poéticos.

Su aprendizaje se mantenía inalterable en sus más eficaces momentos, o cuando escondido en una indiferencia aparente, se refugiaba en la virtualidad acumulativa. He aquí su otro gran momento, la *Noche de Idumea* cuando el Señor Latente, como él decía, el antidevenir, el Hamlet enemigo de colocar el suceso, la impureza, en lo temporal, no lograba alcanzar el poema, la tierra prometida de las palabras. Sentía entonces, según nos confiesa, al atravesar el viaducto de Batignolles, el deseo de precipitarse al abismo. No es tan solo la mediocridad de sus funciones en el liceo lo que lo enloquece. Su hijo enfermo, con su espléndida cabeza rubia y su corazón desproporcionado para su edad, siempre acostado, frente a los destellos del loro Semíramis, estallante arcoiris. Luego, hecho en sus primeros acercamientos a la poesía de Lamartine, en Hugo, y aun en Beranger, en la abundancia que muy pronto castigaría con Poe y su lucidez exacerbada en la formación del reloj poético. Además, ciertos proyectos de una vastedad que aturden, tales como la historia de ciertas frases, la historia de ciertos modos de pensar, intentos que tienen remotos antecedentes en Lulio y en Leibnitz. Ya hoy sabemos que una expresión como «la sonrisa danza» *subrisio onis*, sólo es posible ya en el siglo IV, cuando la emplean por primera vez los Padres de la Iglesia. La manera inexorable con que Baudelaire lo había impregnado, al extremo de que gran número de sus versos son, detenido en la obsesión de sus detalles de insecto, en la persecución de las sílabas en su adolescencia, variantes de los versos de Baudelaire. Sus lecturas del Hegel más maduro, sobre todo el de la *Filosofía del espíritu*, donde traza la concepción del absoluto, con antecedentes en la *causa sui*, de Spinoza, marchando desde la virtualidad a la idea; y de Schopenhauer, cuyas ideas sobre la intuición y las potencias generatrices, donde abrevó tantas veces Bergson, le harán madurar, en el momento de su acercamiento a la música, su propio microcosmos. En Valvins, en su *hameau*, en su cabaña, los pequeños sonetos, la *Prose pour des Esseintes*, quizá su poema más poblado de dones acumulativos, de referencias ambivalentes a la noción y el sentido, estudiado en una forma deslumbradora en el libro de Thibaudet sobre Mallarmé. Los sentidos en Valvins, como hemos llamado a esta etapa de su vida, es quizás el momento en que Mallarmé resuelve más, en que alcanza su forma aquel vestido viviente, de que habla Goethe. Se alza hasta los oficios y la liturgia, extrae de su pobreza ese relieve como de rey asirio, de semidiós de la era Anfión o de Orfeo, con que lo ha visto su principal discípulo, asiste a los conciertos Lamoureaux. La cascada wagneriana cae en sus cuadernos de notas en infinitas patas de moscas, en alfileres que evitan sirtes. Los sentidos en Valvins van a horcajadas sobre sus cigarrillos incesantes. Qué criollo nuestro, voluptuoso y sobresaltado, en nuestro mejor siglo XIX, en Tristán de Jesús Medina, en los Zambrana, en Julián del Casal, en Ricardo del Monte o en José Martí, dejarían de adivinar esos arañazos del final de su soneto al tabaco:

Tons sens, trop, precis, rature
ta vague littérature.

Esos reparos que se le señalan con frecuencia a Mallarmé, claro que entre los vulgares, de preciosismo, de oscuridad, de esterilidad, de falta de comunicación. ¿Cuál es la correcta actitud frente a ellos? Casi todo el lenguaje poético desde el Renacimiento está teñido de preciosidad. En Shakespeare, en los *Sonetos para diferentes aires de música*, o para la persona enigmática, hay una influencia decisiva del petrarquismo, que es dado a la preciosidad. Lo contrario de lo preciso no es lo grande y humano, sino lo vil y deleznable, pues Shakespeare, Juan Sebastián, Lope y Calderón, lo fueron, con lo que calmamos cierta malicia de respuesta rápida y superficial, tan de moda entre nosotros, sino que hay en sus obras elementos de preciosidad. Lo contrario de lo oscuro no es lo cenital o estelar, sino lo nacido sin placenta envolvente. En cuanto a lo de la comunicación, la tuvo en tan alto grado, por su irradiación, por sus mágicas acumulaciones, que es con Rimbaud, uno de los grandes centros de polarización poéticos, situado, en el inicio de la poesía contemporánea y una de las actitudes más enigmáticas y poderosas que existen en la historia de las imágenes.

Mallarmé muere queriendo llevar las posibilidades del poema más allá de la orquesta, por la unión del verbo y del gesto, y de las organizaciones del color. Intenta en su *Coup de dés,* el avance y el retroceso de los timbres y la colocación espacial del poema en la jerarquía de las constelaciones. Se subraya una palabra solitaria, como el andantino marcial en las graciosas subdivisiones de la flauta o se prolongan, se cierran en la infinitud de su serpiente, igualándose el comienzo y la recepción con la despedida, como en las impulsiones de los metales. La transparencia del papel, sus márgenes participando como una acusación o una alegría, sus combinaciones irrefutables de blancos y negros, adquieren un claroscuro, una desconocida dimensión. A veces pienso, como en el final de un coro griego o de una nueva epifanía, que sus páginas y el murmullo de sus timbres, serán algún día alzados, como en un facistol poliédrico, para ser leído por los dioses.

Marzo 4, 1956

El acto poético y Valéry

EL TRAVIESO Pound y el cuidado Valéry, parecen coincidir desde hace bastante tiempo en una afirmación insistida: *la poesía es una matemática inspirada*. Pero ¿en qué se inspira esa matemática? Y como nos vamos acercando a un momento de recuento y de síntesis, más que de fáciles soluciones órficas, bien está que nos situemos en aquella introducción a la poesía, donde salta un poco de fuego y asoma su astucia críptica la criba de Eratóstenes. Detrás del número y de la proporción, sorprendemos no tan solo el simple juego de las combinaciones favorables, sino el *daimon* de la música y la gracia inesperada de la Armonía, nos encontramos, pues, que esa coincidencia momentánea de dos espíritus disímiles en una frase, lejos de remansarnos, nos punza de nuevo para situarnos en inesperada equidistancia del don y del conteo de las cantidades o agrupamientos de la métrica. Recordemos que Pitágoras no encontraba nombre mejor para designar el Altísimo, el Nombre único, que el de *cuaternario*. La pirámide, el octaedro y el icosaedro, engendros de fuego, aire y agua, según los pitagóricos. Cuidado, pues, con el número. Hay también por allí lo inapresable, lo inexpresable, lo inencontrable. La matemática inspirada, nos deja un reverso inefable, donde desembocan otros, que no se ocultan para confesarnos, como Walter Pater: *all arts approach the condition of music*. Y entre la matemática y la música, el nominalismo, el acto del lenguaje, con los que ahora forcejea Valéry en su última obra, *Introducción a la poética*.

¿Qué nos dice Valéry y qué ve ahora detrás de las palabras? ¿Y cuándo nos entrega la definitiva separación del lenguaje estatuido y el lenguaje naciente, despegando así el goce del acto, del acto poético?

Valéry, viejo simbolista que mantiene sus preferencias, se acerca a la poesía como máxima realización del lenguaje, pero la distinción cuya claridad hace poco tiempo persigue, entre la acción que realiza y la obra hecha, sería tan sutil que no podríamos atraparla sino en una simplista realización causal. El secreto desarrollo de una obra, anterior a su aparición y justificación, permanece como cerrado feudo de la conducta, ¿cómo incorporarla a la obra de arte? Ese mecanismo acaso no pueda ser transmitido, pues para obtener su ganancia ética, habrá siempre que empezarlo de nuevo, y ese trabajo mecánico lo veríamos entonces como una obra realizada, pero cuyos resortes generacionales serían siempre inadvertidos en cuanto se producen. A las posibles filiales del lenguaje, añade Valéry la consideración del lenguaje en el acto. El lenguaje animista, nos ofrece su cuerpo doctrinal en la historia del espíritu obtenida por decantación de lo adquirido y de lo dado, es decir, la «consideración del lenguaje como la obra maestra de las obras maestras de la literatura». Esa parte definida de las obras de arte: mecanismo del acto del escritor —empleo de las *figuras*—, trazadas por las viejas retóricas aristotélicas. Quien multiplica las figuras nos da el puro nacer de las palabras. Otras condiciones menos definidas: inspiración, sensibilidad, están siempre dispuestas a escaparse a un control de omnisciencia monárquica, mas sería ilusorio considerar que el dominio de la parte mecánica suprime los riesgos del fragmento inspirado, de los caprichos o de las amistades luciferinas, de la misma manera que en filosofía el definir, distinguir, nombrar con gracia eficaz, no nos sirven para el otro saber de comunión, de religación. Quizás en una solución poética católica —que nadie puede estar seguro de su salvación— las consecuencias del apartamiento de esos secretos internos, mantenidos ocultos hasta su soltura total, nos darían el absoluto saber leal, llave o signo paradisíaco. «Los razonamientos delicados donde las conclusiones toman la apariencia de la adivinación.» La adivinación después de una larga excusa, la cortesía que puede un día permitirse las pascuas de un cumplido profetismo.

¿Podemos llegar algún día a definir con exactitud palabras hasta ahora extremadamente peligrosas, como forma, ritmo, influencias, inspiración, composición? ¿No es acaso también un signo, que entre en las fórmulas matemáticas, la palabra infinito? Lástima que Valéry, en su afán de alcanzar esa claridad de definición de términos utilizados en la poesía, haya propuesto sustituir autor por productor, lector por consumidor, y gracia histórica por producción del valor de una obra de arte. ¿Llegaremos a precisar la valoración artística al extremo de exacto significado que en economía tiene la palabra valor, con sus acompañantes de motivaciones espirituales e históricas? ¿Sería conveniente sustituir la gracia de la materia con la que se debe trabajar por el instrumento que nos permite operar? Tal vez volvamos a preguntarnos como en la antigua teología, si la presencia se verifica por la gracia de las palabras o por la virtud del que opera, del que prepara el Ascendimiento.

Cuidado, pues, con el número. Si se le utiliza como defensa y confesión, puede saltar la liebre y evitarnos la sorpresa gozosa. Ya sabemos que William Blake colocaba el Ángel Analítico entre Saturno y las estrellas fijas. Entre la autodestrucción y la monotonía de la ópera constante, del seguro diamante.

Junio, 1938

Sobre Paul Valéry

I

EN EL período alejandrino-apocalíptico, que podemos situar en la circunstancia intelectual de un contemporáneo de Proclo, el ojo humano no se contenta con su categoría de *pastiche* de Helios fulgente. Si las antiguas teogonías gustaban de afirmar que el conocimiento se integraba siguiendo la curva de desarrollo del ojo: desde el ojo del insecto, facetado para el espectro, hasta el ojo como pura radiación, el ojo del insecto, que tiene que luchar contra una impulsión insensata y una suspensión muscular, tiende a descomponer en giraciones infinitas, en paisajes que proliferan y se agolpan, lo que su propia impulsión acabará por asimilar en linealidad destructora. Esa impulsión le servirá para ir viendo, penetrando en su propio ojo. Para luchar con el aire y su incesante refracción mostrará la multiplicación de sus córneas y cristianos. El ojo del pulpo necesita nutrirse de su comprobación por el tacto, y los ojos que luchan con una resistencia opaca se ven obligados a dejar sus tentáculos en suspensión, como una excesiva seguridad en la carnosa oscuridad que le circunscribe. Como el ojo del pulpo se desenvuelve despacioso, los tentáculos se obligan con una rapidez fascinante a acariciar el objeto adquirido. El tacto y la visión se refuerzan en una forma que corrobora la atrofia de algunos sentidos, y esa colaboración hace pensar que ninguno de esos sentidos sería capaz por sí solo de llegar a su destino. Así un poeta, refiriéndose al período que en el conocimiento representa el ojo del insecto y el del pulpo, nos dice:

> *Todo soy boca de cintura arriba,*
> *y más muerdo sin ellos que con dientes.*
> *Tengo en sitios contrarios dos guerreros,*
> *los ojos en los pies y en los ojos los dedos.*

La fluencia de las tentaciones rivales, su multiplicación y entrecruzamiento, su ruptura de la independencia de los sentidos, para otorgarnos una nueva nebulosa sensorial, provocaban el ojo facetado del insecto. Los cordones nerviosos les impiden alcanzar una fijeza representativa. La incesante refracción del ojo que lucha con su impulsión demoníaca y con la aguda resistencia del aire, les permiten cierto goce cuantitativo. La aparición del estado crítico es consecuencia de esa proliferación del ojo, que viene a actuar así como la estable contracción de los cordones nerviosos. El antiguo paraíso de una sensación para un sentido, se destruye, por la ausencia de las exigencias plásticas de la representación, y en esa divertida esgrima la memoria de la ameba se atreve a pesar en el ala del ángel.

Entre el ojo del insecto y el ojo del pulpo se encuentra nuestro actual período alejandrino-apocalíptico. ¿Acaso no ha mostrado Valéry preferencias en sus símiles por el insecto? ¿No lo utiliza como un *alfiler en el borde de la siesta? Cuando el porvenir es pereza,* como en la estrofa en *El cementerio marino*, araña el insecto la sequedad líquida del estío. ¿No ha colocado en su soneto «*Baignée*», en el momento de la rápida delicia, la cabellera húmeda capturando el oro sencillo del vuelo embriagado de un insecto? Una siesta, unas tentaciones rivales que si soportan la llegada del insecto se debe a la penetración giradora de su ojo, producto de la luz impulsada por sus burdas interrogancias. Hay aquí otra divertida esgrima entre el zumbido del insecto y los ojos del búho minervino.

Usufructuaba Valéry esos aportes y tentaciones, que se habían desplegado en su formación en fáciles y oportunas llegadas, y que forman un tipo de escritor apocalíptico-alejandrino, equidistante por igual de una desacompasada penetración de la sustancia o de una acompasada habitabilidad de las esencias. Había disfrutado de las experiencias que se derivan de rodear y de ver por dentro y de cerca la paciencia de Stéphane Mallarmé, cuyo trato se mantendría para él en los *imanes de un mito, evitando una cercanía demasiado* comprometedora para ambos. *Un recurso esperado de palabras,* le oía decir en su adolescencia a Mallarmé, *bajo la comprensión de la mirada, se coloca en rasgos definitivos, silenciosamente.* Valéry no olvida esa lucha de la idea con la mirada, planteada por Mallarmé. *Bajo la mirada* —nos dice Valéry en grano de madurez— *la idea se convierte en sensación.* El cientificismo del XIX se mostraba ya a fines del siglo en cómodos resúmenes para la curiosidad sensual de un poeta. Había oído en días frecuentes el trabajo y la teoría de un artista plástico que le comunicaba así a un poeta una geometría carnal y apasionada. *El dibujo* —le oía decir a Degas en su adolescencia— *no es la forma, es la manera de ver la forma.* Y sobre todos los recursos poderosos que se derivan de ver la materia que va a utilizar la poesía en algunos prosistas anteriores, que el simbolismo disfrutaba con respecto a la prosa de Flaubert, donde, según el decir de un crítico agudo, la prosa había alcanzado en *Coeur simple,* añadiéndole página a la página, una intensidad comparable a la *Heaulmière,* de Villon. Al comunicarnos los románticos sus externas preocupaciones personales, la sustancia de la poesía había comenzado a expirar, en tal forma que un prosista como Flaubert, había intentado rescatar esa sustancia poética, para comunicarla licuada y ofendida a la prosa. Si recordamos el principio de *Salambó, «En Megara barrio de Cartago»,* nos damos cuenta de que este tetrarca honorario, como le ha llamado Thibaudet, utilizaba una sustancia brillante pero corrompida; metálica, pero que tenía que acudir a desarrollos que le alejaban de la poesía, sin poder comunicarle por una especial condición de la prosa francesa esos reflejos inversos.

Había también encontrado, por ese sortilegio de los encuentros de los que se vale un poeta para eliminar ciertas visibles influencias, una destreza aportada por los *lirici medicei* y cierta poesía cortesana, que estudiando a Voltaire, iba a actuar en una dirección inesperada y aun opuesta. Voltaire había aparecido con respecto a Corneille, como un polvo épico para sacar la poesía de la violencia sacudida corneilliana, para traernos una poesía seca y empolvada como un reloj del siglo XVIII. Esa sustancia seca, pero extremadamente atildada, que se había constituido en un soporte de supremas garantías, iba a ponerse en contacto —hablamos de influencias menores, casi invisibles— con el simbolismo finisecular, una forma de desarrollo circunspecto, pero que guardaba un recuerdo de la mordedura en el conocimiento y en el seno de la mujer despreciada. La seguridad del arte volteriano, que fluctuaba entre Corneille y los epigramas en latín para la Marquise Pompadour, se iba a unir también —seguimos hablando de influencias menores, casi invisibles— a otra poesía menor, pero cortesana y de correctas y líquidas volutas como la de los *lirici medicei*. Acaso no podemos situar como esperado antecesor del verso espléndido de Valéry, uno de los más fascinantes de la literatura francesa, *Comme le fruit se fond en jouissance*, aquellos del *Ambra* de Lorenzo el Magnífico.

> *Come le membre verginale entorno*
> *nell'acque brune e gelide, sentio,*
> *e mosso del leggiadro corpo adorno.*

Se había también frotado con el significativo contenido de la voluptuosidad en Baudelaire. Éste había derivado de sus demoradas excursiones sensuales una especie de voluptuosidad natural que era como una larga y fabricadora espera por la imposibilidad de hacerse un nuevo destino. Esa voluptuosidad natural gozaba de una gobernada alegría, ya que corría por entre los objetos, los que intentaba raptar no por posesión sino por atmósfera y estado. Valéry actuaría también aquí por reducción: frente a esa voluptuosidad natural de Baudelaire, derivaría y opondría su concepto de la voluptuosidad particular. En esa voluptuosidad se buscaba una identidad en que podía prescindirse de los tentáculos para apoderarse del objeto o para demorarse en cada uno de sus poros o celdillas. Partiendo de ella lograría expresar su intento desde un punto muy opuesto a la poesía. Venía a anhelar para la poesía en su *Amateur des vers* un pensamiento singularmente acabado. La identidad voluptuosa o voluptuosidad particular aparecía especialmente definida al enfrentarse con la sustancia de la poesía. No anhelaba el pascaliano pensamiento singularmente sentido, ni la dulce artesanía de un sentimiento acabado con rigor, sino que un dualismo innecesario para la poesía, prefería elaborar con artificio, tal vez con cada uno de los sentidos, un cosmos conceptual. Con esos apoderamientos previos, con esas sumas sutiles que la poesía revestía de invisibilidad, aparecía la cantidad regida por el acto voluntarioso, se mostraba entonces como primera característica del período alejandrino-apocalíptico: el ojo Facetado.

II

PARA UN trabajador mediocre y oficioso como Joseph Marie de Heredia, tenía que parecerle incomprensible el silencio de Valéry. Había olvidado que la pereza teje su dorado a fuego lento a la sombra del árbol del conocimiento. El silencio como forma, pero en el fondo la impulsión insensata, enloquecedora del deseo de comprender. El silencio como héroe inmóvil, y el conocimiento dentro del contorno de la piel, tema estoico que en aquellos años anhelaba soportar. Las numerosas referencias al cuerpo que aparecen en las obras de Valéry, inspiran lástima pascaliana: el cuerpo, su límite y conocimiento, el vacío como halo que rodea el contorno del cuerpo. La pereza nos une a la serpiente, la serpiente al conocimiento. Pereza terrible. En aquellos años Valéry no podía oír música, porque la sucesión de sus compases, o bien se debilitaba por los envíos posteriores, o bien el nacimiento de esa sola sugerencia, colocada en extraña vigilancia, evitaba la continuidad de las posteriores. No podía tampoco en aquellos años leer, porque las condiciones de la lectura eran incompatibles con una precisión excesiva del lenguaje. ¿Por qué en aquellos años Heredia encontraba perezoso a Valéry?

Esa precisión aguda, insensata del conocimiento se detiene. Es por ahora una acometida inexistente, un ardor. Creía Heredia en el rigor de ciertas transmisiones, y por eso rodeaba las lentitudes metálicas de su voz con las impúdicas inquietudes adolescentes. Ignoraba que las circunstancias eran parcas, divinidades enemigas o invisible hilado marino. Ignoraba que desde Mallarmé y Valéry toda prosa tenía que ser *comandada*, es decir, dirigida, y todo poema *demandado*, es decir, pedido desde las sombras, fatal y en punto, de la misma manera que un paseante de jardines suspendidos detiene su marcha para justificar con su muerte instantánea las inoportunas osadías de un gimnasta que anhela ser un flechero. *Sólo la fatiga me exalta*, decía Valéry, apartándose de la tradición voluptuosa del *bien-être*.

Esa concepción de la poesía como un impulso externo hace que Valéry, obligado a darnos un álbum de versos antiguos, haga fotografiar los versos de su primer periodo simbolista, antes que copiarlos de nuevo, lo que sería crearlos de nuevo al pasarlos por esa sangre ligera que mantiene su fidelidad al primer impulso cambiante. Valéry ripostaba a la acusación de esa pereza hecha por Heredia, considerándola la *consecuencia exterior de una modificación profunda*. Se enfrentaba con lo que pudiéramos llamar la etapa erótica del conocimiento poético: los temas de la oscuridad necesaria y la incoherencia necesaria. La oscuridad como tema plástico que pudiéramos llamar Apolo surgiendo de la espuma, tema del nacimiento; y la incoherencia, simbolizada en el caracol y las fidelidades a sí mismo que no permiten traiciones, desasimientos, fragmentos deshabitados.

Luchaba Valéry con la *durée*, favoreciéndola. Procuraba agudizar la resistencia para alcanzar la tensión despierta, desesperando a la voluntad. Una voluntad oficiosa, par ingrato de aquel sueño oficioso de los surrealistas. La mezcla de sueño y realidad, y en el extremo, la voluntad ejercitando el cuerpo comprendido. Para qué más preguntas si domino mi cuerpo y domino mi sueño.

No eran todavía los años en que Valéry, entre el ojo y la noche, como en su poema, se anclaría en el cuerpo. Eran los años de su adolescencia en que se detenía en las *convenciones*. Estas convenciones lo han acompañado siempre desde los primero intentos de *Monsieur Teste*, cuando intentaba definir a la poesía o a los que la habían definido en el siglo XVIII. Fundaba entonces sus puntos de vista en las convenciones, cortesía de la cultura, y en la estética de lo arbitrario, puro dominio, libertinaje del arbitrio. Si añadimos al concepto de las convenciones, de lo arbitrario establecido, el de las propiedades del lenguaje y su sola necesaria reducción, contemplamos el tránsito de Valéry al grande y único tema del estoicismo: el cuerpo frente a la nada.

Nada más opuesto a una convención que una convicción. La primera usufructúa un tejido, nacido de sus comunicaciones, nos hace pensar que a una descortesía responde la caída de la lámpara, a un fruncimiento inoportuno la ruptura de los candelabros. Esas convenciones le llevan a Valéry al rechazo de lo que él llama las ideas monstruos. Ya tenemos a Monsieur Teste brindando la primera copa de su bandeja: la razón sólo debe preguntar lo que la verdad le puede responder. Esas ideas monstruos son las del primitivo o las del que pregunta a destiempo, constituyen un ejercicio inoportuno de nuestras facultades interrogantes. Pero he ahí que coloca esas convenciones dentro de lo posible de un ejercicio dentro del espacio. Pero algunas cosas imposibles, como Monsieur Teste y la misma poesía, Valéry las coloca dentro del demonio de la imposibilidad y de la apetencia infinita.

Teste es un germen que tiene que vivir por cuartos de hora. Valéry gusta de contemplar el germen independientemente, a través de un cristal, al instante sobre el instante. ¿Se puede ver a través de un cristal el germen y el instante? Es decir, el nacimiento pero sin el camino ascendente de la pasión. El sol levantándose, trasunto del momento creador intelectual, conciencia de lo inconsciente, ¿pero considerando a la noche y a la mañana como monstruos o impuras abstracciones?

Valéry acaricia su monstruocillo Teste, germen sin desarrollo, nutrido de problemas y de *durée*, quimera, hipogrifo. No llega a ser monstruo como Euforión, no tiene por qué precipitarse en el abismo, porque no intenta vivir. Euforión que se pregunta: ¿son ahora la melodía y el compás lo que deben ser? Pero recibe constantemente la invitación de sus padres para que sea el ornamento de la llanura. Euforión cultiva la violencia y el rapto y se desprende ligero para perseguir la ascensión de la llama que se levanta de las rocas. No así Teste, a quien ni siquiera le interesa comprobar sus instrumentos, ya que considera que éstos le son entregados por la diosa fortuna en el instante en que le teje su nido.

El punto se sucede, la línea; la célula o germen se multiplica, el cuerpo. Se crea por ruptura, como Satán; o por desprendimientos, como los cientificistas del XIX, «desprendimiento de anillos en fragmentos, siguiendo el impulso que les envía el centro». O estamos, que es el caso de Valéry, en la creación del germen, instante punto, de la pureza absoluta del fluir del tiempo que al fin se inserta en la figura geométrica, en el cuerpo humano, en la palabra naciente. ¿Cuál es ese momento?

Valéry mantiene su incertidumbre con respecto a los fines y derivaciones de ese germen. ¿Cómo realizar la integración de ese germen hasta el órgano, prescindiendo totalmente de su derivación en instrumento? Es decir, cómo resolver que la poesía en su inicial sea un germen y en su desarrollo sea un instrumento y se deba a la artesanía. Y luego, si la poesía es germen o creación, cómo no aislar a la imagen, considerándola unidad distinta de su absoluto y ver esa imagen tan solo como prefigura, viéndola tan solo como un fragmento inconcluso. La capacidad del germen para crear está en razón inversa de la que tiene para producir instrumentos.

Y si la poesía tiende también a la figura, cómo es que no llega a considerar el cuerpo como un instrumento y lo considera como *la medida del mundo*. He aquí una momentánea solución, ya tenemos una escisión entre ser y cuerpo, que es el fondo movedizo de Valéry, ya que el germen en el momento espléndido en que es creación, está resuelto como la total poesía. El traslado de ese fuego por medio de aparatos y máquinas, le coloca en una categoría de residuo abandonado, en un instrumento al servicio de la disciplina estoica. Pero el germen nos entrega la poesía, el cuerpo y el ser totalmente indistintos, resueltos, pero en su aplicación establece un trágico distingo entre servicio y destino.

He ahí la raíz del planteamiento poético que Valéry ha entregado a nuestra época para confundir, aclarando. Encerrado en sus ajustes, en sus comprobaciones infinitas, la influencia del movimiento o del pequeño torbellino, provocan las contracciones o los rapidísimos fruncimientos de su superficie. El germen perfecto atesora en la sucesión de sus instantes, la seguridad de su cuerpo asistido, y sus potencias que no acuden al acto, mantienen su don ecuestre, soportando las comprobaciones con desprecio, pero con una alegría sombría.

Así como Valéry aconseja mantener el lenguaje como una acusación, la extensión soporta el movimiento o, si se quiere, soporta la llegada de Dios sin necesidad de ninguna Anunciación. La llegada del movimiento provocaría la dispersión del sentido o del reparto de sus átomos, que así se ven precisados por su ceguera a reunirse en un punto, donde tenemos que soportar un asalto secreto. Esa tensión hacia el mismo centro del cuerpo, provoca la ruptura del cuerpo homogéneo por sus perfecciones, que así se ve obligado a repetir lo perfecto como un diedro espejante. Esta creación que multiplica lo perfecto se nutre de su hastío. Es atractiva la insistencia de Mallarmé por el espejo, como en Valéry, por el hastío. La atracción del espejo sigue insistiendo después que dejó de ser tocado por la presencia, se crea entonces una tensión donde el símbolo tiene que recobrarse, que mantener su halo. Pero esa creación por escisión, por sucesivas contracciones centrales y lentos desprendimientos del límite, impulsa una causación esperada, provocando una suerte de ley de herencia de las ideas o de la sensibilidad. Nos encontramos ya con un valioso suicidio controlado y un hastío del reencuentro. Pero, antes que Monsieur Teste extienda su manta y sacuda la ceniza de su hastío, recojámosle algunos de sus más valiosos cuartos de hora.

A la salida de la ópera, los discípulos de Monsieur Teste creen que él haría un gran dramaturgo. Colocaría su teatro en el extremo de todas las ciencias y en el principio de todas las negaciones. Estas adulaciones de sus discípulos son presto rebanadas por un cortante: *Personne ne médite*. Se habla de incoherencias, pero la fidelidad del que escucha, le obliga a mantener la desconfianza de la coherencia frente a la incoherencia. El espíritu está construido de tal forma que él no puede ser incoherente para sí mismo. Los discípulos continúan su cortejo, van buscando la solución miserable, *sensaciones abstractas, figuras deliciosas de todo lo amado*. Los sentidos que habían vuelto las espaldas a lo arquetipo, terminan nutriéndolos, nutriéndose. Y en terminada *mélange*, un *pathos* bien graduado en escalas mercuriales al alcance de la mano. He aquí una trampa que los discípulos van presentando y que algunos divertidos paseantes aconsejan, aclaran, distribuyen y vuelven a empezar. Todo lo que se concibe es fácil, aclara. El hombre sabio ignora lo que dice y el yo es irreductible. En el desarrollo de sus ideas, Valéry ha hablado en ocasiones como Teste, en ocasiones como sus discípulos.No contemplemos ahí un dualismo: todo hombre habita el borde de su yo y escucha a su discípulo, pero que puede ser grotesco cuando la figura mayor y la menor avanzan, bien señalando un cometa, o cogidas de la mano, se convierte en contemplación angustiosa tan pronto en nuestro interior, inseparables, se embisten y acusan. Uno al borde de nuestro yo, en el límite de la piel, saltando al vacío; otro, el discípulo, que pudo disfrazarse de diablo y aconsejar las cosas extraordinarias, pero que sustancialmente duerme y olvida. Teste sabe que tiene que reducirse a su yo, de la misma manera que el germen se reduce al punto para emitir el nuevo cuerpo perfecto. Se mostraba aquí Valéry poco cartesiano, ya que éste se había alejado de Isabel del Palatinado, decidiéndose a escoger camino y presenciar la coronación del emperador de Alemania. Acudiendo al paisaje y al estudio del mundo, alejándose del propio país y cerrando los libros, todo esto según confiesa Descartes, con un espléndido resultado. Este anticartesianismo de Descartes suele ser delicioso.

La salida del teatro en la medianoche y el paseo han apesadumbrado los párpados de Monsieur Teste. Ahora entra en el sueño saboreando con los dedos la caída de las arenas. Entremos en el sueño del que le interesa estar siempre despierto. La bujía se extingue y el cuerpo es invadido, rodeado. El discípulo utilizará también la bujía para descender. El discípulo conoce su cuerpo al descubrirlo, Monsieur Teste lo reconoce de memoria. Nos cogemos, dice Valéry, el pie derecho con la mano derecha, y colocamos el pie frío en la palma caliente. El sueño se pliega, desaparece o se nos avecina apretándonos torpemente, pero nuestro cuerpo rodeado de arena le ofrece un límite. Frente a esa corriente del sueño le ofrecemos momentáneamente un pensamiento que al convertirse en objeto desciende también. En la muerte el alma se siente incompleta y añora la prisión desprendida, pero en el sueño el alma se pasea, continúa, se prende a un pensamiento difícil de trazar que nos gobierna con despotismo invisible. Así desposeído, el cuerpo ha de continuar una idea, ¿cuál? He ahí el sueño duro e inflexible: continuar sin saber, responder precisamente aquello que no nos atrevemos a preguntar, que no podemos desanclar de nosotros mismos y que el sueño evapora en claro rocío. Es el sueño tan solo para Valéry un movimiento inmenso. De pronto sentimos que *eso* va a venir, hacemos el conjuro y nos apoderamos de una idea inconclusa o de un retorcido problema. Un grito que se espera como un reloj. Ya nos envuelve, la idea entonces convertida en objeto, portando aún su bujía, baja a la vida interior.

Después el enemigo se aleja, el objeto que ha descendido se devuelve en clara respuesta a una idea que desconocemos, invisible, que no puede ser nuestro amigo.

III

PARA LOS estoicos el cuerpo era un espectáculo, existía como un objeto, pertenece al mundo exterior. Para ellos adecuar la sensación era el fin del artista. *Pour tenter les démons ajustant bien leurs has*, dice un verso de claro ajuste estoico. Sin embargo, Valéry parece inclinarse a la católica tomista solución unitiva. En algunas página sobre Leonardo así lo confiesa. No hay, no puede haber, la menor analogía entre el espíritu de los hombres y el cuerpo de los ángeles. Pero he ahí que es extraño e irregular mantener como Valéry, desde el punto de vista de las sensaciones, una actitud estoica y mantener acerca del cuerpo un criterio católico tomista. Observo ahora que Valéry no emplea el clásico uso de *logos spermatikós* que es base fundamental del estoicismo, sino el de *germen*. Si añadimos a esto el empleo de la palabra *durée* al igual que Bergson, cuya influencia él siempre se ha negado a aceptar, tenemos ya a Valéry dentro del bergsonismo más que dentro del estoicismo. Otro distingo, el estoico se gozaba en el empleo de la *forma sustancialis*, que podía llegar a incluir lo inerte, sin embargo, el católico tomista emplea el *esse sustancialis,* el ser que es siempre sustancia, que es sustancial. Por eso en el estoico la voluntad puede estar a servicio de esa *forma sustancialis*. La voluntad en el estoico está dirigida hasta su piel como un límite. A esa impulsión, tenemos que añadir la fuerza regresiva de lo inerte sobre nosotros, las radiaciones del mundo exterior, con el que procuramos adecuarnos, Esa impulsión y esa adecuación es cierto que brindan un universo habitado totalmente por una sustancia y que siente como un error o un bostezo el temor de una pausa vacía. El estoicismo en arte ha hecho que el límite tenga una posible aceptación de dignidad. Cuando Goethe decía con orgullo, nosotros los patricios de Franckfort; cuando él creía que el maestro se distingue porque trabaja dentro de límites, es sin duda el mundo de los estoicos el que habita, el de su *forma sustancialis*.

IV

Así COMO el cuerpo soporta la nada rodeante, las figuras se ven obligadas a contrarrestar el flujo de las imágenes. Valéry no ha querido alcanzar una distinción esencial entre imagen y figura, como dos vías distintas. Ha visto a la imagen en su marcha, cree que la finalidad de las imágenes es alcanzar las figuras. Las imágenes, nos dice, son prefiguras. No podía soportar que mientras las imágenes empañan su espejo, las figuras tienen que soportar también la negación del movimiento. Tenía que trazarse una escisión violenta, como la que había alcanzado el tomismo, al considerar la forma como etapa última de la materia. La imagen contenía una presencia enojosa, cuya finalidad parecía huir hasta perderse o hacerse indetenible. En eso Valéry parecía separarse de Mallarmé, en quien la progresión verbal estaba impulsada por un murmullo, de tal manera que la suma de las imágenes producía una resultante tonal, pero sin que su desesperada paciencia creyese en el virtuosismo de las figuras.

Ésa había sido la posibilidad aristotélica de las figuras, es decir, la posibilidad desprovista de forma, en este caso las imágenes, que nos traería como consecuencia el espacio vacío de los platónicos. Pero esa posición es inadmisible para la poesía, que por desconfiar de la fijeza de la percepción, desconfía de todo lo categorial. Tanto en Lucrecio, como en Valéry, esa lucha del movimiento y el vacío; quieren resolverse en el símbolo de la marcha del pez que al avanzar por el dictado de sus impulsos instantáneos, desaloja un vacío; ¿sería tolerable el vacío como huella de la marcha? Mientras Pascal dudaba porque creía que la naturaleza no sentía vivamente el horror al vacío. Pero la marcha del pez provoca un impulso en la onda para custodiar el arbitrio de su movimiento infinito. Así en Lucrecio:

> *...los peces relucientes*
> *les abre el agua líquidos caminos,*
> *que después el espacio abandonado*
> *se ocupa por la onda retirada.*

En Lucrecio parece aceptarse momentáneamente la existencia del vacío, pero para contrarrestarlo con el cuerpo: sólo nos queda cuerpo y vacío. Así el movimiento parece como un desenvolverse del cuerpo en el vacío. Valéry reproduce el problema de la marcha del pez tal como lo había planteado Lucrecio, «por sí mismo sentía —nos dice— cómo la forma favorable de estos peces, de la manera más rápida llevaban de la cabeza a la cola, las aguas que encontraban en su camino, y que para avanzar tenían que echar hacia *atrás*». Si los estoicos ejemplifican la lucha del cuerpo y el vacío en la marcha del pez, para los cristianos el problema aparece en forma de rudo combate. Es necesaria, inaplazable, la lucha contra el pez. Su simplista y elegante conciencia vertebral, destruye el arbitrio. Su instantaneidad pasa fría por nuestras manos como un recuerdo de la indetención del tiempo. Al mismo tiempo que el pez no siente la presencia del vacío como una angustia o comprensión, resuelve totalmente con el paso de sus escamas la nietzscheana felicidad en el terror, y llega a sentir como una seda a su presión instantánea los infinitos puntos muertos, como la larga soledad de Satán entre las rocas, esperando la ruptura.

Se busca la figura no como un elegante entresacar, destejer, tejer, asegurado recomenzar, ella no se libera, no rompe con nuestro cuerpo, no se atreve a rodar ante la mirada. Se busca, se ansía, por el dedo que toca, por suerte de penetración, por potencia circular, porque nos asegura contra el devenir, ya que, si no la expresión, el arte, el existir, sería una escala en un pozo; los ojos del gato en el centro del pozo. Si no, quedaría, al no aceptar la figura, la boca reabierta, el gesto en el que se muere, el devenir, suprimida la tierra a nuestros pies; un largo soplo que pasa y que no encuentra a la tierra. La figura que no lucha con él *a priori*, la figura espacial es inútil o útil cartesiano. Pero lucha la figura contra el devenir, porque lo que lucha con el tiempo es la esterilidad, el disfraz de lo estéril, el coro de rocas, lo *insensible abstracto*, fósforo o yeso del encerado, pie sobre la orilla, nombre sobre la orilla. Es por eso que dentro de la figura están Pascal, Cézanne y Valéry. Las sensibilidades más disímiles en esa angustiosa detención y seguridades de las figuras.

Ah, pero en Pascal separemos figura de símbolo. En Cézanne, figura finalidad de figura secreción. En Valéry, figura de acto puro.

Para Pascal no hay la tregua de las figuras: las hay demostrativas, pero también las hay indubitables y apocalípticas. ¿Sería inadmisible para Valéry la figura apocalíptica? Pasan e insisten, se divierten o se diversifican: claras y serenas, o pueden tirar de los cabellos, sonar como cometas. La figura es un aguijón de las furias, un humo de la sangre. Si se va a ellas es para no tener el orgullo de crear un orden nuevo, más allá del heroico y del sobrenatural. Figura de la causa, es decir, la gracia; símbolo, figura sin fin. Subrayemos la antítesis sobre el pascaliano símbolo, figura sin fin, y la frase de Valéry: las imágenes son prefiguras. En Pascal, más allá de la figura, empieza el símbolo; más allá de la ley, la nueva ley; más allá del signo, la ruptura de la servidumbre y la nueva alianza. La justificación de la figura no es un orden distinto, es la mirada que recibe y el ojo que impulsa, es la visitación, visibilidad de la gracia. La figura, como la forma de los tomistas, lucha con la gracia porque no la puede contener toda. La figura no puede abarcar la gracia, no capta el instante punto; está entre el murmullo de la existencia del símbolo y su expirar; entre la imagen que se inicia y la que se pierde. No prevé las imágenes sucesivas, ni la imagen que se resume en la imagen, es decir, el cuerpo poemático. Surge y se mantiene por la lucha entre dos apariencias o dos esencias, y entre ellas traza el sentido de sus diseños. Dos naturalezas en Cristo, dos advenimientos, dos estados o naturalezas en el hombre: reconocimientos de las criaturas e imposibilidad para acercarse a ellas. Surge entonces la figura frente a las contradicciones. Rebasa y gime. Pero en el otro aspecto, en lucha contra el devenir, agradan y desagradan a Dios que ve siempre en ellas un sitio de tentación y de guardia. Por el contrario, en Pascal, el sitio prestado a la figura está trazado sobre una arena lastimera y gemidora.

Que todo artista siente la vacilación y la atracción de la figura, lo revela Cézanne cuando nos dice: *L'aboutissement de l'art c'est la figure.* Citamos ahora a Cézanne porque su contraste natural con Valéry es extremadamente significativo para alcanzar puntos referenciales. Ese *aboutissement* que puede ser finalidad, viene también a significar supuración. La forma supuración en Cézanne opuesta a la forma objeto de Valéry. Claro está que Valéry intenta aislar la figura de su proceso abstracto. Admite un espejo en las figuras del acto naciente, ya que las figuras, al desprenderse de nosotros, intentan reproducir ese acto. Claro está que el distingo previo de Valéry no es satisfactorio, él opone inspiración a mecanismo, y la frase análisis comparado del mecanismo, es, dicho con propiedad, una figura, según él nos afirma. Llegamos a la conclusión de que la figura se realiza como una convención que puede prolongar el acto naciente, pero que evaporada de nosotros se mantiene en la atmósfera de una mecánica analítica del lenguaje.

En el estoicismo el apetito de la figura se debe al concepto de la tensión de la piel, consecuencia de la proporción de la sustancia y su total ocupación, pero no a la artesana insistencia sobre la materia, ya que un artesano medioeval ve en la materia la probabilidad alegre de un combate con el enemigo que se repite, que no podemos alejar. La figura supone la rama pura, el fruto puro. Pero el árbol sólo nos muestra su imagen: la sombra. La sombra es la imagen vegetativa de la figura, pero la imagen recepta el árbol puro, a la necesaria pura sombra, aliento, humedad, brisa, crecimiento invisible y visibles humaredas. Por eso el artesano creaba el hábito frente a la materia, la continua vigilancia y ejercicio, ya que si no la decisión retadora de la materia podía encontrar al creador adormecido. Encontrándose, por falta de hábito, frente a la materia, obligado a acudir a la violencia y a la recuperación súbita. El rapto y la ruptura presuponen una circunstancia amurallada por el hábito para alejar el sueño que se avecina cuando nos encontramos en un asedio prolongado.

En sí la forma puede existir, pero de un árbol o de un amigo, lo que tenemos es su imagen: su insistencia es, como ya lo vio Santo Tomás de Aquino, la transmisión de la forma de un ser a otra. Primogénito de toda criatura, el considerar la Patrística que sólo el Hijo podía ser imagen, nos libra del peligro de una tregua intelectual. Así el Padre goza de figuración; el Hijo es imagen, y el Espíritu Santo se expresa a través del Hijo, imagen de imágenes. Y el Hijo, que es la imagen, se expresa por el Verbo. En toda palabra siempre contemplamos el aliento del segundo nacimiento, el contorno de la sombra en el muro. El ojo crea la figura; la noche se expresa, cae sobre nosotros por imagen. El ojo siente un orgullo pasivo cuando se extiende en la figura. Nuestro cuerpo siente un orgullo posesivo cuando penetra en la imagen de la noche. Queda aquí nuestro estudio como una glosa a los versos aludidos de Valéry:

> Y rompiendo una tumba serena,
> me reduzco inquieto y aun soberano,
> ya que mis visiones entre el ojo y la
>   [noche
> los menores movimientos consultan mi
>   [orgullo.

1945

Conocimiento
de salvación

HE AQUÍ que el hombre está rodeado de
una inmensa condenación inanimada. «La tierra estaba desorde
nada y vacía y las tinieblas estaban sobre el haz del abismo.» Pero
el Espíritu Santo y la luz fueron penetrando en las cosas. Es decir, que frente a las cosas tenemos un apoderamiento progresivo: el conocimiento; y una condenación regresiva: el tiempo. Conocimiento y tiempo constituyen en el hombre la gracia y el
fatum que en las entretelas arman su carreta de la muerte. El conocer poético se separa del conocer dialéctico que busca tan solo
el espejo de su identidad. Duhamel ha observado que no se puede leer una página de Claudel sin medir toda la importancia de
esta noción del tiempo. Constantemente, nos dice, el personaje
que habla se pone a mirar el cielo, adivina la posición de los astros y nombra la estación. Las cosas permanecen retadoras en su
sitio, pero el hombre puede conocer, y ese conocimiento poético será su descubrir, su nombrar, ya que la gracia de evocar constituye una solución de vivir. La palabra sólo rinde su eficacia en
esa gracia y potencia de evocar, en un verídico escamoteo de la
cosa por su nombre. *Nous les appelons, en effet, nous les évo-*
quons. El triunfo de la palabra humana, nos viene a decir Charles
du Bos, en la literatura francesa lo ha consagrado Paul Claudel,
en su voz se agrupan todos los registros, la octava de su voz es
nada menos que la octava de la palabra humana. Es así que ha

querido llevar la medida de sus versos con el ritmo de la expiración. A la impenetrabilidad del mundo exterior, la poesía aporta una solución: su sustitución por la evocación, capacidad devolutiva del sujeto, después que se ha perdido el imposible diálogo con la naturaleza, después que rebanamos la mirada o que le tememos al lenguaje táctil. Es esa evocación claudeliana una gracia suficiente por la que se produce en nosotros una vibración que puede sustituir al objeto mismo, o es ese conocimiento poético la única posibilidad de adentrarnos en el mundo enemigo o aún no descubierto. Claro está que para Claudel el conocimiento tiene un sentido bíblico, de diálogo carnal muy distante de la acepción que desde el Renacimiento ha asumido: conocimiento *a posteriori*, repetida experiencia. Toda creación, nos dice Claudel, es tanto creada como creatriz. Habrá, pues, en la creación poética tanto la prudencia del trabajo físico o de experimentación, o de resultados provocados, como de impulsión a los más reservados estratos de la sustancia tal como la concibieron los cartesianos, sino más bien como en Leibniz, a una síntesis de la sustancia y el devenir. Claudel, que tanto nos recuerda el reino pictórico de Cézanne, aunque se sumerja en la artesanía gótica de una apetencia religiosa, se mantiene fiel a su centro sustancial más que al intelecto o a los instintos —pecado de Valéry o de los surrealistas—, queriendo apartarse del fracaso postrenacentista del arte localizado en el contorno roto o en la línea muerta. Cuando nos dice que la poesía no es método sino centro —todavía un nuevo método, exclama, refiriéndose al opio utilizado por Cocteau—, permanece fiel a su goticismo que se fía más de la cornada ante Dios que de un justo situarse en la pista de su salvación, más enamorado de la sustancia que de las esencias. «El instinto sensible —nos dice Schiller— se ocupa de mantener al hombre dentro de los límites del tiempo y convertirle en materia.» Y añade: «este instinto exige que haya variación, que el tiempo tenga un contenido. Este estado de tiempo meramente cumplido se llama sensibilidad». En ese estado de sensibilidad, viene a resumir Schiller, el hombre no es otra cosa que una unidad de cantidad. Ese reino de la percepción absoluta, de la percepción que no se resigna a llegar a concepto, ocupando un gozoso espacio musicado entre lo interjeccional y el sentido *a posteriori*. Por eso la decantación de todo poema logrado es el constante rumor de su alegría, ese plus de las obras maestras de que ha hablado Gide, y lo que más subraya la diferenciación entre el conocimiento poético y el conocimiento dialéctico es la nostalgia, el humor de la desesperación fracasada de este último. Por el contrario, el conocimiento poético, por medio de la alabanza puede alcanzar y descansar en Dios. Si por medio del hombre, la criatura puede alzarse hasta la plenitud de su alegría, ya que el orgullo de la rebeldía es esencialmente antipoético, vemos, recordando la frase de Schiller anteriormente citada, que el hombre sucumbe ante el tiempo que le convierte en objeto, que le resta dignidad. Con respecto a su relación con el espacio hínchase la criatura para alabar, desde la forma elemental del grito hasta la cabal conjuración de la plegaria. La fluencia temporal le retrotrae a la caída, el pecado original, a la angustia por la cercanía de la muerte. Cuando Kierkegaard califica su pensamiento de *dialéctica cualitática*, ¿no es en una solución poética en la que piensa para atrapar los *quiditas*?

Mientras el acercarse de la poesía al desarrollo dialéctico ha tenido las consecuencias épicas de llevar la prolongación del momento inefable hasta el ámbito señoreado por la gracia; indomeñable la conducción de la identidad dialéctica a la zona sinusoidal del existir, ha tenido la peligrosidad hirviente de lanzar a la filosofía fuera de sus limitaciones esenciales. Lo que buscan los contemporáneos en la filosofía, ha observado Lantsheere, es menos una explicación real de las cosas que una epopeya intelectual, una suerte de drama del espíritu, un poema subjetivo. Todos los grandes intentos poéticos contemporáneos, desde la poesía pura hasta el surrealismo, no son otra cosa que un esfuerzo desesperado por prolongar la percepción de temporalidad rapidísima, o trocar el estado sensible —ocupado, según Schiller, en mantener al hombre dentro de los límites del tiempo—, en ajustada percepción. Esa soñadora dialéctica cualitativa de Kierkegaard no será acaso el sentido de la coincidencia de percepción y estado sensible, una de las formas del conocido claudeliano, gótico, medioeval. Con muy otro sentido renacentista ha hablado este poeta del conocimiento vital, poético. Vivir, concluye, es conocer. Con Claudel, observa Duhamel, la palabra *con-*

naissance adquiere su sentido prístino de *naissance*, que desde hacía mucho tiempo había perdido. Para Claudel todo conocimiento es un nacimiento, una navidad sanguínea. Así, como obrero gremial, exclama: *Que yo sea una nota en el trabajo. Que sea anegado en mi movimiento (nada más que la pequeña presión de la mano para gobernar).* Si como obrero desea la indistinción angélica, como poeta sólo se realiza en el salto de la lírica al drama: en el conocimiento de Dios. No busca este conocimiento como los teólogos medioevales en la doctrina de la partición, por la que se superaba la imposibilidad de penetrar en la divina cuididad, sino en un apetito cognoscente, y en esto Claudel parece oponer el conocimiento vital o poético al *élan* vital de Bergson, que no lleva a sumirse en oración de quietud, sino a penetrar como conquistador en la suprema esencia. Cuando nos dice: *que mi verso no tenga nada de esclavo, como el águila marina que se lanza sobre un gran pez*; queda: el hombre como ente orgulloso, desnudo y reclamador del conocimiento de Dios, *como un animal en el medio de la tierra, como un caballo abandonado que lanza hacia el sol un grito de hombre.* Queda: el gran combate, la altísima dignidad del católico: cara a cara con el tremendo pez, con Dios mismo.

Septiembre de 1939

Loanza de Claudel

HAY QUE ir a lo claveteado, por el camino del trigo, parece ser la cifra más constante de la mano que acaba de replegarse. Al quedar exánime habrá caído de sus manos el martillo con el que golpeó tantas veces —como Carlos Martel, de la tribu de los francos, llamado el Martillo—, la escamosa caballería de los infiernos. Ciega para las verdades reveladas, nuestra época se adensa y magulla para recibir unas cuantas verdades que han procurado avivar su cuerpo de ceniza, su árbol de llamas secas. Pero albricias, tímpanos de cobre, puede mostrar un hallazgo: haber llevado la metáfora al sitio ocupado por el silogismo. Quien regaló esa claridad, el venerable de la tribu de los francos, el último poseedor del hacha de los francos, Paul Claudel, ya puede oír la música del Espíritu Santo, dilatarse en la celesta recibiendo los escuadrones de los Transparentes. Haber partido con su hacha la vieja serpiente de la metáfora en sus mutaciones, los collares somnolientos que destellaban sus fragmentos, el palustre reptar en el alba de las transmigraciones, para hacer de esa metáfora un continuo de conocimiento, la vieja balleta con la vieja arca para atravesar las zonas de la Erinnias y del Tártaro, «el grito de los animales engañados y el olor de la vaca y de la carne humana».

La premisa mayor de esa metáfora de conocimiento, que venía a reemplazar el causalismo encerrado y recíproco del silogismo, estaba trazada en el vasto friso aristotélico. El viejo problema altísimo del género y la especie, según la constante alusión escolástica, la esencia y la sustancia, totalidad y fragmento, constituían el mundo donde su extensión se recobraba, donde sus fragmentos alcanzaban lo semejante al desaparecer en lo oscuro dejando su signo. El mundo de los ejemplos aristotélicos, la división de los géneros sin pérdida de su cuantidad, al hablarnos de esferas de bronce o de cubos de bronce, o esas escalas donde las áridas cuestiones del género y la especie cobraban para él el brillo de los metales caldeos. *Hombre, caballo, dios*, en el sutil distingo del género y la especie, debían refulgirle como en los antiguos teogonías donde el canto supera los dones órficos de descensos infernales, para alcanzar la inocencia de la más poderosa exaltación corporal.

El relieve de esa extensión cobraba riesgo de apesadumbrarse en su identidad, si no lo recorriese algo semejante a los errantes ojos del leopardo joven, que nos trajese una nueva forma para una nueva energía. La premisa menor tenía que ser la sirte que rondaría a ese Odiseo poético, decidiéndose a remover con su cayado un pozo sombrío y naciente de infernal y sedosa imantación. «Separaba del cielo el azul que es negro, parece oírle a Rimbaud, y viví, chispa de oro de la luz naturaleza.» Entonces ya Claudel no vacila, se dirige a Charleville, la idea que acompañó el tarafeo infantil de Rimbaud, habla con sus preceptores, visita su tumba blanca de primera comunión. Vuelca la mesa de Rimbaud por mano del maestro Berrichón y sorprende allí, grabada a cuchillo, una cruz. Está ya logrado el destino de Claudel, mostrar esa escondida cruz, clavándola en la pared que acompaña su sueño. La cruz como resguardo, se convierte, en el conocimiento develado por su poesía, en la cruz de visible compañía y de irradiación sobre las batallas y los escondrijos. Su poesía nos trajo la cruz de la majestad, la que ofusca serenamente en el instante de su esplendor, mucho más allá de la cruz como signo conjurante de los infiernos y las invenciones hostiles.

Claudel tuvo entonces, como una consecuencia de aquella revelación, una compañía que lo irritará oportunamente al situarlo en la intranquilidad de una frontera, favoreciendo el volteo de la esfera para su mitad de sombra y de torcedor. Era la revelación de que Rimbaud era uno de los últimos hombres que habían podido reavivar el periodo tribal, de primigenia captación de lo solar —simpatía por los cuchillos y las monedas como ornamento energético de lo sagrado—, logrando la extraterritorialidad propia de la santidad. A nadie se le había ocurrido voltear la mesa de escritura de Rimbaud. Semejante a la paloma del Descubrimiento, cantada por él con una grandeza que recuerda a Ezequiel en sus alabanzas de las ruedas estelares, había sido la forma conducente de esa esencia para alcanzar un signo. En ese momento Claudel fue el mensajero, el que traslada una esencia para su conversión en harina para el apetito necesario. Encontró aquella cruz porque era necesario que existiese ese alimento para el conocimiento poético, esa forma de poesía en el inextinguible de la sustancia que necesita el pueblo de Dios.

La unión del friso aristotélico con la energía de Rimbaud, tenía para Claudel esa condición de deudor sanguíneo que necesitaba el católico. A griegos y romanos, antiguos y modernos, nos dice San Pablo, a todos soy deudor. Desde la eternidad como concepto de lo temporal, el católico se obliga a intuir la obra de los hijos del siglo, sumergiéndola en esa masa temporal de lo eterno. Así el católico tiene el sentido más esencial y adivinador de lo temporal. No queda enredado en lo contemporáneo ni se hunde disperso en su mitificación. Ni procura las cobardes pacificaciones de la síntesis. Percibe ese fragmento de nuestros días que lo eterno va punteando y deglutiendo. Obligándonos a sentirnos deudor del incesante trasiego invisible de ese mundo intemporal donde la rebeldía está asimilada por los dioses, donde Prometeo no cuenta ya con la ayuda del fuego y de Cronos para hundir a los dioses en el Cáucaso. Así Claudel, deudor sanguíneo, podía entonar la alabanza de Santa Genoveva, en la era de las tribus misteriosas, como la del actor chino Mei Lan Fan; apoderarse de la fuerza de la escritura vertical romana y de la escritura horizontal como el devenir del río, de los chinos, donde el signo es un ente; podía cantar a Dante y a Charles Louis Philipe; sentir a San Luis pasar a caballo por una aldea en un día de Noel, como a De Gaulle, negado a perpetuidad por la miseria de su época. Podía, y he ahí la más poderosa abertura de su arco, ser deudor de Aristóteles y Rimbaud, de una gran extensión de conocimiento y de la acumulación de energía en un pillete sagrado.

Moverse en ese horizonte tan dilatado tenía que producir en Claudel una salud salvaje. En la plenitud del mundo medioeval católico, la salud es el apetito, como la *acidia* es la enfermedad, la repugnancia. El apetito es la alegría que incorpora, como la *acidia* es la tristeza que rechaza. Esa alegría de la salud que apetece lo lleva a descubrir a Whitman, a Nietzsche y a Rimbaud. Pero muy pronto en Nietzsche, esa embriaguez oscura a la alemana lo sobresalta, salvándole el ángel de sus ancestros, pues Claudel habitó siempre el tiempo de su imaginación, las grandes construcciones carolingias. A esa embriaguez oscura opone Claudel la embriaguez cenital del católico por la revelación. La que acompañó siempre a Job, el convencimiento revelado de que su redentor existe.

Para enfrentarse con las murallas de la muerte, Claudel, como en la alabanza de San Francisco Javier, que nos dejó, al ver que no podía traspasarlas, debe haber hecho una gran cruz sobre su frente y su pecho, perdiendo los poderosos números de su aliento y adormeciéndose lentamente en la nave mayor de Nuestra Señora. Ninguna voz estará más ansiosa para recuperar ese cuerpo de leñador reposado, en el día de la Resurrección.

Marzo 11, 1955

El secreto de Garcilaso

A Juan Ramón Jiménez

Extraño Garcilaso

GARCILASO CONVERTIDO en pastilla se ha quemado, pero sus aspirados vapores han motivado efectos contradictorios no previstos por Lopillo. Clarísimos vapores recogidos por romanceados y por cultos, y lejos de ser una ostentación o un lujo intraspasable para una específica casta poética, ha sido más especial coincidencia, una de las más extrañas detenciones en que se ha planteado distantes equilibrios y conjugaciones. Por encima de una resolución dual del fenómeno poético, vemos al retorno de muchas ingenuidades y forzadas contrastaciones, cómo la raíz de muchas devociones al culto marfil pasaban nutricias, aparte de su momentáneo enamoramiento o seducción, a dibujar los materiales traídos por lo popular y lo indígena. Vemos cómo la ascensión de lo popular onírico —molesto por su tomista convencimiento de última actualidad de toda forma— hasta lo culto arquitectónico —dolido también por la constante comprobación de sus vivencias, por la oportunidad temporal de la cosa aprehendida— eran tan coincidentes y desesperadas, como llenar los agujeros, las ausencias excluidas por el intelecto con una adivinación telúrica, con una extraña coincidencia con la embriaguez terrenal. A la vuelta de esa dual rebusca eran muchas las semejanzas recíprocas, las semejanzas inversas. «Sutilizamos y mandamos —dice en una desenfadada premática Polo de Medina— que todos los que comieren uvas muerdan del grano, y no le arranquen con los dedos, porque acontece quedarse alguna parte pegada al palillo.» Solución unitiva si al morder las uvas poéticas llegábamos al grano de su virtud y gracia inasequibles. Todas las complicaciones y rencorosas disparidades surgían de los apresuramientos arrancados con las uñas, sin esperar el dulzor adivinado o la desazón que corroe y anuncia que la sustancia poética utilizada debe de ocultarse o desaparecer, más que la lástima rejuvenecida de ser aún utilizada en diestras dosificaciones. Ya sabemos que la poesía no es cosa de exquisitos ni de acurio impresionista, sino de íntimo, entrañable centímetro taurobólico, de diluir lo marmóreo y objetivo para que penetre por nuestros poros, de disolver nuestro cuerpo para que llegue a ser forma.

«Creo —decía Lope— que muchas veces la falta del natural es causa de valerse de tan estupendas máquinas de arte.» Se favorecía con esto toda clase de confusiones, negando enraizamiento o sustentáculo terrenal a otra clase de poesía, a la que consideraban utilizando hasta el agotamiento su egoísmo desesperado o su irreconciliable laminación. Vossler ha eliminado tan dispareja ingenuidad, consistente en dos tipificaciones, en dos expresiones poéticas opuestas. Un mito absorbente y pertrechado de esencias populares en Lope, y un mito de delicias exclusivas o de cámara secreta en la que se ha operado el vacío absoluto en Góngora. Ya se le van suponiendo habitabilidad, hasta motivación ética, «fruto de un anhelo de intimidad, de la nostalgia de una Tule, de una Orplid «que a lo lejos luce», de un país donde pena y gloria se pierden y diluyen como los contornos y colores del mundo real en irreal lontananza» (Vossler). Ya vemos al Góngora adolescente atraído hasta la parodia por los romances moriscos de Lope. Ya vemos cómo se va filtrando en lentas incursiones la manera culta en gran número de dramas y de comedias de Lope. La influencia popular nutría a Góngora, un afán mantenido favorecía en Lope la aspiración a un estilo donde la palabra se bastase. Esta vena secreta de Góngora a Lope, quizás nos den la primera palabra del secreto de la coincidencia de escuelas y aun de simples maneras en Garcilaso. El dualismo poético que va a traspasar todo el siglo XVI, aparece en él centrado y resuelto, pues si históricamente Garcilaso sufre la contrastación de la poesía tradicional, orgánicamente está resuelta en él sin intentar excluir, sin cruz de problematismo. Caso raro. Una poesía que históricamente tiene que adquirir riesgo de choque, y que no obstante se presenta en Garcilaso como un chorro liso, puntas limadas y accidentes, abatidas todas las compuertas que obstaculizan la formación de las primeras líneas poéticas, el remate de un cuerpo o manifiesto poético.

Algunas dificultades. Cristóbal de Castillejo va a ofrecerle un requiebro molesto. Va a oponer la intromisión renacentista italiana a la satisfacción femenina, al único objeto en quien pueda depositar y encarnar la galantería de corte y cortesanía. Dejando el salón renacentista hueco y sin la esperada malicia que salta de las preguntas a los recuerdos. Llega también la molestia de la estrofilla de Gregorio Silvestre:

> *El sujeto frío y duro,*
> *y el estilo tan oscuro,*
> *que la dama en quien se emplea*
> *duda, por sabia que sea,*
> *si es requiebro o es conjuro.*

No le basta, insiste:

> *Sentencio al que tal hiciere*
> *que la dama por quien muere*
> *lo tenga por cascabel.*

La contradicción se hace historia y polémica. Ni un momento Garcilaso es perturbado. Su obra va a engendrar otras posiciones, su conducta va a desembarcar en otros rumbos. Obra y conducta van a engrosar una suprema unidad —exteriormente divisas— invisibles. Mientras la conducta se va a encuadrar dentro de ciertos signos habituales en el Renacimiento, la obra se va a cifrar en secretos y en sigilos. Altaneros residuos de una conducta que intenta establecer en lo establecido. Gritar para ser oído. Diestramente ocupa su cuerpo y su conducta la codificada cortesanía renacentista, y el espacio se ocupa lindamente, a cabalidad, sin embargo, la obra que intenta rescatarse en sus más puros momentos residuales, resulta el prodigio de formar una teoría indivisa. Prodigio en la fusión de amigos contrarios, sin mezquina superposición, utilizando superficies momentáneamente antagónicas sin buscarse la necesidad amiga, la adivinación o sublimación de una conducta esperada, cortedad cortés, dentro de la genuflexión que está subrayada por una flecha indicativa, bastante gruesa, desde siempre esperada.

Extraño Garcilaso, extrañeza en lo no barroco. Lo barroco, dice Worringer, es la generación de lo gótico. Nace en Toledo y carece de preocupaciones teocentristas. Se depura en el sentimiento nórdico del paisaje, y adopta una arquitectura de concha mediterránea, o mejor se fija suavemente romanizado. Ni por asomos entra en él lo gótico, ejemplificando como el que más la sobriedad castellana. Trae lo renacentista y la traición provoca que adivine lo mejor de lo que iba a nacer. Caramillos, Virgilio y Petrarca y sale de él el más feroz marfil culto. Y siempre que adopta una postura origina, en su secreta adivinación, lo mejor de los contrarios. Si contemplamos en el Greco el resuelto escándalo de la pulpa veneciana y la línea castellana, en Garcilaso el canon romano insuflado en el ardor castellano produce una fabricada nueva sobriedad; mientras que el probable gótico que se puede desprender de un destierro en el Danubio, le dicta un paisaje neoclásico que se deja penetrar. Linealidad castellana, canon romano, entre lo gótico que diluye y lo barroco a que obliga posteriormente, una línea tensa, la política imperial, corte, cortesía, cortesanía, y una poesía en la que los elementos que la integran se presentan sin heridoras púas; que utiliza todos los cuerpos simples de la poesía con respecto a un centro movible, pero adquirido; convirtiendo el cosmos rodeante de puro imperio, en una poesía en que la impresión —cualquier inquietud, malevolencia, aristación— está resuelta en la expresión cóncava, ajustadora. Entonces, ¿cómo pudo brotar de allí una larga onda insatisfecha, el romanticismo en la pregunta viva de cada generación?

El dominio, la impasibilidad de su arquitectura. Toledo diluyéndose sin marcar una obra de descomposición vertical —viva en el Greco— y un simple destierro en el Danubio, sin mayores consecuencias, sin que podamos sentirlo apresado en lo gótico ni el mucho *humus* provoque el fervor ornamental; aliadas esas negaciones o resistencias, tan sutilmente rechazadas que casi nos duele la palabra resistencia, al canon romano, produce un momento gracioso, eficaz en lo decisivo de sus confluencias.

Lope, asustado, nos dice la estrofilla gustada con fruición por los retores: *mientras por el temor de culta jerigonza quemaban por pastilla Garcilaso.* Pero Góngora también lo hace suyo, Garcilaso, centro del cual van a surgir Lope y Góngora. Extraño Garcilaso. Qué anudado tan extraño secreto. Que no salta, secreto sin escondite de palabras o de sombras.

Góngora también le va a recordar. Sin acaso proponérselo sentimos a Garcilaso extendiendo su onda hasta incluir a Góngora. Seguro homenaje su estrofa: *como la ninfa bella compitiendo con el garzón dormido en cortesía.* ¿No sentimos como un eco de lo mejor de Garcilaso, convirtiéndose en invisible hilo con el cual se va a tejer y a destejer, llegando a ser invisible e imposible el aire respirado en el Góngora de las fábricas de corcho y de nieve, en el de los airados momentos en que nos entrega su abanico de púas? Comprende Góngora la indecisión de Garcilaso, su situación dual, cuando le alude: *solicitar le oyó silva confusa ya a docta sombra, ya a invisible musa.* Pero adivina en justísima estrofa el respaldo de Garcilaso, lo que le asegura en esa graciosa indecisión, su secreta elegancia, su desenvuelto sigilo. *Lámina,* dice Góngora, *es cualquier piedra de Toledo.*

Orbe poético de Góngora y penetración ambiental en Garcilaso

Debemos distinguir orbe poético de aire pleno, de ambiente poético. El primero comporta una señal de mando por la que todas las cosas al sumergirse en él son obligadas a obediencia ciega, aquietadas por un nuevo sentido regidor. Orbe poético —ya en el caso de Góngora, ya en el de la mística del siglo XVI— que se va a apoderando de las cosas, de las palabras, quedando detenidas por la sorpresa de esa aprehensión repentina que las va a destruir eléctricamente, para sumergirlas en un amanecer en el que ellas mismas no se reconozcan. Animales, ángeles y vegetales, fines en su impenetrabilidad, en su sueño desesperante, son dentro de la red de un orbe poético, medios ciegos por la impetuosidad de la nueva unidad que los encierra. Góngora es sin duda no un barroco, en el sentido de ser arrastrado por una fuerza poético-religiosa que nace sin resignarse a constituirse en expresión, como familia de sirenas que pudiesen vivir sin respirar. Es un barroco posrenacentista. Ha visto cómo la formación idiomática se ha ido aislando, ennobleciéndose, afilándose, cómo el Renacimiento puede ejercer un dominio de elegancias oídas y vencidas complicaciones y conocedor astuto de la experiencia temporal que le corresponde, decide empavonar, sombrear, agigantar, como desfile o discurso rechinante de marfiles, plumas y palabras de estatuas enterradas. Orbe poético de lo adquirido popular y ese mínimo elemento reducido a mínima unidad, que incomprensiblemente llaman algunos material culto, pues toda poesía desligada lo único que hace es proceder más indirectamente —astuto Ulises protegido siempre de Pallas Atenea—, más cautamente en el ofrecimiento de su *netteté désespéré*, como dice Valéry; no por accidentes, cada uno de los cuales podía haber significado otra vivencia del fenómeno poético, clasificándole como culto o como temperancia de donde ascendía una obligación no exigida, un rendimiento no pedido, pero que para ella eran simples condiciones de ascenso o despeño. En el centro de un orbe poético no tiene que estar el poeta, el cual puede indiferentemente, usemos la expresión de Joyce, ser el dios de la creación o limpiarse las uñas. Formado por el poeta el orbe poético es arrastrado por él; en ocasiones, como en el caso de Lautréamont, creerá romperlo, dominarlo, detenerlo cuando quiera. La obligación para con él es dura, el trabajo desesperado, la obediencia ciega. Hastiado, quiere escapar y cae en pecado original, copia, es arrastrado por otros orbes poéticos, desaparece. Góngora queda así como el poeta imán perfecto. Cualquier referencia suya va con fuerza decisiva a engastarse en su unidad poética. Su dureza se debe quizás a esa misma tensión del nacimiento de la palabra y a la fuerza con que ésta va a ocupar un lugar irremplazable en su orbe poético.

Mientras Góngora domina dentro de las posibilidades de su orbe poético el poeta lucha con elementos impares, agrios, de extrema violencia, y es obligado —natural reacción que marca su unidad incontrastable en la fiereza domada— a colocarse por encima de las exigencias con sus imposiciones. Ambiente es imposición. No es suave voluptuosidad que se va extendiendo en la luz otorgada. No es negación del sentido imperial o de la voluntad de alteración de las distancias que separan las cosas y espesan el humo en que están enterradas. Cuando la búsqueda del destino individual marcha paralelizada con el desarrollo fáctico del destino histórico, la obra artística es como un desarrollo de círculos concéntricos en que todo está justificado. La penetración del ambiente en el caso de Garcilaso no podrá nunca aparecer como el destino histórico triunfando sobre el microcosmos indefenso. Comprender esto es saber que Garcilaso, sin haber heredado lo eterno —su gracia no es de ángel visible, de gorda inefabilidad—, no necesita de la originalidad, en el peor sentido, es decir, sentir la poesía como contrastante virtud, como lucha de generaciones, tal como la quieren imponer los retóricos de la antirretórica. Veremos que su originalidad no consistió en el hallazgo sino en el desarrollo de las formas. Allí mismo donde generaciones más tarde Góngora se vería lúcidamente precisado para existir a aglomerar distintos accidentes temporales del poema, naciendo su milagro, su peligro, de la exigencia final que reclamaba cada uno de los accidentes que se le fugaban. El ambiente, en el sentido que esta palabra comporta en la historia de la cultura después de los pintores impresionistas, se va extendiendo en la obra de Garcilaso, no solamente cuando le vemos llegar con llegada imprescindible a referencias descriptivas, sino cuando se desliza con ondulante soplo que se esconde detrás de las palabras. La penetración del ambiente pudiera parecer inmoral en nuestros días en que el afán de integración del microcosmos se encuentra con un simple medio hostil —que no es afán directísimo de imperio como en el cosmos integral del español de la época de Carlos V—, contra el cual hay que hoscamente reaccionar, naciendo el afán de violentar con la originalidad individual enarcada un medio tonto, carente de apetencia instintiva de fines imperiales. El fenómeno poético en la época de Garcilaso, tan distinto del que impone los placeres platerescos de Góngora y del nuestro reducido a imagen aislada y a soledad agónica, permitía desechar el afán de originalidad, naciendo ésta como consecuencia de la perfección ofrecida; no otra cosa es lo que relega la originalidad a una apreciación mínima o secundaria en Rafael o en Mozart, desaparece lo original al nacer lo perfecto que ellos no sintieron como entregado por instintivos primitivistas, sino la dosificación de la fuerza de creación pura conducida hasta el Partenón o hasta las cuatro reglas de la razón de Newton. La exigencia de la fuerza no utilizada trocada en la teleología de una técnica perfecta, dosificada para que lo perfecto no muera en lo acabado ni el desarrollo de las formas en administración técnica o en honesto oficio. ¿En qué consiste lo original en lo perfecto? ¿Cómo se fue extendiendo el ambiente en Garcilaso? Goethe acostumbraba decir: «Trabajando dentro de los límites es como se revela el maestro». No sentimos tanto esa frase al enterarnos de la leyenda griega que nos previene que el primero de los griegos que nombró al infinito, pereció en un naufragio. El hombre de hoy siente ese afán, pero en el sentido tosco de limitarse para embellecer, como los antiguos políticos acostumbraban decir: «divide y reinarás». Es como una repentina sensación de pobreza que reconoce que primero es necesario limitar, aislar, deshumanizar. Mientras que la perfección hipostática proviene de la cantidad necesaria de fuerza ciega, sin necesidad de exigir un factor muerto experimentable.

Un equilibrio inefable sostiene a Garcilaso, fiel del descuido y del cuidado, como quiere la «polida cortesanía». En el punto medio de una expresión en donde han coincidido, conducido hasta un adquirido tono poético que le domestica. En la misma poesía artizada del Marqués de Santillana notamos cómo lo inacabado se presenta en originalidad que rechina. En Jorge Manrique, en quien ya la lengua empieza a deslizarse sin romperse bruscamente, resbalan también interrogaciones y resabiosos supuestos éticos; pero tan solo en Garcilaso, ya calculado su tono, el ambiente va a penetrar con incalculable sigilo: Carlos V en el *rôle* de Carlomagno sin que se le pueda caricaturizar, la impasibilidad de ante su juventud en Toledo, descansos amorosos en Nápoles, destierros en las islas del Danubio.

Todos aquellos sentimientos primarios de la lírica medioeval, polémicas, sátiras y castigos, final de la vida y de la muerte, ceden en él a delicados y lentísimos sentimientos de índole renacentista. La influencia renacentista le obliga al discurso poético y al desarrollo alusivo, pero ondulatorio y hasta sibilino oculta en su arquitectura domada, nieblas y fugacidades saltantes, Este equilibrio del aire ambiental —ambiente penetrado en la obra de captación voluptuosa y obligación histórica imperial que le ciñe como de digno abandono o de adelantado dominio— consistió en algo más que la tranquilidad poética deslizada que forzosamente había de rendirle, el material crítico entregado por la poética medioeval, en algo más que el necesario vaivén poético marginal, producto del choque de un medioevalismo inconsciente con un seguro paseo renacentista en el que la mirada se agarra de estatuas prefijadas, de fosforadas panoplias y de columnas acuáticas. Equilibrio no producto de astucia crítica, sino del descuido que le trae el ambiente —adolescencia olvidada en Toledo, amores en Nápoles, islas del Danubio— mientras continúa en sus deseos de «plata cendrada y fina». Un poeta contemporáneo que le llama ave fría, aludiendo a sus seguridades de cartógrafo y a sus torsos mitológicos, tolera su realización del ideal cortesano: «Si Garcilaso viviera yo sería su escudero.» Desconfiemos —principal enemiga injusta de Garcilaso— de la influencia de corte y cortesanía en su realidad poética.

«Usando en toda cosa —aconseja El cortesano— un cierto desprecio o descuido con el cual se encubra el arte.» Garcilaso aparece como un cortesano hamlético, para el cual no asegura la cortesanía su obra poética, sino que salvándole del desarrollo invariable la penetra de invisibles aguas ondulantes. El ambiente quemante de Toledo reiterado en sensualidad neblinosa y el ascenso de ciertas leyendas delicadísimas que respaldan la terminación tectónica de algunos versos, prestándole como ambientación impresionada de ecos y de aseguradas leyendas que se oyesen desde muy lejos, soñadas y despedazadas. Alegrémonos de saber que cuando su verso ahilándose se interroga para palparse, está formando la superficie onírica de la entrevista de la Luna con Endimión, el que duerme sin envejecer.

Dominio inefable de magia y memoria, no como Góngora

sometido a la punta hiriente de la imagen accidentada en el tiempo. El que se enamora con los ojos, dice la sabiduría china en el *Libro del Tao*, busca el ciento; el que se enamora con el cuerpo busca el uno indual. Enamorarse con el cuerpo significa en poética, sentido innato de la unidad de las formas; pero no vayamos a equivocarnos, aun en momentos de más asegurada ganancia sabe deslizarse entre ecos y repliegues del oído, sin estar asegurado de la penetración ambiental:

> *es esto sueño, o ciertamente toco*
> *la blanca mano.*
>
> (Garcilaso)

Paseo por las Églogas

Es frecuente atribuirle a Garcilaso en nuestra literatura la adquisición del paisaje. Este descubrimiento lo revela Garcilaso con radical humildad. Para él todavía el agua es engarzada por ser la titular de la claridad, y el frescor y lo verde son el primero y único modo del prado. Como se ve y se oye, no tiene la violencia del descubrimiento, sino su manso discurrir supone la presencia del paisaje con el adjetivo de poco atrevimiento en el bautizo. Pero recordemos íntegra la estrofa:

> *Por donde un agua clara con sonido*
> *atravesaba el fresco y verde prado.*

Sin embargo, ese adjetivo primero, absoluto en su humildad, produce la estrofa con distinción pecadora. ¿Cuál es la motivación productora? Todo tiende a un apoderamiento certero, pero el resultado final se adquiere en la ambientación, en el estado de ánimo. Vemos que la simplicidad primera de aquella agua clara, se enturbia momentáneamente, con nueva claridad de agua clara con sonido. Ha remontado de pronto una palabra lenta, de líquida lentitud, que sin destellar, como más tarde en Góngora, nos fija y entretiene.

Si a esa lenta sorpresa añadimos la manera de ascender en el deslizarse, o si se prefiere, de romper con una levedad matizada la continuidad del verso, alcanzado por la vía más fácil y la más irremplazable, un tono incisivo de despedidas y de pura despedida crepuscular, de puro crepúsculo despedido:

> *que apresura*
> *el curso tras los ciervos temerosos,*
> *que en vano su morir van dilatando.*

Se va a contentar con poco, sus deseos frecuentes y de todos:

> *el fresco viento,*
> *el blanco lirio y colorada rosa*
> *y dulce primavera deseaba.*

Sin embargo, procuremos averiguarlo en su destejer, situémosle el andamio eterno de un secreto. Estamos en un momento de resolutiva delicia, aún la poesía no es ni pensamiento ni palabra. Situar y sombrear, son el reverso de lo que se puso, nombrar y olvidar, y después el desempleo de la palabra produce la cámara neblinosa en la que el resultado final es el milagro diario, la tradición de la sorpresa.

En la égloga primera se mantiene el tono de amante rechazado, larga es la declaración de su tristeza. Todo ello se desenvuelve dentro de un mundo irreal. La lamentación de Nemoroso supone que Elisa ha muerto. Y le pide a ella —irrealidad— que le lleve a él junto a ella:

> *y en la tercera rueda*
> *contigo mano a mano*
> *busquemos otro llano,*
> *busquemos otros montes y otros ríos.*

Mientras el estilo poético se desenvuelve mansamente, hay como una atmósfera de nieblas y sobresaltos, de fantasmas jugadores de ajedrez en un navío sin sirena de despedidas. Nemoroso cree que Elisa ha muerto, después, cuando la vuelve a ver, la comprobación de su traición es olvidada o desrealizada por una nueva promesa.

Y todas las églogas van terminando en serenos rompientes, como si temieran salir bruscamente tantos fantasmas por un agujero de realidad. Es como si se retiraran soplándose al oído el sitio del nuevo silencio o del nuevo parlamento poético:

> *recordando*
> *ambos como de sueño, y acabando*
> *el fugitivo sol, de luz escaso,*
> *su ganado llevando,*
> *se fueron recogiendo paso a paso.*

Se van juntando los fantasmas amigos para convencerse de su existencia. Salicio quiere oír la vida poética de Albano. Ellos mismos se adentran para palparse en la realidad, y temen estar equivocados. El mismo estilo es lento y desplisado, teme despertar los fantasmas convocados. No es una cita de bucolismo falso, de falsos pastores. Un hábito onírico recorre a las églogas en el momento eficaz, cuando todo parecía conducido a la insoportable luz medrosa y a los crepusculamientos. Dudan de su realidad, pero para comprobarse se adentran progresivamente en el sueño.

> *Al que velando el bien nunca se ofrece,*
> *quizá que el sueño le dará durmiendo*
> *algún placer, que presto desfallece;*
> *en tus manos ¡Oh dueño! me encomiendo.*

Esa atmósfera de sueño, sigue aludida:

> *los árboles y el viento*
> *al sueño ayudan con su movimiento.*

Atmósfera que contrasta con la clarísima continuidad de su hilo discursivo, pero tendrá siempre oportunidad para recordar el tiempo más claro y sus pasatiempos.

Los eruditos han sopesado y detenido las distintas alusiones en que se había fijado Garcilaso y que nos revelan sus afinidades, que nos esconden sus simpatías. El recuerdo mitológico surge clareado, clareador, provocativo, se une a la nebulosa del ánimo poético o a la variabilidad temperamental impuesta por el lugar visitado. El combate de las Piérides con las musas, las leyendas de las metamorfosis de Filomena, el abandono de las torres para el nido de la perdiz, por la envidia de Dédalo a Talo, inventor de la sierra; provocando en el ascendimiento hasta la expresión, un delicado índice de refracción que después subrayaremos. Entre el regulado incitante mitológico y su acepción y devolución por la impresión sensible, demuéstrase que aquellas influencias llegaban hasta la misma raíz del producir, donde Garcilaso ejercía después absoluto señorío de propiedad. ¿Cómo los eruditos pudieron sorprenderlo?

A veces las situaciones poéticas se le hacen simplemente pictóricas, quedando embadurnadas del más indeciso claro de luna. Una simple confesión amorosa le parecía abuso de extramuros, y aun en los momentos más afiebrados requiere la lengua del espejo, de las indecisiones, al colocar sus mejores deseos en la puerta saltante de los chopos. Estamos en un momento en que Italia no es todavía torso mutilado gracias a las cabriolas de César Borgia, pero en donde podía haber asegurado una declaración amorosa tan directa —usando el intermedio mediato de la fuente como espejo—sin apoyarse en gestos, en miradas, en palabras confesadas, que tenía que situarse en los jardines de Hipólito del Este, los más bellos del Renacimiento, jardín que aun en tierra parecía suspendido, revés de los de Babilonia:

> *Le dije que en aquella fuente clara*
> *vería de aquella que yo tanto amaba*
> *abiertamente la hermosa cara.*
> *Ella, que ver aquesta deseaba.*
> *con mayor diligencia discurriendo*
> *de aquella con que el paso apresuraba,*
> *a la pura fontana fue corriendo*
> *y en viendo el agua, toda fue alterada,*
> *en ella su figura sola viendo.*

Aun en el momento en que navega con ajustada ruta de flecha, entre tantas nieblas y entredichos, comprende su imposibilidad de alcance concreto, su rotunda convicción de impasibilidad hamlética:

> *¿Si solamente el poder tocalla*
> *perdiese el miedo yo? Mas ¿Si despierta?*
> *Si despierta, tenella y no soltalla.*

Su diálogo con Camila, momento abierto de claridad inutilizada, lleno de fea realidad, cuyo cuerpo de fealdad es la misma seguridad de vencer. Ponderable proceder la rotundidad de Camila, y queda de nuevo Albano con sus largos acostumbrados lamentos.

Siendo Garcilaso de los primeros que incapaz de luchar contra esa claridad que le tundía, considera su cuerpo delante de sus ojos, quedando en gusto buscarlo y abandonarlo:

> *Una figura de color de rosa*
> *estaba allí durmiendo; ¿si es aquella*
> *mi cuerpo?*
> ....
> *¿Callar que callarás? ¿Hazme escuchado?*
>
> *¡Oh Santo Dios! Mi cuerpo mismo veo,*
> *o yo tengo el sentido trastornado.*
> *¡Oh cuerpo! Hate hollado, y no lo creo*
> *tanto sin ti me hallo descontento.*
> *Por fin ya a tu destierro y mi deseo.*

Pero no se crea que este sucedáneo de nieblas, está meramente recostado en las situaciones y abandonos italianizados, con la suficiente tristeza para parear las palabras, sabe también precipitar las imágenes o cortarles las puntas, para producir una sola imagen indicativa y eficacísima:

y romper su muro de diamante,
como hizo el amante blandamente
por el consorte ausente, que cantando
estuvo halagando la culebras
de las hermanas negras mal peinadas.

Siendo sus palabras de loco, las de más actual cordura, y las que le restan todo valor de quincalla petrarquista. Como cuando para abandonar las peanas muertas y los mármoles de oficio, pregunta:

¿Sabes algunas nuevas de mí?

Con una penetración sigilosa logra apoderarse de las oposiciones más radicales. No intentando, ni aun en las sorpresas más descriptivas, más que una inundación invisible, una manera plausible de ir apoderándose al paso de las palabras, de las compuertas que las obstaculizan. Es por eso que en sus momentos más bordeantes, quemador de las aristas y de las sustancias negadas, asciende hasta el contorno y el perfil. La molestia de las descripciones, dañada por la inutilidad de un apoderamiento que lastimábase en el asalto al objeto sensual, a las murallas verbales y al Eros escondido. Frente al obstáculo, frente al motivo bochornoso en su oposición —deliciosos momentos en que logra aunar sujeto y asunto—, su recurso es la palabra extensiva que va lanzando sus redes, comprendiendo la movilidad de punto que vuela que sostiene al obstáculo. ¿No es como un supremo adelantado o como un sigilo sin perversión, al acercarse a las galeras combativas utilizando más el extendido sentido que la poesía hebraica, como veremos más tarde en Fernando de Herrera? Véase esta mansa y sibarita descripción de una batalla:

El sentido, volando de uno en uno
entrábase importuno por la puerta
de la opinión incierta; y siendo dentro,
en el íntimo centro allá del pecho
les dejaba deshecho un hielo frío,

el cual, como un gran río en flujos gruesos
por médulas y huesos discurría.
Todo el campo se veía conturbado
y con arrebatado movimiento
sólo del salvamento platicaban.

Scheler, desarrollando la reiterada idea spengleriana de la morfología de las culturas, «conocer grandes períodos históricos por un detalle y multitudes por un perfil», nos ha hablado de cómo la problemática de la tragedia griega se resuelve en la física matemática francesa de los siglos XVII y XVIII: de las analogías entre el gótico arquitectónico y la escolástica de gran estilo; entre el expresionismo y el panromanticismo vitalista. La expresión intentada en una de las formas de dominio y de la cultura se resuelve ingrávidamente en otras artes. Un gran ejemplo contemporáneo lo tenemos en la transposición de las geometrías no euclidianas (Riemann), y la física del espacio-tiempo, a la perspectiva simultánea y a los planos sometidos a la divagación en la sinuosidad del tiempo, casi realizadas en el cubismo o expresionismo abstracto de Pablo Picasso. Recordemos la afirmación reciente de Chestov de que fue Dostoyevski, y no Kant, el que escribió *La crítica de la razón pura*. Así en el trato sutil al paisaje y el sutilizado paisajismo de Claudio de Lorena, encontramos la realización del intento de Garcilaso. Un crítico señala en el paisajismo de Lorena, cómo el estado de ánimo es realizado ascendiendo a las referencias literarias, a amor de arquitectura y amor también por ruinas. Desaparición de elementos naturales. Los árboles penetran admitidos por la estilización, el agua se presenta inamovible en su fatiga y la luz tímida, más de reflejo que de mantenida proyección. Sin embargo, Ors traza con justeza la línea de las filiaciones: Lorena, Turner, los impresionistas. Igualmente quisiéramos nosotros encontrar pareja continuidad de Garcilaso, a Góngora, a Bécquer, a la actual mística de sensualidad corporal whitmanesca, de escondida resolución neoclásica, de flordelisadas ramas hiladas en Góngora y deshiladas en el sueño y en los médanos.

En la tercera égloga cierta contracción, quizás por el acuoso paso de la octava que comienza a desligarse, a despertarse lentísimamente, significa un tránsito. El asunto dialogal se borra y el tono *grisaille* se traslada a la intimidad de la estrofa, buscando el centro frío. Sin duda, la lentitud sombrosa de Virgilio va insuflando la atmósfera plausible, eliminando el asunto petrarquista. Recordemos la simpatía de los clásicos —fray Luis de León destácase— por colocar a Virgilio en la ganancia deslizada de la octava. Lentitud entrelazada de sensualismo descubridor en cada palabra que asciende y desciende en el tacto para el florilegio mitológico. Las ninfas convocadas las mejores, las posturas esbozadas, la elegancia que se queda en el grupo escultórico. En última lástima la situación poética no penetra por mezquina, y la atmósfera poética como un vaho lunar, se hace blanda a cada toque; cada palabra queda cogida por la cintura en el momento en que se sumergía. Blanda y blanca la recepción ninfea en la materia poética de Garcilaso. Entre las bravas ninfas homéricas que obligan a la tortura del mástil y las chirriantes de Claudio Debussy, las aprovechadas ninfas de Garcilaso que ascienden en un *tempo gentile* y quedan en el mejor de sus perfiles. Garcilaso desde luego distingue con exactitud las sirenas de las nereidas y no confunde una hamadríade con las oréades... En el momento de surgir un contraste cegador «la ninfa peina sus cabellos de oro fino», pero se encuentra con el prado sombroso picado por el instante de las abejas. Pero más que en contrastaciones, la raíz mitológica chocando con el recuerdo del Danubio, todos los elementos poéticos preparados y domesticados van a seguir el discurso del río, la ganancia del abandono, la seguridad previa que se fía. En una sola estrofa se aglomeran las delicias y Garcilaso, generalmente tan espacial, se ve obligado a fragmentarse en un impresionismo musical. Esto nos permite descomponer un instante de un fragmento del poema, tan delicada situación excede nuestro tiempo de representación, y si antes hablamos de impresionismo musical, debemos ahora subrayar en él el inicio de una inmoralidad romántica abandonada al caz del tiempo. En una sola estrofa los ojos cegados, se abandonan, figuraos: las pisadas caben en lo enjuto, escurren las ninfas el agua de sus cabellos, al esparcirse protegen las espaldas como oscilantes lotos bizantinos; la delgadez de las ninfas es tan aprovechada como las telas improvisadas en movediza agua congelada, se esconden en lo intrincado y hacen atentas la frecuencia de sus labores. Las invenciones de sus colores se aprovechan de las tintas en la concha del pescado. Cómo no ver a través de la niebla del Danubio un brazo romántico que multiplica las situaciones con tanta velocidad que se convierten tan solo en goce temporal del oído y otro fijo brazo romano en el afán primero de romper las leyendas mitológicas y ascenderlas en la formalidad de una cobertura receptora. Filódoce, gracia del espacio, se goza en mover la lengua dolorosa donde saltaba el divo Orfeo. Eurídice: descolorida, con el pie mordido de sierpe, y *el ánima los ojos ya volviendo / de su hermosa carne despidiendo*. Dinámene, después del otro artificio, el artificio de labor entretejida, entre el Apolo cazador y el Apolo derretido en el gotear del lloro, enclavado por la punta de los amorcillos. Dafne, cabello suelto y pie castigado, corriendo delante de Apolo. El cortejo no se detiene hasta ascender al encuentro de Toledo, pero sin allí detenerse —él, que resistió a Toledo y se rindió a Roma—. Como si el paisaje se diluyese sigiloso en el estado de ánimo variable, la nadada equilibrada de las estrofas, hasta escaparse de la convocatoria ninfea, enumerativa cita en punto, en que el impresionismo del paisaje es palpado por las palabras colocadas en una maravillosa desaparición de todo final, de cualquier rompimiento heridor, alcanzando en esa prolongada superficie gris, la mejor nadada de las ninfas, largo tiempo silenciosas, prolongadas hileras, ciegas, incapaces de despertar en el tintineo de una imagen o en una brusquedad que proyectase sobre ellas toda la luz que las desapareciese:

> *En la hermosa tela se veían*
> *entretejidas las silvestres diosas*
> *salir de la espesura, y que venían*
> *todas a las riberas presurosas,*
> *en el semblante tristes, y traían*
> *cestillos blancos de purpúreas rosas,*
> *las cuales esparciendo derramaban*
> *sobre una ninfa muerta que lloraba.*
> *Todas con el cabello desparcido*
> *lloraban una ninfa delicada,*
> *cuya vida mostraba que había sido*

antes de tiempo y casi en flor cortada.
Cerca del agua en el lugar florido,
estaba entre la hierba degollada,
cual queda el blanco cisne cuando pierde
la dulce vida entre la hierba verde.

Pero ya va siendo hora de consignar cómo gravita la magia de este impalpable, de situar las concreciones de este delicado. Ya Cossío nos previene en la pista para desentrañar su secreto. Unión de términos, de donde brotan las maliciosas y aconsejadas parejas de plurales gongorinos, ya que no de palabras. Las palabras son las sílfides condenadas que se agitan en el orgullo del orbe poético. Las uniones de términos, producto ahumado y sobrante del ambiente, surgen ya de una dualidad de nacimiento sin posible despego. La frase hecha poética obliga a creer forzosamente en la ambientación final, como único recurso del discurso sensible. La superfetación disociativa obliga a una captación óptica, mientras que la lentitud de la carga de tiempo en la frase hecha poética los lleva a un gozoso inicio acústico que termina en vibración sin lámina, en lámina sin aire explicativo. Quizás el secreto de Garcilaso sea aun más hermético que el de Góngora. En un homogéneo tejido poético, Garcilaso rehúsa los elementos visuales del poema para utilizar todas sus destrezas, que en época del Marqués de Santillana llamaríamos italianizantes y en la de Garcilaso renacentistas, en huir del sometimiento de la poesía descriptiva al paisaje. La comparación de dos efectos desiguales, para tanto paladar actualista, produciendo la unidad del material poético, es fin apetecido; pero la ambición renacentista era gozarse en lo inverso, no poder aislar ningún momento gráfico del poema. Sobre el deslizamiento de un material semejante producir la magia de un estado de ánimo receptor, o acaso por la semejanza verbal entre el tiempo del que se narra el milagro y el transcurrir del hecho poético.

Cuando Garcilaso se acerca a las variaciones expresivas del paisaje, al detalle gráfico, que no es el mantenedor de la estrofa, aunque desenvuelto siempre con líquida sobriedad, se limita a reproducir con justeza, haciendo así al paisaje lo más detenido posible en su afán de linealidad, pero al margen de ese torcedor poético, diluir el momento del paisaje en la fugacidad anecdótica del estado de ánimo, que el sobrio toledano resuelve con un equilibrado paralelismo incomparable; aparte de esa gracia, subrayable en el momento de la fácil arbitrariedad desligada creacionista, es la dosificación del elemento sugestión, que abandona la grafía reproductiva, para apoyarse en un accidente, es la delicadeza de una imagen no asegurada, de tortuosidad movediza la que ha ganado el riesgo.

Así, por ejemplo, Garcilaso acompaña con fijos y asegurados elementos reproductores, la lástima de una puesta de sol. Todo transcurre sin sobresaltos, la virtud poética no salta todavía:

> *Los rayos ya del sol se trastornaban,*
> *escondiendo su luz al mundo cara*
> *tras altos montes, y a la luna daban*
> *lugar para mostrar su blanca cara.*

Surge un detalle, ya empieza a clarear el encuentro del paisaje con la recepción poética, la referencia previa al goce del último salto antes del hundimiento definitivo conseguido, ¿cómo no, tan viejos?, con la resolución cariñosa de los peces. El procedimiento hasta ahora consistía en una equilibrada y reproductora tarjeta del paisaje, después adelanta el riesgo de una sugestión, que ondula como premisa poética:

> *los peces a menudo ya saltaban,*
> *con la cola azotando el agua clara.*

Pero surge la salvación, cuando el campo visual poético ha lanzado una imagen en la que intenta reproducir en el estado de ánimo localizado un asunto intraspasable, acompañando el otro pasaje como enemigo que hay que reproducir, para encontrarle el centro frío inefable, el calderoniano centro frío de los peces, conseguido con el cambio lentísimo de posturas de las ninfas, como si hubiesen sido sopladas o hubiesen recibido el secreto de la despedida:

cuando las ninfas la labor dejando,
hacia el mar se fueron paseando.

Señalemos otro de los mantenedores de este equilibrio inefable de Garcilaso. El paisaje no lo localiza reproduciéndolo humildemente, tampoco se diluye en el desdibujo interpretativo. A la seguridad del objetivo ofrecido por el reto de la circunstancia, ofrece un resolver fluctuante, riesgoso, vibrador, que puede acertar o quedarse a medio decir.

La lentitud que se descubre sin finalidad, la cámara onírica en donde el cuerpo se desenrolla, sus retardos y veladuras, los ojos meramente anímicos para ver el propio cuerpo en la distancia que reconoce el propio tacto, las mallas del sentido en su dimensión más extensiva, le afirman y le reconocen rápidamente entre nosotros, entre los más cercanos y también entre los más imposibles y lejanos. Así, si en el barroco seiscentista es la confluencia de cultos y lopistas, realiza siglos más tarde otro riesgo de equilibrio y confluencia, centrar el claroscuro musical, bajo especie de romanticismo temporal, que mira el curso impresionista del Rhin, y la letra y el espíritu del imperativo romano, que ordena y manda, bajo especie de eternidad, dibujando cárcel para monstruos y sugestiones.

Muerte de Garcilaso

De Italia vienen los bárbaros, vienen de las guerras de Italia. El emperador vigila directamente, mereciéndose en su diezmo de sudor de refriega. Viene también de Italia Garcilaso, en el séquito de Carlos V, como maestre de campo. Cualquiera de los momentos de su vida, que ninguno de ellos se queda enredado en anécdota submarina, puede subrayarse dentro del tipo tan claro y contorneado de cortesanía renacentista. Arquetipo fijo, prefijado, aunque resentido de eticidad como buen escapado y definitivamente entrampado por Toledo, de una manera social agudizada, no necesita justificación anchar los momentos de su muerte para darle tambien prestancia simbólica: la del microcosmos querido y acariciado, el de la persona poética que intenta momentáneamente rescatarse, pero se ve en sus más claros instantes de expresión, devuelto por la llamada del *imperium* en cuyas ondas su originalidad se ve justificada y acrecentada. Toledo, Nápoles y el Danubio enriquecieron lo más seguro de sus recursos poéticos. El contacto con las cortes de Italia afila el seguimiento de su perfil, pero el contraste provoca el hilo subterrígeno de su poesía, que hace que lo mejor de él lo encontraremos en aquellas cosas presentidas, escapadas al pulso y al dominio despiertos. Ya Isabel Freyre está muerta y ahora va pensando en Boscán. Chispas de voces y lanzas, voces rapidísimas, tropas que desaparecen. Después llegan con multiplicados gritos y ecos y gorda respiración que forma pliegues en las maduras. Brevísima oquedad y ya la patrulla va a sumergirse de nuevo en el tropel. El cabeceo espeso de las bestias, somnolienta respiración en los bárbaros que vienen de Italia. Enterrada, desde lejos giradora, una torre que el polvillo clareador hace ondular como si se moviese sobre las aguas. No puede la levedad que el polvillo va trenzando en la torre, hacer más clara la voz, el chillido picado. Un chillido que es como la columna que sostiene el polvillo, que hace girar la torre. La tropa destapada de sudores acolchados ve las manos alzarse, ve alzarse las espadas. No oye el chillido, la subdividida voz de los adolescentes. Ahora la torre gira más rápidamente y una nube se interpone entre la torre y el arco de las ballestas. Se han desgajado del séquito de Carlos V, infantes que van a embestir contra la torre de Muy. Ya se demoran más de lo esperado y el Emperador empieza a preguntar inquieto. Garcilaso va a intervenir en la demora por adquirir una torre. La nube permanece fija y como Garcilaso embiste sin ceñirse aún el casco, no puede taladrarla para oír lo agudo de las flautas, las gargantas obturadas en las cañas. Garcilaso retrocede. Tan solo él ha oído claramente las voces divididas, el chillido de los adolescentes. Por un momento el poeta, la persona y el consejo luciferino van a triunfar del tipo, del dogma imperial. Es en verdad un símbolo delicadísimo, una delicada logración temporal, y por un momento intenta rescatarse, consumirse en la flor distinta, la misma flor que ondula en las manos de los retratados del Greco. Al retroceder ha mirado hacia atrás y ha visto sobre él el ojo de mármol del Emperador. En ese parpadeo temporal cabe una dilatada resonancia histórica. El poeta huyendo rescatado, de pronto sobre él la demanda del cese del orgullo moroso ante exigencia de metáfora que quiere participar. Es el primer momento del Narciso, evocado en los versos de Valéry: *Tú solo, mi cuerpo, mi querido cuerpo, te amo, único objeto que me defiende de los muertos.* Ese encuentro, ese retroceso y esa mirada constituyen una de las peripecias de la España renacentista en la que se entrelazan más hilos sutiles. Ahora la nube rodea la torre, Garcilaso ha perdido la pulsación del arco que chillaba. Oye cortésmente otra voz renacentista: «Señores, suplícoos, pues vuestras mercedes tenéis tanta honra, que dejéis ganar a mí una poca honra». Concedido y Garcilaso embiste también. Es el otro momento destructivo del Narciso, rectamente tocado en el verso de Valéry: «Oh mi cuerpo, mi querido cuerpo, templo que me separas de mi divinidad». Ya la nube no obtura el espacio entre la torre y los infantes embestidores:

> *Dulce y varón, parece desarmado*
> *un dormido martillo de diamante,*
> *su corazón un pez maravillado*
> *y su cabeza rota*
> *una granada de oro apedreado*
> *con un dulce cerebro en cada gota.*

Ahora Garcilaso oye distintamente el chillido de los adolescentes. El poeta ha saltado graciosamente de la persona y del orgullo original a ser enrolado por un dogma, mantenido gratuitamente por una fe. Esa angeología política se llama imperio. Esa cortesanía renacentista, que reclamaba del cortesano «que alcance cierta gracia en su gesto», observa que pide gracia, en lugar de estudiar el gesto, está en él integrando la persona contradictoria saturadora del arquetipo categorial.

Esa poesía integró su discurso sensible con una estructuración tan secreta, que aseguraba su legitimidad enraizándose tan fuertemente en el ambiente que había convertido, como se ha dicho, el estigmatismo en un enigma semejante al de la sonrisa de la Gioconda.

Esa poesía permitía el *divertissement* dentro de las nieblas de la atmósfera plausible, que era su plus más eficaz, que terminaba impulsada por un momento imperial, que él podía permitirse descifrar tan solo señalada por una mirada.

Posible secreto de Garcilaso

Esta antinomia primera de Garcilaso, el tono quemante y vertical del Greco convertido en un sentido extensivo y el misticismo en sobriedad, resuelto en la dialéctica de las formas. La curvatura de la llama se debe tan solo a una contingencia horizontal. La llama, el secreto dialogal, el arco enrojecido sobre las multitudes que viven el secreto. La llama, la vibración vertical, hecha de esfuerzo tenso y de extensión particular. Ahora el secreto de Garcilaso, al margen del discurso y de la disolución vertical, traza el centro inmóvil que se va conectando sigilosamente con la materia que pasa, con el pensamiento que fluye. «Garcilaso —nos advierte a tiempo Azorín— es entre todos los poetas castellanos, el único poeta exclusiva e íntegramente laico. No sólo constituye una excepción entre los poetas, sino entre todos los escritores clásicos de España. En la obra de Garcilaso no hay ni la más pequeña manifestación extraterrestre.» Reemplazar en vez de la persistencia medioeval de Toledo, el discurso sensible que va imponiendo a la extensión de la materia un sentido extensivo, imponiéndole a sus residuos espaciales la salvación por la atmósfera poética. La blandura con que trabaja la materia poetizable está mantenida porque el sujeto percipiente y el objeto poético están penetrados de lo que un etnólogo contemporáneo ha llamado espectralización paideumática. El matiz de morbosidad, la lejanía ideal que se le ha inculpado, al mismo tiempo que un continuo desprenderse de formas, de imágenes, de sueños, se debe a que si Garcilaso evita la problematicidad por su lealtad a su centro inmóvil —que constituye una de las esencias del tipo cultural hispánico— pues su poesía nace ya orgánicamente resuelta en el ánimo demoníaco creacional. Hay que adivinar la raíz que concertaba originalidad y creación, como en el otro gran momento orgánico de los místicos posteriores. Cuando vamos a ver después, época de Felipe IV, como al nacer el humor, el madrileñismo, la originalidad lograda como una resta o exclusión de lo demoníaco creador. Por eso es necesario enarcar junto al secreto del Greco, el secreto de Garcilaso. En el primero su judaísmo, el panteamiento cretense por primera vez en la cultura del problema Oriente-Occidente, Grecia-Persia, resuelto en el bizantinismo de la figura viva y encarnada, en el energetismo vertical resuelto por desrealización. En el Greco el medioevalismo persistente de Toledo acaba por rechazar la primera influencia veneciana, donde existía también un ideal de coloración y de cortesanía, para fijarse en Nápoles y en Sicilia, donde España, en Italia, realizó su ideal de imperio y de sinergia de las formas. Azorín se planteaba sin resolverlo la raíz que produce la espiritualidad atormentada del Greco y la espiritualidad sobria de Garcilaso. Cualquier encuentro con Toledo a base de la fusión del espíritu meridional con la impresionabilidad del Norte, como cualquier barresiana explicación del Greco a base de la fusión árabe-católica, es elemental y falsa. Ambos, el Greco y Garcilaso —quizás la antinomia más sutil y fusionada, la producción más milagrosa de Toledo, se vieron obligados a asimilar y vencer una coloración italiana conducida a servir la palabra más eterna de Castilla, definitivamente resuelto en su *San Mauricio*; y Garcilaso, su gesto en la cortesanía, su poesía en el buen gusto, su facilidad para excluir, para no extraer ningún accidente del disgusto sensible, en una poesía en lo que más nos queda es el halo desplazado, la espectralización, la atmósfera plausible en la que cualquier elemento poetizable recoge lo que no puso, se encuentra con lo inesperado. Su poesía se ha desprendido de sus palabras, cada una de ellas al avanzar se ha fijado ya en un hilo tenso de antemano, y flota alrededor de su centro inmóvil, inapresado, sigiloso, puro siempre en su secreto. Confesemos que el proceso, o mejor la descarga poética, por la que el misticismo se transforma en sobriedad y una poesía cuya materia está ya dada se ofrece en una atmósfera poética sorprendida, diáfanamente encontrada; que se encuentra despierta en materiales que la conciencia vigilante ha aportado en un ánimo poético, deberá entenderse ánimo en el sentido empleado por Claudel y por Frobenius; que no obstante se mantiene replegada en la vivencia de una fijeza hialina, de tal modo que cualquier relación que establezcamos con Garcilaso, consistente en fijar ese centro, rayar ese sigilo y ese secreto, nos entregará una de las faenas por las que empezar para plantear el problema poético. Aunque en Garcilaso encontramos la gracia de resolver sin problematicidad, o mejor la gracia de no resolver, de no tocar, herir ni despertar, sino de provocar en la cámara especial una sombra más espesa, una respiración más ondulatoria, ondas y espesuras cubiertas que van a mantener su corriente, su rumor. La supresión de espacios intersticiales, no debida como en Góngora a la fijeza óptica y a la simultaneidad espacio-tiempo, sino al estado de gracia para excluir, para extender un hilo del discurso poético con desovillamiento plausible, convirtiendo el peligro, los ojos que miran, el antecedente desleal, los contactos atolondradores, en avisos que mantienen la vivencia del centro inmóvil y la imantación del hilo fluido. Una gracia sin diálogo en Castilla, un toledano dórico cuya gracia está en la raíz, no de estado de gracia, sino de ánimo de gracia, de ánimo creacional suscitable en la desenvoltura de considerar como escogido lo que ha sido entrega de regalía al margen de la persona rescatada. Consideramos estado de gracia poético la imposición de la persona, de la condición por la que el acercamiento a la materia poética-ambiciosa de nominación se verifica imposibilitando el diálogo de contrarios y de amigos; estado de gracia es el reconocimiento de la materia homogénea que al fin soporta el fruncimiento de un tiempo plausible o de un aire fruncidor, diferenciador. Esa supresión del diálogo es lograda en el ánimo poético creacional, que logra centrar raíz, nemosine, y nominalismo. La seguridad de la sangre, la limpieza de lo olvidado en el ánimo poético, en la primera blandura infantil, ascendiendo en planos giratorios a la dialéctica de las formas y al tiempo gentil para apoderarse del objetivo poético en su instante de brindamiento inefable. De la confusión primera de este ánimo creacional sale el pajarón que se posa en el hígado, y el delfín, cuyo malévolo detalle relata cualquier simbólica elemental, en las más opulentas o ticianescas consagraciones del amor venusino.

Después sabemos que en el hígado se encuentran los humores, que por ahí se iba la época de los mitos en Grecia, y que delfín es el escurridizo extraño que aparece en las más relevantes sexualidades. Porque, en efecto, el pajarón tenía tres vidas: los humores, el corazón y el cerebelo, y toda la suerte de Esquilo consistió en dejarlo escapar para el hígado, independiente de la interpretación posterior de ese mito, como una absorción del humor que debilita a favor de cualquier macrocefalia, el intelecto como monstruo distinto.

La polarización sensorial de Garcilaso, su espectralización ambiental, surge clareada contrastándola con la unidad orgánico-sintética de Góngora. Éste se dirige directamente al objeto poético, participando de un campo óptico justísimo, como una testa que reposase exactamente en la mano cóncava. Su ojo frío justifica casi siempre el tiempo de aprehensión. En ocasiones, su intensidad, no desenvuelta con apropiada dimensión, produce una estructura ósea; pero donde el puente entre la acometida, la salida poética y el objeto poético que produce en ese momento su virtud inefable, están acopladas con apretazón. Sobre el campo óptico, el tiempo de aprehensión realiza su fortuna principal. Claro está que el espectador que fácilmente puede alcanzar como pueblo el espacio óptico, no logra reconstruir el tiempo en que se ha sorprendido o inflamado la estopa poética. Ahí se esconde su problemáticidad, que después resulta secreto voceado, secreto con muchos participantes. La firmeza de su centro de acercamiento sensible, el arco tenso que la mano curva y que el ojo frío puede acariciar, permiten que se abra su secreto en la unidad operante del plano giratorio. Garcilaso traslada el fenómeno poético a la atmósfera plausible, al sobrante o al halo que el sentido extensivo —donde la dimensión neblinosa poética es mayor que su intensidad óptica—, sutilizado sobre un tejido homogéneo, donde cada fragmento temporal que penetra tiene su nombre. La imposibilidad de lograr su centro participante hace más dificultoso su secreto, su acercamiento, su inicial creacional más sutil la atmósfera cernida sobre el discurso sensible. El secreto de Góngora se clarea al mediodía de su unidad representativa. Superposiciones sensoriales resueltas en la homogeneidad óptica del campo poético, nacidas en la equidistancia del ánimo poético y de la estructura grecolatina. La oscilación de la poesía entre el sentido y el sonido, reclamada por Valéry, la ejemplifica en cabal resolución. Toquemos de nuevo el gustado verso de Góngora: *quejándose / venían sobre el guante / los raudos torbellinos de Noruega*. Al asomarnos a su inmediata satisfacción no advertimos la superposición sensorial que motiva tensa su delicia. La sensación acuática motivada en el verso largo, desperezado, «quejándose venían», levantado en la queja y en el ondular del guante; y el otro decisivamente óptico, «los raudos torbellinos de Noruega», en toda la referencia a una representación gráfica conseguida con el más directo apoderamiento, contrasta con el otro verso que queda oscilante en su impresión, sirviendo de pulpa o de muelle ondulación para la armazón de perfil y aun de dos cuencas. Mientras Góngora endulza su estructura, abrillanta su esqueleto y enrojece al vivo su connatural de viveza que aduerme voluntariamente un solo ojo, Garcilaso orgánicamente resuelve la antinomia Medioevo-Renacimiento, Toledo-Roma, domada fiebre de las formas y garbeo de cortesanía. Pero él no las resuelve, las produce, las devuelve no en la unidad representativa, sino en el ascendimiento neblinoso, nebli neblinoso, refractado en el ambiente desalojado. Sorprenderlo es situarle su índice de refracción. Se ha hablado, refiriéndose a Garcilaso, de un perfume percibido por la vista, que produce un continuo desprenderse de formas, de imágenes, de sueños. Lo que antes era superposición sensorial, resuelta en unidad representativa, ahora en Garcilaso es trueque del sentido aprehensivo en espiral quebrada inopinadamente, produciendo entonces la detención óptica, el sobrante ambiental. Lentos vapores, nube de humo congelado, quemada madera trocada al fin en caparazón celentéreo, mano diluida en aire de piscina y esguince róseo de la vihuela. El humo levantado forma corceles, forma nubes, asoma dedos entre hilos que se borran en humo, islotes de humo adquieren perfil de dedos rotundos y artizados. Ya asegurado ese regusto olfativo, ese epicureísmo dimensional, empieza la refracción de ondas y vapores en el campo óptico. ¡Qué delicia estudiar las celdillas cerebrales de Proust y el índice de refracción de Garcilaso! La clara sinusoide espacial de Góngora nos permite reproducir con exactitud el tiempo aprehensivo, por lo que su enigma es secreto gráfico, resuelto por el acoplamiento que él nos brinda de compás temporal y de imperio representativo. Claro está que el viraje sensorial de Garcilaso, es imposible de sustituir o enarcar de nuevo, e imposibilitado de una simultaneidad temporal, produce un espacio morboso, flotante, lejano, que traslada el problema poético de la gentileza aprehensiva a la atmósfera plausible, donde no es posible hablar de estructura, sino de extensión sigilosa, de reverso de palabras, de contradulces desalojadas por un hilo inaprehensible, por la eficacia de un momento no nombrado.

Oídle:

> *Canción no has de tener*
> *conmigo que ver más en malo o en bueno*
> *trátame como ajeno*

El secreto dialogal del Greco, el secreto a voces de Góngora. Nadie ha supuesto en Garcilaso, la contracifra de que hablaba la malicia gracianesca; sin embargo, su habitabilidad, aparentemente obsequiosa por su blandura, es tan cautelosa como muelles los mimbres de su presencia. Mientras Góngora ofrece la textura de tensa nerviosidad y exterior hialiano, en su intimidad reducida es frutado y goloso; Garcilaso, arquitectónicamente fluyente, de adamado discurso, reserva su almendra presentida, desaparecida, punto que vuela, al fácil alcance de la mano y a la imposibilidad de su total asimiento. Entre ambos secretos, el descubierto y el imposibilitado, el voceado y el escondido, el de espacio tiempo y el de tiempo ambiente, el secreto de la tierra y de la sangre del cosmos de Carlos V y el interior saltante de la época de Felipe IV, el secreto de lontananza, regalo del descubridor del paisaje, y el preocupado sobre lo ya adquirido y sobre medidas contenciones. Garcilaso no dice su secreto, no se cierra en secreto, ni aun el primer secreto del silogismo de la llave.

Oídle:

> *Canción, yo he dicho más que me mandaron,*
> *y menos que pensé;*
> *no me pregunten más que lo diré.*

No, no lo dice, no lo podría decir. Seguidle preguntando, no lo dirá, no lo podrá decir. Se le han hecho unas cuantas preguntas a las que responde con el mito clareador del silencio y de su muerte. Su cabeza rota, el hilo de sangre, el hilo de su discurso extensivo. Queda tan solo el agua encantada que trocó la máquina de avisos, recados y enredos —clarísima agua y magia recóndita, escondida—; agua segura que aplacaba la salida de la sangre distinta, más de plumas que de flechas, levantando el sueño y las memorias refractadas del mundo exterior, sin pervertirse diciendo entre las sombras y el detalle, entre la agudeza de la dialéctica de las formas y el corrimiento y aun inmoralidades del adelantado. «Hay que ir por el camino del agua —nos dice Young—que siempre va hacia abajo, si se quiere levantar de nuevo la preciosa herencia del padre.» «Hace falta —nos vuelve a decir Young— que el hombre descienda al agua, para producir el milagro de la vivificación del agua.» Subrayemos en Garcilaso la gananciosa obtención del agua sobre la sangre distinta, mezcla de las impurezas del agua y del fuego. Quedémonos con el agua clarísima de su amistad, de su hermosa cabeza, de su colección de vihuelas; agua clarísima y quemada también, la del dogma eterno de su muerte.

1937

Sierpe de don Luis de Góngora

CEJIJUNTO REY de los venablos, cubre con un escudo tan transparente la mudable incitación, que como en un asirio relieve de cacería, desaparece más que detiene, entonando más la consagración de los metales que el ejercicio sobre la presa. Todo parte de esa desaparición, por el resguardo de la luz y el escudo de su chisporroteo, que invenciona que reaparezca en la otra linde poética. Con el hastío de un invasor cansancio, en la «Primera soledad», que prepara el inicio de las metamorfosis somníferas, los cazadores cuelgan de un pino la cabeza del oso, pero reaparece convirtiendo las nubes de venablos en astas de abetos. Un airecillo acerca la cabeza del oso a los fingidos venablos, asegurando en ese inverso proceso, la reaparición de la cacería. De nuevo el oso besa el aislado venablo, contento de liberarse de aquella consagración de los metales que lo había transportado, desapareciéndolo y ocultándolo.

No solamente desaparecen sus piezas de cacería, sino la suerte lo enfurruña, convirtiéndolo en nevado furor sin asidero. Admira al Greco, pero conociéndolo a través del Paravicino. Lo pinta Velázquez, y no el Greco, retorcido y rencoroso, casi por favor del Conde Duque. El Conde Duque lo trata por intermedio del Conde de Villamediana, pero la turbiedad del conde lo obliga a lejanías y condimentos. Construye «La gloria de Niquea», pero en el recuento de los festivales apenas se le nombra, llevándose el conde las pavesas poéticas y la liebre mayor. El orgullo le adelgaza los labios y la terribilia de su mirada acerca el basilisco, y se ve obligado a escribir, al tiempo que el Conde de Villamediana le envía su berlina y sus pieles para que malicie un invierno en Madrid: «Sírvase de advertir que he de comer yo mientras corran las postas y que hace cincuenta días que me paso con cuatrocientos reales»... «y ayunado mientras todos regüeldan los ahítos»... «Estoy cansado de cansar y de cansarme». Su imaginación necesita el despliegue de una particular genealogía y tiene que contentarse de arcediano de Córdoba y guardar vigilado silencio entre un sordo y un cantor indiscreto, en el trascoro de la Catedral, mientras el Conde de Villamediana, «el correo mayor de Aragón», precede la entrada de los reyes en Nápoles y Sicilia. En la disipación de Felipe III, él permanece como el destello del rencor, como la mordaz fijación del castigo que no se aplica.

Góngora es el pregonero de la gloria. Acuciado por los instantes el pregón despierta para una contemplación, y Góngora aparece como el Tobías sombrío que detiene en sus manos los cuerpos de gloria para que la luminosidad los defina para los ojos. Pregonero y relator de la gloria alza en sus manos las formas del esplendor para que Dios y las criaturas las reencuentren y contemplen. Pregona para que sean contemplados en la luz, las ramas colgadas de conejos, los pinos con cabeza de oso, las sutilezas en las variantes del pez, y después relata el tiempo de permanencia en el esplendor. Sochantre sentado cerca de la caída del rayo al penetrar por el vitral, entona ante Dios la concentrada gloria del relator. En medio de ese banquete formado por la sucesión de los pregones y relatos, aparece con la ligereza del antílope dentro de la conciencia de su persecución, pues sabe que esos cuerpos terminados por la luz, tendrán que alzarse como ofrenda.

La luz de Góngora es un alzamiento de los objetos y un tiempo de apoderamiento de la incitación. En ese sentido se puede hablar del goticismo de su luz de alzamiento. La luz que suma el objeto y que después produce la irradiación. La luz oída, la que aparece en el acompañamiento angélico, la luz acompañada de la transparencia y del cantío transparente de los ángeles al frotarse las alas. Los objetos en Góngora son alzados en proporción al rayo de apoderamiento que reciben. Solamente que ese rayo y alzamiento se ven obligados a vicisitudes renacentistas. El furor y altura de ese rayo metafórico son de impulsión gótica, apagado por un reconocimiento de fabulario y usanzas grecolatinas. La luz leonardesca, en su más típico costado renacentista, hay que valorarla no como cuerpo y criatura, sino como pregunta a la lejanía, al paisaje. «Haz la sombra con tu dedo sobre la parte iluminada», aconseja Leonardo. Del renacimiento o caída de la luz en la distancia; engañarse y esconderse en la profundidad que ella atraviesa para mantenerla en relación con la materia que se desea sombrear. Ya aquí la luz liberada de ese furor de alzamiento y de voracidad del objeto, es seguida con el índice en las mutaciones de la llama.

Los acercamientos a don Luís han sido siempre de sabios de Zalamea. Pretenden oponer malicia crítica a su verbal sucesión y enjalbegada seriedad a sus malicias. Pretenden leerlo críticamente y piérdenle el tropel, sus remolinos y desfiles. Descifrado o enegueciendo en su cenital evidencia, sus risueñas hipérboles tienen esa alegría de la poesía como glosa secreta de los siete idiomas del prisma de la entrevisión. Por primera vez entre nosotros la poesía se ha convertido en los siete idiomas que entonan y proclaman, constituyéndose en un diferente y reintegrado órgano. Pero esa robusta entonación dentro de la luz, amasada de palabras descifradas tanto como incomprendidas, y que nos impresionan como la simultánea traducción de varios idiomas desconocidos, producen esa sentenciosa y solemne risotada que todo lo aclara y circunvala, ya que amasa una mayor cantidad de aliento, de penetradora corriente en el recién inventado sentido. Cuando Góngora dice:

> Ministro, no grifaño, duro sí,
> que en Líparis Stéropes forjó,
> piedra digo bezahar de otro Pirú,
> las ojas infamó de un alhelí,
> y los Acroceraunios montes no;
> Oh Júpiter, oh, tú, mil veces tú.

La raíz oracular de la poesía no evita que sea develada por el juglar. La rara visita hecha al castillo se hace reversible cuando los visitantes indescifrados muestran una rara comunicación ante el juglar, el que va a mostrar, mostrándose, que es un misterio provocado: que él ha llegado tan misteriosamente como los peregrinos. Por eso existía el *trobar clus*,[1] el juglar hermético o esotérico. Los acogidos a la tranquila infancia de una escisión poética, les debe de irritar, como la descarga de una vesícula urticante, la presencia de ese juglar hermético, que sigue las usanzas de Delfos, ni dice, ni oculta, sino hace señales. Esas jaculatorias y señales, ese mostrarse divertidamente misterioso para que el peregrino tome momentánea posesión o penetre, esos recursos lanzados por el juglar de entonación o por el hermético, tienen que estar agazapados en toda poesía. En Góngora, esa raíz juglaresca hermética tiene vastísima tradición soterrada, sólo que a veces el rayo lanzado como una cometa por el juglar se devora en su propia parábola, sin alcanzar ese oscuro cuerpo oracular, pues las señales del señor de Delfos surgen en un pizarrón nocturno que tiende afanosamente a borrarlas.

Góngora esconde su contrasentido, lo evapora tan radicalmente, que se apega al único sentido. El devenir al pasar por la superficie de sus versos, no le otorga o casca con las variantes que puede aportar cada época. Ni la sobrante sugerencia ni las mutaciones de las eras, logran escindir el destello del cristal de su procedencia. Se hace lejano, es en ese único sentido que sobrevive, que se sumerge. Su luz, ni siquiera la luz, sino la luminosidad, que es facultad o derivado, golpean su reverso; la numerosa cantidad busca su asomo, concurriendo a la superficie, donde da su prueba. (En este barroco renacentista, desaparece la aguja y se entreabren las mil ventanas.) Los que desesperaban de que

1. «Lo demasiado claro pasa en los *Skaldas* como falta técnica. Una vieja exigencia, que también ha regido entre los griegos alguna vez, es que la palabra poética debe ser oscura. Entre los trovadores, cuyo arte delata, como en ningún otro, su función de juego de sociedad, tenemos el *trobar clus,* literalmente "poetizar hermético" poetizar con sentido oculto, como un mérito especial.» (J. Huizinga: *Homo ludens*. Traducción española del Fondo de Cultura Económica, México, p. 207.)

su animal de carbunclo no se encontraba en Plinio el Joven, tendrán que reconocer, que ese animal, amigo de la oscuridad, invencionado por Góngora, asoma su cara carbunclo por el otro rostro de la metáfora o gesto sustituido. Ajuste del sentido en su unidad, diversidad pintarrajeada de la concurrencia que se asoma, sin pérdida alguna a la superficie, y aquel animal de carbunclo que concurre al rostro de cada metáfora para fabricar el arco de chispa que lo una a la luminosidad mayor de la ofrenda. Sacrificio tras sacrificio, en que la cabeza del carbunclo da un rápido golpe de costado total. Ese golpe de luz es el que nos obliga a torcer el rostro, y somos entonces nosotros los que, confundidos, creemos en el añadido o ciempiés de la interpretación. Por el contrario, otorga el único sentido, la plenitud para alancear momentáneamente una pieza fija del gusto o el invisible descolgarse del pez, y nuestra confusión, hecha ya enigma, no es menor.

Nos damos cuenta que nos exige esa tensión frente a la luminosa aspereza de su sentido, que ya no nos perdona. Haciéndonos olvidar que nuestro asiento perdurable para él no debe ser la violenta ocupación de ese sentido, sino tan solo como mirarle fijamente el rostro.

Él ha creado en la poesía lo que pudiéramos llamar el tiempo de los objetos o los seres en la luz. Su pavón de Indias o su congrio de viscosidad, envueltos y sostenidos en una alusiva levedad de mitología, no desean obligarnos a su esoterismo o a la escala proporcional que llevan en la sucesión. Antes de la ofrenda, reciben su tiempo en la luz; la duración y resistencia de la luz mientras rodea y define un cuerpo.

Góngora, sin proponérselo, prepara el esplendor del sentido, la anunciación de lo que ya hay que sacrificar. La fijeza o tiempo que resisten los objetos ante la luz. Uno de sus prodigios, y de su época, consiste en que cerca de él existe quien destruye el sentido. Orgulloso de sus escamas ante la luz, y muy cerca de él, el humilde del sin sentido. Destella la luz por la corteza del cordobés, pero después de la ofrenda, sólo quedan los que San Juan de la Cruz llama «ejercicios de pequeñuelos». Acude el sentido ante la luz principal, báñase en el gozo de su tiempo de luminosidad, pero después se devora y extenúa. Marca sin igual de apetito en la luz, pero muy cerca de él, San Juan nos previene:

«porque si es espíritu, ya no cae en sentido; y si es que pueda comprenderlo el sentido, ya no es puro espíritu».

Busca Góngora el único sentido por dura luz que mantenga, ¿pero es la poesía sentido que se deshace o soplo que se extiende y ocupa, no en el espacio del sentido, sino en el movimiento endurecido, resistente, ente de lo temporal, con cuerpo para la ocupación de ese soplo?

La circunstancia de la Contrarreforma hace de la obra de Góngora un Contrarrenacimiento. Le suprime el paisaje donde aquella luminosidad suya pudiera ocupar el centro. El barroco jesuita, frío y ético, voluntarista y sarmentosamente ornamental, nace y se explaya en la decadencia de su verbo poético, pero ya antes le había hecho el círculo frío y el paisaje escayolado, oponiendo a sus venablos manos de cartón. Sus cacerías afiligranadas por la medialuna del blanco, se desvanecen ante el sin sentido y el soplo alejador del discurso imaginario de San Juan de la Cruz. Y así, rota su luminosidad, convertida en ofrenda, tiene además que contemplar cómo la Contrarreforma, si antes ya enfriaba su cenital y gloria, le va a llevar telones a sus paisajes. Sus ejercicios con el incesante brote de los sentidos, el banquete donde la luz presenta los pescados y los pavos, las metamorfosis de los árboles y los dientes del jabalí, tienen a su lado el aparente acompañante de «y las otras cosas sobre la haz de la tierra son criadas para el hombre, y para que le ayuden en la prosecución»... Así aquella luminosidad tiene que acallarse al sacrificio.

Las sierras de Córdoba no son cinturón para su destello. La sequedad o carencia de su paisaje, le llevan a colocar siempre en la colina la cabra de Amaltea, cuyos cuernos, por un designio voluntarioso de Júpiter, proliferan incesantes flores y frutas, y sus fosfóricas cerdillas sienten ascender las estrellas hasta deshacerse en el zodíaco. Cabra que aprisionaba entre el oleaje y el viento, se detiene para reconocer sabiamente una extensión y marcarles los sitios a los árboles y a los sátiros.

En las *Soledades*, en el júbilo de las siringas y de las chirimías, se ve siempre la cabra de Amaltea ascendiendo, signo de una alcanzable altura sabia, para presidir, por encima del escondido peregrino o del anciano jefe de los pescadores, el desfile. Su sabiduría, que ha recibido de Júpiter los dones de la incesante creación, suelta por sus cuernos el contorno o cuenco receptor de la luz.

Pero la cabra, la nodriza de Júpiter, destrenza tan multiplicada y ofuscadora cuantía de peces, jerifaltes y constelaciones, que el paisaje se detiene por la brevedad del terror de su propia serranía, o por una desproporción entre la regalía y las manos y bandejas que no alcanzan.

Así se aíslan los dos animales que le son convenientes: el animal carbunclo y la cabra. Por medio del animal carbunclo, que se le convierte muy pronto en un órgano, descubre y amiga, y otorga el tiempo que les corresponde de luminosidad. La cabra asciende, parece metamorfosearse y esgrimir un larguísimo cayado; convertida también la cabra en un órgano, dirige los festivales, evitando las confusiones y los adormecimientos.

Pero a veces el carbunclo extrae para tocar o apropiarse, y el entorno se trueca entonces en desinfladura de redoma. La misma cabra hincha de tal modo los cuernos en el incesante otorgar, que la circunstancia se aprieta para evitar el desborde. Góngora tiene que cambiar la decoración, en el adormecimiento del carbunclo, la cabra fija en sus cuernos el anuncio del decorado, y entonces levanta los telones en el Nilo. Sus metamorfosis se habían mantenido en la alusión al fabulario grecorromano. Después de las bodas, del despierto desfilar de los colores que participan en la música del caracol, el cordobés siente un inoportuno e indomeñable requerimiento; el trueque del cinturón mayor del paisaje. De conducir sus rebaños de carbunclos y cabras a pacer en otra circunstancia. De las posibles sierras de Córdoba la escena se va a trasladar al Nilo. Los árboles, colgados de flechas y cabezas de osos, escondites del peregrino, desaparecen para dar paso al nuevo fondo (que es desdichadamente el decorado del Nilo y no el discontinuo bosque americano):

> *Pobre entonces y estéril, si perdida,*
> *la mejor tierra que Pisuerga baña;*
> *la corte les infunde, que del Nilo,*
> *siguió inundante el fluctuoso estilo.*

Una opulenta boda de serranos se trueca en un gladio egipcio (don Luís, para escaparse de la vulgaridad del gladio romano, prefiere llevar su retablo al Nilo, en lugar de enseñárselo vistosamente a los portulanos del sargazo). Anteriormente tenía el cuerno para hablar de frutos y de peces, de metamorfosis somníferas, pero ahora necesita de la pintura del cuerpo en el gladio. Saltan los cabreros las sierras de Córdoba y despiertan en las riberas del Nilo. El nuevo Hércules egipcio se ve en dificultades para otorgar los premios. El nuevo desfile precisa que todos se embadurnen y enmascaren; las serranas se han trocado en ninfas y los cabreros en sátiros. Y de todo aquel juego y combate de las nubes y la espuma, se desprende como el transparente peso de la pluma. Pluma del espeso sueño, que salta disparada del pavo real al sueño, vaga por el aire de su absoluta transparencia cenital, sin peso que la contradiga ni gravitación que la sumerja en el océano terrenal.

En medio de la cejijunta cabra, de la metamorfosis del cabrero, de las ninfas del carbón y de los árboles, se prepara con inicial alusión al pavón americano, es verdad que como queriéndolo y embelleciéndolo, «que encolerizado trueca el nácar de la cara en bolsa», para comenzar el banquete. Ahí, en el discurso de la imaginación, el banquete no aparece como escultura, sino para propiciar el desfile. El banquete es como el centro para contemplar el desfile, la sucesión. Los vahos somníferos riegan por la campaña a las serranas y cabreros, que al despertar, desentumecen dentro del mismo paisaje. El pavo de América ha servido tan solo para la inicial del banquete.

Esa fiesta es entrelazada por los descensos del sueño. Pero el grueso sueño y el *amateur* de la escolástica forman en el *Primer sueño*, de sor Juana, un paisaje. En Góngora, es un asombro suspendido entre una situación anterior y una sorpresa recién arribada. Aparece el escondido peregrino después que el sueño ha caído sobre las serranas y las fiestas. El sueño viene a borrar la persecución e insistencia de la fiesta, preparando con la caída del ardor de lo anterior contemplado, la llegada del peregrino, es decir, alguien que no se sabe quién es. Temor de que la presencia y desenvoltura del peregrino se amengüen si penetra en el idéntico paisaje. En sor Juana el sueño es una naturaleza idéntica, es la noche homogénea, sin agudeza para la penetración ni demo-níaca gravitación, y no nos saca nuevas formas y árboles. *Cuerpo finge formado / de todas dimensiones adornado / cuando aun ser superficie no merece.* No nace de la leonardesca sombra en el muro de las evaporaciones de su sueño, que despierte una amis-tad nueva y penetrante en el paisaje. Amortiguadas en sus manos las aljabas gongorinas, la fluencia de su sueño naturaleza no es devuelto en fijeza de paisaje reencontrado.

En Góngora es frecuente la alusión a la brújula, «la brújula del sueño», y a los números límites, así el serrano se inquieta por-que en las bodas se hayan encendido más de cinco luminarias, que son las señaladas para las nupcias. Perdida la brújula se des-ciende al sueño, a la noche o a los infiernos. Entonces irrumpe Ascálafo, el chismoso, los ojos de topacio. El que impide que Pro-serpina regrese a la luz, el que le informa a Júpiter que Proserpi-na tiene ya en su cuerpo los alimentos del infierno. Pero siempre en su descenso no descendido como la noche sobre el cuerpo o sobre los árboles, se escapan los ojos, los ojos de topacio de Ascálafo, pues el descendido, el agua colada hasta el centro de la tierra, tiene que preparar la cópula de Plutón con Proserpina.

De ese sueño Góngora envía no tan solo los ojos de topacio de Ascálafo, el chismoso, sino el relámpago mortal de las aves de cetrería. De esos descensos templados, lentos y penetrantes, saltan las aves cetreras. Relámpago que de su oscuro se hunde en un cenital punto moviente. Fijémonos en el aleto, cetrera ame-ricana, que torna desconfiado a don Luís, *fraude vulgar, no in-dustria generosa / del águila les dio a la mariposa.* ¿Cómo acu-sa al aleto americano, de caídas contradictorias, como la de no estar estudiado, no estar en temple, en su punto de fuego trans-mutador, y al mismo tiempo de mostrar fraude? Es entonces Amé-rica una naturaleza caída en pecado original, en una paradojal en-fermedad irresoluble entre naturaleza y espíritu. Caza el aleto con redes, donde abate bajo lo homogéneo el águila y la mariposa, ¿pero quién debe molestarse por esos ejercicios del pulso y de la visión, por esa indistinción del sueño y de la noche original, por ese espíritu que aún no ha cobrado la conciencia absoluta del bosque?

A veces el tratado del verso en Góngora, recuerda los usos

y leyes del tratamiento de las aves cetreras. Cubre la testa de esas aves una capirota que les fabrica a sus sentidos una falsa noche. Desprendidas de sus capas nocturnas artificiosas, les queda aún el recuerdo de su acomodamiento a la visión nocturna, para ver en la lejanía la incitación de la grulla o la perdiz. Su relámpago de apoderamiento surge de la noche, pero después, anegada en la luz, la incitación desaparece en la voracidad de su blancura. Despréndese la luminosidad del verso sobre una superficie o escudo, al llegar allí el rayo de luz se refracta y chisporrotea, en esa momentánea incandescencia cobrada por el objeto, se pesca aquel único sentido de que hablábamos. Pero como aquellos objetos no están extraídos de su noche o sueño, la sucesión de aquellos puntos luminosos, ininterrumpidos y crueles, se refracta sin contrastes, enceguecíéndose. Como en el mito griego, para descender a las profundidades había que hacerlo vestido de lana negra, y permanecer dentro tres veces nueve días. Góngora intenta, por el contrario, descender armado de su rayo, asustando a la humedad nocturna con el relámpago de sus venablos de cetrería.

Hablábamos de ese escándalo de la luz, en recuerdo de una de las cetreras, el jerifalte, llamado por don Luís «escándalo bizarro del aire», y que más tarde en Calderón, y lo hacemos para diferenciar el barroco concentrado e incandescente de Góngora, del barroco curvo, suelto y lánguidamente sucesivo de Calderón, produce el disparo de la pistola también, «gran escándalo del aire». *Estimar los contrabajos / de todos los contratiempos*, dicen los versos calderonianos. ¡Qué distancia del rayo arrogante del cordobés, que suelta el relámpago de su apoderamiento, buscando trágicamente la coincidencia del tiempo de los objetos en la luz, y aquel adiestramiento calderoniano que suelta un rayo mortal y húmedo como para progresar en un palustre de aguas estancadas!

No rozan a Góngora la sensualización poética de la escolástica tardía, que ya aparece en la alborozada didáctica de Maurice Scève, o en ese aliento de sutileza poética de antaño, donde el encadenamiento estrófico hace pensar en el diseño de un silogismo poético, como en Jean de Sponde o en John Donne. *Este lecho es tu centro, es tu esfera, son los muros*, verso de Donne que se desliza en un agrado que hila el verso como una ocupación voluptuosa de la sustancia pensante, y no de una sensación que penetra, que extrae y que después lentamente repasa, redescubriéndola. Góngora vive más un barroco que queda como la incandescente ceniza del gótico, que aquella mortecina chispa calderoniana, vulgarización de la gracia, disminución de la grandeza de los misterios tridentinos o de la concepción, disminuida valorización de la justificación tridentina. La luminosidad aparece rozada sin contrastes ni surgimientos con un mundo donde el silogismo medioeval puede cristalizarse o destellar, donde los profesores sienten como la fiesta, animación y remolino de sus programas de prima aristotélica, en ese sentido que un contemporáneo siente que algunas estrofas de *El cementerio marino*, son la sensualización y ópera de los estudios de Victor Brochard sobre las aporías eleatas. En algunos de sus libros, Paul Valéry cita como epígrafe un verso de Góngora, aunque equivocándolo, su error es cabal para la interpretación de nuestras afirmaciones. «En rocas de cristal —cita Valéry—, serpiente breve.» Sus preferencias lo llevan a pensar que aquellas sierpes debían avanzar formando y destruyendo sus letras sobre una fija materia de contraste. Busca un fondo de inmovilidad, «las rocas de cristal», donde puedan avanzar aquellos sombríos juegos de las sierpes. Es el verso inicial de «La toma de Laracha», *en roscas de cristal serpiente breve*. La diferencia del verso y de la cita marcan el deseo, la previa visión que destruye la realidad del verso. Valéry buscaba una materia donde apoyarse, el surgimiento de aquellas sierpes por rocas claras, convirtiendo las sierpes en destellos de una materia diamantina. En Góngora se trata de una impulsión, de una constante alusión a un movimiento que se integra metálicamente, de una metáfora que avanza como una cacería y que después se autodestruye en la luz de un relieve más que de un sentido. La impresión que nos causa la palabra roca se sigue y se suelda con la de las sierpes, como el cristal se está reduciendo a la secuencia de una brevedad. La incesancia de la luz en don Luis no busca oscuros donde destellar, se despliega en una extensión donde los chisporroteos y las luces entreabren la sucesión de sus hogueras, sus faroles en la desmesurada extensión de una oscuridad que comienza por desaparecer el objeto del blanco, el móvil del relámpago cetrero.

La luminosidad de su conocimiento poético se hace equidistante, en un fiel de total aislamiento sin paisaje. Su rayo no saltará sobre las ruinas de la escolástica o del conocimiento de *la suprema* esencia, del *esse sustancialis*, ni tampoco en la penetración de la ciudad de Dios o en la tierra desconocida. Tenía principalmente de los árabes el secreto deseo en su poesía de llevar una especie, una viviente irradiación a otro elemento de estructura, para sensualizar el verso, convirtiéndolo en un corpúsculo. *La belleza resplandece en el rayo de su frente / y de ella viene una brisa de almizcle y alcanfor*, dice un poeta árabe.[1] Estrofa de la que desprende la unión del rayo con la brisa, ensueño de aquel califato.

Pero la tradición romana, en su rebrillo de decadencia, la ardorosa y enfurruñada soledad, la altivez que solicita y desdeña, la operante magia o rocío del califato, le crearán una conciencia medular de apoderamiento del móvil poético. Su médula, más dispuesta por la entrevisión del móvil que por la acumulación de la voluntad, dispara el inconsciente vencimientode la distancia que cubre la poesía al lanzarse en parábola sobre los silencios de la perdiz o los enigmas del pez.

En la «Primera soledad» saltan en cuádruple estribillo los deseos también de nuevas moradas. *Oh bienaventurado / albergue a cualquiera hora*, repite como un martillado cuco, asomándose detrás de sus fabulados deseos grecolatinos a unas hebrillas de superior unión. Después de la coronación de Vulcano, de los requiebros del silbo, del símbolo del cayado, de los rayos en la espuma de la cera, va manifestando sus apetencias por nuevos albergues y ascensiones. Fatigado a veces de aquel rayo, hosca traslación del fósforo del aire, busca no ya momentáneos desciframientos, sino cifras de albergue mantenido y de unitivo estado. ¿Por qué tiene que venir a deshilacharse en aquel fragmento de metáfora, de entrevisión y de sonido acompañante de un cuerpo en parábola?

A cada nueva metamorfosis parece como si el peregrino, de pasos fijos y medidos y de errante son, se ocultase totalmente

1. Verso citado por Américo Castro en *España en su historia*, p. 399. Ver también, en la misma página, sobre la *irradiación* en la poesía árabe.

detrás del árbol. Si da unos pasos, se elabora una lluvia de transición que lo ciñe como un permanente estado; riega sus especies odoríferas hipnóticas sobre el batallón de serranas y cabreros; vuelve a situar el árbol, su ojo de claraboya, donde esconderse para señalar los entrecruzamientos del sueño por las figuras y los cantos, entonos del lilibeo que vive sus transportes por la Cambaya. Siempre un escondite y una preestablecida breve distancia, turbada por el lanzazo, por el rayo de calculada curva de apoderamiento. ¿Qué faltaba, deshaciéndose? ¿Qué ocultaba, corriendo de árbol en árbol? Todo ha precisado su alfiler de diseño. Después de establecer, por la lectura de la sutileza de la luna en los líquidos, el mejor momento para atrapar las variaciones del pez, el anciano envía a sus dos hijos para pescar. Si todo estaba preestablecido y bien marcado para la ganancia. ¿Cuál era el impedimento para penetrar en la ciudad, rodeada ya de antemano de cien hogueras de metáforas, delante de las cien puertas de la incesante metamorfosis?

Faltaba a esa penetración de luminosidad la noche oscura de San Juan, pues aquel rayo de conocer poético sin su acompañante noche oscura, sólo podría mostrar el relámpago de la cetrera actuando sobre la escayolada. Quizás ningún pueblo haya tenido el planteamiento de su poesía tan concentrado como en ese momento español en que el rayo metafórico de Góngora necesita y clama, mostrando dolorosa incompletez, aquella noche oscura envolvente y amistosa. Su imposibilidad del otro paisaje cubierto por el sueño y que venía a ocupar el discontinuo bosque americano; la integración de las nuevas aguas extendidas mucho más allá de las metamorfosis grecolatinas de los ríos y de los árboles, unido a esa ausencia de noche oscura, negada concha húmeda para el gongorino rayo, llevaban a don Luis enfurruñado y recomido por las sierras de Córdoba. ¡Qué imposible estampa, si en la noche de amigas soledades cordobesas, don Luis fuese invitado a desmontar su enjaezada mula por la delicadeza de la mano de San Juan!

Hacían también los místicos lo que pudiéramos llamar la vela de sus metales, pero por necesidad de vía unitiva. No quedaba así el metal límpido sobre su propio orgullo, sino por razón de aquella superior unidad, superiormente abarcadora... «porque para la dicha unión a que la dispone y encamina esta oscura noche, ha de estar el alma llena y dotada de cierta magnificencia gloriosa en la comunicación con Dios» (San Juan de la Cruz: *Noche oscura*). Después irá cobrando el metal, en su adelgazamiento, la fina concentración de la energía que se depone y abjura, hasta alcanzar el cordel de suprema luminosidad... «conviene al espíritu adelgazarse y curtirse acerca del común y natural sentir»... *(Noche oscura).* En ese adelgazamiento de luminosidad, depuesto el único sentido y avivada la penetración del espíritu como lince en su conciencia de ser perseguido, se vuelve la poesía de unidad infusa a su ápice de delicia en pasmo, en el nuevo nacer de ver y oír... anda maravillada de las cosas que ve y oye, pareciéndole muy peregrinas y extrañas, siendo las mismas que solía tratar comúnmente... *(Noche oscura).* Ese acordelado sentido evidenciado por su tiempo de luminosidad cobra en la noche *la inflamación de su apetito.* Un nuevo sentido parece precisar la gravedad del nuevo sabor. Pero antes de llegar a esa prueba del sabor tiene la hoja, que aquí viene a dar ejemplo de apetito poroso calmado en la sutileza del rocío, que conseguir la dilatación distendida para la penetración. Es el *sentirse cum plantibus,* que señala la mayor cantidad de noche que se hunde silenciosamente en nosotros. En el éxtasis de Santa Teresa, del Bernini, la creciente desenvoltura de los pliegues, no logra ocultar la inflamación del apetito. Acodado en esa inflamación, preparado por la salud que lo vuelca a la naturalidad del apetito, los sentidos inflamados también le van dando costumbre a lo que de otra manera sería pasmo de destructora sorpresa. La noche oscura nos regala la seguridad del sentido y no la súmula de las culminaciones inefables. Seguridad nocheriega que prefiere ir secreta, ir con secreta escala («...Esconderlos has en el escondrijo de tu rostro de la turbación... ampararlos hasta en tu tabernáculo de la contradicción de las lenguas.») *(Noche oscura.)* Pues la noche que cae sobre nosotros con su homogéneo tegumento, ordena la excavación decisivamente particular, el rescate que cada cual tiene que comprender, llegando por escalas de propia e intransferible medida. De esa manera la noche nos contradice y nos entorna, pues un océano aparece entre la particularidad de cada sueño, entre los momentáneos asomos recogidos por los nuevos sentidos nocherniegos.

Escondida, sale su naturaleza sin ser notada, con notación ahora de disfraz y segunda compostura. La salida a los metales y a la distensión vegetativa, untada de la mascarilla lunar. Pero esa misma distensión parece que se apresta un nuevo disfraz, que ahora en la voracidad de la inflamación de los sentidos nocherniegos, comienza su combinatoria y juego de números. Al salir disfrazada se diría que teme la conciencia de su persecución, como el antílope lanzando la mirada a propia huella y escala. Aparece sin ser notada, pero su temor a una resquebrajadura de reconocimiento lo lleva a las máscaras. Frente a aquellas metamorfosis ácueas de Góngora, a su llanura de cabreros somníferos, o las precisas mediciones del compás del escondido peregrino, San Juan allega un nuevo disfraz para saltar por la noche y los tuétanos: túnica, escudo verde y casaca roja. En el juego de esos colores la figura se transfigura, la forma se transforma, pues parece que con ese disfraz de noche, la distensión del sentido procura la transfiguración de la metáfora en el discurso imaginario, en la incesante transmutación de la imagen. El escándalo del aire, producido por los objetos luminosos de don Luis, vuelca colérica el ave cetrera sobre la propia parábola de su identificación, mientras que el disfraz aportado por San Juan,[1] llena los sentidos de poblaciones y plazas nocturnas. Precisamos la penetración de la túnica en la casaca roja, avivada por los ojos del rocío; comienza la transfiguración, cuando la penetración desaparece cubierta por el escudo verde. Luego el mayordomo de casaca roja, haciendo esgrima con el escudo verde, como en un ballet de la Viena de la Ilustración, desaparece ofuscado por la túnica. La túnica puede

1. «Resta, pues, ahora, después que habemos declarado las causas por qué el alma llamaba a esta contemplación "secreta escala", declarar también acerca de la tercera palabra del verso, conviene a saber "disfrazada", por qué causa también dice el alma que ella salió por esta "secreta escala disfrazada".

»Para inteligencia de esto conviene saber, que disfrazarse no es otra cosa que disimularse y encubrirse debajo de otro traje y figura que de suyo tenía, ahora para debajo de aquella forma o traje mostrar de fuera, la voluntad y pretensión que en el corazón tiene para ganar la gracia y voluntad de quien bien quiere, ahora también para encubrirse de sus émulos, y así poder hacer mejor su hecho. Y entonces aquellos trajes y librea toma que más represente y signifique la afición de su corazón, y con que mejor se pueda acerca de los contrarios disimular.

producir los rejuegos del escudo verde, cuando el mayordomo de casaca roja sopla los candelabros y se esconde. Donoso disfraz de San Juan, que viene para establecer la coreografía de medianoche y dejar el gongorino rayo, dentro de su único sentido, sin paisaje de noche oscura ni escondite para la oscuridad preparatoria.

Todo vivir en el reino de la poesía *in extremis*, aporta la configuración del vivir de salvación, paradojal, hiperbólico, en el reino. Así don Luis, estático, ocioso, indolente, lejano y litúrgico, fue el creador de un vivir de apetito o impulsión de metamorfosis. Para adquirir esa forma, había que vivir fuera de toda búsqueda, aventura o instante configurado, es decir, estáticamente. El destino aquí prepara el propio desarrollo de la persona, busca el sujeto de crecimiento, expansionable en el sentido de una innata metafísica del espacio. «En el sueño el alma tiene ojos de lince», «los que duermen son compañeros de trabajo», sentencias de una cultura donde el ocio y la manera de llevar el manto, distinguían al sabio. En realidad, el ocioso siempre está ocupado. La indolencia es la entrada en la cultura del refinamiento animal de pacer. Visible en el animal sagrado o en los que muestran la vuelta ancestral, los de gran tamaño. Todo toro es alado, todo lince es gordo, todo águila es bicéfala. La cultura, o si se quiere en esta dimensión de poesía poetizable, lleva a la inocencia, según el idealismo arcádico de la crítica nórdica, tanto o más que lo primigenio o salvaje. si la poesía nos lleva a la inocencia —según los ideólogos alemanes de la ruptura, tan alejados de la tradición griega del daimón como opinión verdadera entre el bien y el mal—, y sólo en ésta encontramos la liberación del trabajo como forma vulgar del acarreo homogéneo; es, precisamente, en la poesía donde el ocio se muestra más concurrente dentro de

»El alma, pues, aquí tocada del amor del Esposo Cristo, pretendiendo caerle en gracia y ganarle la voluntad, aquí sale disfrazada con aquel disfraz que más al vivo represente las aficiones de su espíritu y con que más segura vaya de los adversarios suyos y enemigos, que son demonio, mundo y carne. Y así, la librea que lleva es de tres colores principales, que son blanco, verde y colorado.» (*Noche oscura*, ver todo el capítulo XXI.)

Frazer subraya que los colores empleados por los druidas en sus cultos eran blanco, verde y rojo. Seguramente San Juan de la Cruz conocía ese antecedente.

la diversidad de lo simultáneo. Un europeo que exacerbaba esa gran tradición, pudo escribir: «terminaré en las arenas como el Rhin».[1] Que ya no está, que no se le puede tocar, que no se le puede representar escribiendo, pues todos los grandes poetas de la época, desde Paul Valéry hasta Antonin Artaud, parecen haber alcanzado las formas más agudas y sagradas del magnetismo animal, que tiene que alcanzar una tregua y reducción en su visión, haciéndose litúrgico.

A ese apetito de metamorfosis añade San Juan lo que se ha llamado la afirmación el mundo nocturno,[2] o si se quiere el sí del no. San Juan prepara esa salida sin ser notada, cuando la noche oscura rodea el monte del beneplácito hasta llegar al mar como *res extensa* o la cascada como incesante. Es, como se ha llamado el sí del no. Una ausencia de total ocupación neptúnica, que se cumple como presencia ante la suprema forma. Un no de retiramiento y llaneza ácuea que termina como una ocupación suavemente placentaria del sí. Esos dos grandes estilos de vida, o si se quiere decir de una manera más peligrosa, de poesía no poetizable, han impedido que en España existiese la gran poesía. Al abandonar España su mundo teocrático, o dicho de otra manera, al ser tan solo el criollo americano el español perviviente, aunque de lazada vaciedad en las piernas temblonas, y perdida toda conexión en el español entre su vivir y un claro sentido misterioso del vivir, o viviendo en trágica frivolidad; el español perdía el sentido de la gran poesía, y tal vez para siempre dentro de la perspectiva crepuscular de la época, pues no puede predecirse la remoción de los viejos dioses o el surgimiento de los dioses

---

1. Frase de Amiel.
2. *«Lu ce matin à Paule le Préambule —ébauché bier au soir— de mon étude pour la* Revue de Genève *sur la thèse de Jean Baruzzi. Je citais à Paule le mot que Brunschvicg disait l'autre jour à Jean —et dans lequel Jean voyait avec raison un vrai mot de philosophe: "Quel est le oui qui est derrière ce non?" Jean de la Croix, en effet —autant qu'un tout premier contact me permet de m'en rendre compte— c'est la souveraineté du non —du non, acquiérant un maximum de positivité, devenant, comme Jean le dit fort bien quelque part, "l'Affirmation d'un univers nocturne". J'ai grande impatience de lire ce chapitre sur la critique des appréhensions distinctes; car je sens que tout tourne autour de cela.»* (Charles du Bos: *Journal*, t. II, p. 139.)

nuevos —al oponerse por su sin sentido a un vivir teocrático; manifestándose un dualismo, es cierto que en una de las formas más grandiosas alcanzadas por la cultura occidental, entre el gongorino rayo de reencuentro y reconocimiento y las bienaventuradas aguas placentarias de San Juan. Cuando ese dualismo sea vencido, volviéndose a sumergir en ese infuso espejeante, en el que el propio sentido del vivir adquiera una forma más sacramental, un misterio conocido al tocar la carne del hombre, volverá a presentarse la necesidad poética como un alimento que rebasa la voracidad cognosciente y de gratuidad en el cuerpo.

Debemos encontrar en la poesía española una tradición de metamorfosis ácueas, neptúnicas. Las ninfas de Garcilaso juegan en el acuario de la copa de los árboles o se cubren de las orilleras espumas. *Todas juntas se arrojan por el vado*, verso de Garcilaso, breve retozo en la espuma definida. El Renacimiento iguala la dimensión plutónica y la neptuniana. El griego proyectaba su ilimitación-limitación hacia el centro de la tierra (descensos, alimentos del infierno, voces de los muertos afanosas de salir por una grieta que el temor de los griegos tapaba con una piedra, Erinnias, «hermanas negras mal peinadas»). El centro de la tierra era el infierno, lo ilimitado, y la mirada trazaba la ingenua separación del cielo. En el Renacimiento, para superar la metamorfosis de la ninfa en árbol, del árbol en corriente, hay una igualdad agua-tierra, y al fin una nueva dimensión en el predominio de lo neptúnico. Para los antiguos el agua escurridiza llegaba al centro de la tierra, por lo que consideraban al mar como «estéril llanura». El mar en el Renacimiento nos lleva a la incunnábula, a lo *inconnu*. Será la pervivencia del barroco poético español las posibilidades siempre contemporáneas del rayo metafórico de Góngora envuelto por la noche oscura de San Juan. Abría el barroco español el desconocido de esas metamorfosis ácueas, más allá del telón del sueño o de la lluvia empleada por las mutaciones griegas.

En la extensión o riesgo de esas transmutaciones podemos fijar los momentos de acercamiento u olvido a esas metamorfosis ácueas. La primera visión, «y está la fuente hermosa y cristal frío», en don Luis Carrillo, se mantiene apegada a la fuente de plaza romana o al surtidor árabe. Espinazo de manjuarí el agua rebana la posibilidad de un nuevo sumergimiento para alcanzar otra forma. Pero ya en el «Polifemos», los pies de los árboles pasan a las venas, según la estrofa final. Ya aquí las metamorfosis de las deidades son tan operantes y sacudidas como las mismas metáforas. *A Doris llega que, con llanto pío, / yerno lo saludó, lo aclamo río.* El Dios que llega lo mismo puede ser saludado como un familiar que como un río. Ahí encontramos el ápice de ese barroco neptúnico, típicamente renacentista. Un poco más tarde la metamorfosis primera queda en su propio límite. La juvenil nemósine para volver la deidad a la figura inicial o a la sucesión queda borrada. Ya en Pedro Espinosa, *porque la ninfa, viendo el caso feo, / y su virginidad así oprimida, / quedó, llorando, en agua convertida.* La conversión es tajante y radical como una impuesta casualidad; la ninfa, enfrentada, sin duda, con un juvenil despertar vegetativo, decide mostrarse en reflejo, destruyéndose para burlar.

La pluma, que en la «Primera soledad», se alejaba en el orgullo de su levitación, queda ya en el resto del poema como el tema de la pluma pez, la pluma sumergida en hostil elemento. Los que detienen, entresacándolas de sus necesidades y exigencias poéticas, los errores de los animales que gustaba aludir el cordobés, creyendo que los tomaba de Plinio el Joven, como hablar de las escamas de las focas, olvidan que esas escamas existían para los reflejos y deslizamientos metálicos sumergidos que él necesitaba. Pues si una foca no espejea, destella, se resguarda en un turbión de escamas. ¿Cómo podría sentarse en el otro circo de la metáfora? Pues los reflejos que él necesitaba, no podrían ser levedad de empotradas sensaciones, sino las derivaciones y escarceos de un cuerpo o bulto al que tocamos en ese momentáneo diálogo de luminosidad.

Para saltar y cumplimentar esa prueba neptúnica, Góngora salvará en su arca de la alianza sus símbolos y animales de toque y caricia preferidos: los cuernos del múrice, la medialuna, los rayos del sol en Tauro, la competencia de Pallas y de Aracné. Pero aun en esas altas empalizadas donde los ordenamientos del rayo de su metáfora prefirieron enceguecerse sobre el *tanatos* de su chisporroteo; donde sus metamorfosis de cabreros se han limitado al rito órfico de la adormidera, sin que sus sueños encubran el discontinuo bosque americano; o sus mutaciones marinas vayan *au delà* del odiseico Nereo. Pero, ay, aunque Pallas declara ser hija del belicoso Anquialo y «de reinar sobre los Tafios, amantes de manejar los remos», sus decisiones se encuadraban entre Temesa y Retro, y el mar de las ninfas de Góngora, no se decidía más allá de columnas y sargazos. De regreso de aquel renacentista crecimiento de lo ácueo, los objetos y animales guardados por Góngora en su arca, vuelven para saborear los destellos, hacer duras bocas con carbunclos y tenacillas de rizadas verjas. Hay siempre por todas las casas de Córdoba una tina con cal, que las viejas vigilan para encubrir de nuevo algún garabato o gancho de carbón, rodados por las paredes. En el mediodía de Córdoba las casas destellan como los paños de la caballería árabe. Así los objetos salvados por Góngora, momentáneamente enceguecidos por la humedad vinosa del arca, reciben un venablo de luz pía, necesitan ese hilo que rezuma el cenital para justificar el orgullo de su ofrenda.

Liberados del crecimiento nocturno y del empacho de las aguas, regresan los salvados a su apocamiento, pues lo quedado había recobrado nuevos anchos para el entono, cobrando con los símbolos la eficacia de las referencias. Granadas, guirnaldas, zarcillos, llamas, manos, voz, bodega, se habían hecho llaves y contracifras de la unanimidad poética. Huían los cabreros ante la erudita aparición de la cabra de Amaltea, pues aun surgiendo en las colinas después de las mutaciones operadas en ellos por el sueño, la sentían como una divinidad hostil y vigilante, indiferente e irreconciliable. Ahora se enciende la granada con sus innumerables corpúsculos secretos, el instante de su vehemencia no corrompe el crecimiento de sus fragmentados temperamentos, culmina en una llama que adquiere forma de fruto, traza las mansiones del instante, que percibe anchurosas y dilatadas. Guirnaldas y zarcillos trazan y encubren la aguda fineza del ramaje para la doncellez que se apresta en la fiesta de la consagración. Fineza del ramaje que envuelve a la mujer como un árbol y le da la carne de la vegetación y su lenguaje de evaporación deseosa. Llamas que propagan también su lenguaje y un centro de conversación, pues son como la primera puerta del resguardo invencionada por el hombre. Manos que se adelantan para ver, visión palpatoria que va reconstruyendo la estatua, cuando la visión retrocede ante la diversa proliferación de los hilos. Voz que marca el aliento, haciéndose en el sentido y deshaciéndose en la extensión. Y el fragmento del recinto escogido: la bodega. Allí se desciende para encontrar la oscuridad que ciñe y preserva. Es la zona donde el rayo poético se percibe como enemigo y ahuyentador. Se desciende para igualar las estaciones con las esencias del mosto. Bajar a la bodega es prueba tanta como descender al Hades. Se busca en la oscuridad como los cuadrilleros de labores subterráneas. Allí en la bodega es la fiesta y el descenso a las sustancias huidas a la luz, la preparación de lo unitivo.

En la «Primera soledad» hay la evidencia cenital, la prueba heliotrópica, los objetos se queman y se reconstruyen; en la «Segunda», los objetos tienden a deshacerse, pues el viento de la icaria se desvanece y refracta. La llegada del peregrino ante el asombro de los serranos, está acompañada de la alusión a las metamorfosis de Clicie en heliotropo. Así crea un ceñido campo de bipolaridad poética entre el heliotropo, virrey de Helios, y la piedra imán, subordinada contratada por la estrella polar. Después del sueño del peregrino, cuando ya el viento ha borrado los números y ritmos de sus pies, alude a la piedra imán. Su poesía adquiere su campo de bipolaridad y refracción, entre el heliotropo, su claridad cegadora, y la piedra imán, que suma el remolino hacia una dirección, la estrella polar. Sus objetos, cordajes y cabelleras, sus peces y cetreras, parece que alcanzan el total de su índice de refracción, pues el rayo cenital de su metáfora tiende a refractarse en ese escudo heliotrópico. Su borní o su congrio, presentados ante la luz directa, alcanzan su máximo de luminosidad y después en la reminiscencia parecen respaldados por ese mantenedor heliotrópico. Después de ese colmo de luminosidad, los objetos de Góngora parecen arrebatados por un tropel venatorio, por las súbitas aglomeraciones del imán. Aparece en la colina el cabrero, destacándose en el relieve de esa prueba heliotrópica, recibiendo la arribada del tropel de cazadores, que como imanes han ido sumando las más desprendidas y altivas levitaciones. Se enarca el torso del pastor guerrero, como la coincidencia del pasmo de luminosidad con el arrastre de los imanes, de las diversidades puestas en marcha para llevar el remolino a lo venatorio, el tropel o cejijunto y continuado desfile.

Entre esa bipolaridad del heliotropo y del imán, don Luis crea y aclara en nuestro idioma, la malicia meridional en la visión reducida a lo que se ve. Si precisa un árbol (el árbol que desprende como una lasca de su corteza a la mujer) suelta después los incesantes conejos, las abejas. Aprieta, como el chirriar de un cordaje de clave, esos conejos y esas abejas, entre el árbol de la metamorfosis y la erudita cabra de Amaltea. En ese ceñido campo poético, avivado por el lanzado de lo cenital y por las impulsivas aglomeraciones del imán, los contrastes y sus circulares limitaciones, van creando como sumergidos y proyectados guarismos de un contrapunto animista, vibrando su luminosidad como si se hubiere constituido un corpúsculo. Contrasta el árbol con el conejo; la cabra con la abeja, que vienen a situarse como puntos de ese campo poético que está regentado por la luz difusa de los chopos, después el inmenso banquete de los ofrecimientos y los refinados consejos de la luna, indicando el mejor tejido de red para las maliciosas mutaciones de cada pescado. En la «Primera soledad», antes de alzarse la doncella que baila, se ha ido rehaciendo en la sucesión de las doncellas, las anteriores figuras que preparan la esbeltez en el tiempo de la danza. La doncella que baila no comenzaría su escultura si antes no hubiese sido descompuesta, reconstruida, por las otras figuras de doncellas que van desfilando. Primera doncella, aparece asomada al lago, busca su imagen i avanza y retrocede en las bromas de la orilla del mar. Después, doncella con flores en la cabeza, y por último, doncella con negra pizarra entre los blancos dedos. En los cambiantes esbozos de las tres doncellas, en la irradiación de sus reflejos, se van formando los duros flancos de la doncella que baila, endurecida imagen frente al tiempo.

Góngora culmina posiblemente en todas las lenguas románicas el vencimiento de la prueba heliotrópica. Su índice de luminosidad fija el centro por donde penetra el rayo matafórico y su tiempo de permanencia dentro del haz luminoso. Gracias a ese tiempo lucífugo cobra el único sentido, el endurecimiento de logos poético, por el cual no ofrece el rejuego de las mutaciones interpretativas, sino el único sentido que no se alcanza. Prueba anemónica, opuesta a esa prueba heliotrópica, en que se espera que la brisa acogida por la carne vegetativa muestre en su totalidad la abertura para la imagen. Prueba anemónica que el irritado y veloz verso gongorino no gusta de conllevar, pues se precipita sobre los objetos más que se acoge a su distensión. Pero tampoco mostrará esa malicia del amelo, acuática hoja veteada, favorita de Goethe, que por debajo de la marina sitúa un techo con la proyección estelar. Su malicia meridional no alcanza a esa invención dominada de lo estelar.

Un relieve regido por la voluntad cenital parece acompañar esa prueba heliotrópica, pero si un oscuro no lo ciñe, piérdese por lo homogéneo de la luz, por la no diferenciación del rayo operante en la evidencia de la luz. Se enfurruña el objeto ante esa descarga y se resguarda y ausenta. Es esa prueba heliotrópica del orden heroico voluntarioso, como la prueba anemónica es infusa, nocturna y depende de las caprichosas errancias de la brisa. Esas dos pruebas obligan a vivir a la poesía en la vela de los metales y a lenta distribución de las cajas de aire por nuestros miembros o por la carne de los vegetales. La prueba amélica, reducción al absurdo de lo estelar inverso, que hace aun más demorado en sus fragmentos el verso gongorino, sin inserción posible en un *apeiron,* a una esfera de totalidad, que desprende la metáfora como personaje del poema, fragmentarios relatos dentro de un relato mayor.

La vacilación de Góngora, ante la renacentista incitación neptúnica y sus orilleras ninfas, la revela ante la novedad americana, la que empareja a la tribu de Lestrigón Antífates. Considera a los hombres de incunnábula como los devoradores e insensatos lestrigones. La presencia, por momentos, de la decimaprimera rapsodia odiseica en la «Segunda soledad», la de las riberas y corrientes, se percibe. Es el líquido de aguamiel, vino, agua y sangre de cordero negro, el que se cuela hasta el Hades, convocando a los muertos. Esa noche perniciosa parece simbolizarse en Ascálafo, el búho que vuela hasta los oídos de Júpiter y regresa. Ascálafo, triste y murmurador filósofo, pena la precisión de haber señalado cuándo la luna está en el infierno. Mojado con agua hirviente del infierno, se trueca en búho, en acusador y chismoso. Entregándole a Júpiter las noticias de cuándo Proserpina, como los matrimonios mal llevados, está la mitad del año en el infierno con Plutón, y la otra mitad del año, cuando la luna se escapa del infierno, con su madre Ceres. Pero sus incitaciones quedan detenidas por los mismos terrores de Odiseo Laertida, ante la cabeza del Gorgo, monstruo vomitado por el Hades. Sus monstruos y sus descensos quedan anclados en la imaginación grecolatina. Por momentos nos irrita que su poderoso rayo de reconocimiento poético se ejercite en la conocida casa de los monstruos lestrigones. Si aquel rayo se destruyese sobre los nuevos calendarios y máscaras, sobre las nuevas vegetativas somnolencias, Góngora hubiese vencido aquel irritable desgano, que parece entorpecer la suerte y riesgo final de las *Soledades*. Su fiera pertenencia, que parece fundir en el verso la dureza del cuarzo romano con la magia de la luz Córdoba-Bagdad, se desgarra y entrechoca, se subdivide en las lentas torres metafóricas de su nervioso y duro hastío, al tener que reconocer los lestrigones conocidos. Su rayo está hecho para hundirse, apoderándose de los nuevos monstruos. Su luminosidad, el más apretado haz luminoso que haya operado en cualquier lengua románica, desmaya al final de su chisporroteo, porque hecho para la entrevisión, fija y detiene las antiguas máscaras y el esperado segundo nacimiento después de sus metamorfosis arbóreas.

Grandes perplejidades y mal de turulatos se tocan de querer echar a don Luis, regalado bailón, en el eufemismo, o de suponerlo gateando con las metamorfosis renacentistas. Escondido el peregrino detrás del árbol, sigue los contornos de la ronda y sus retrocesos, sus avances y sus extinciones, quedándose, pues el vulturismo medioeval de la luz impide las mutaciones acogidas a los paréntesis impuestos por la adormidera, en el disfraz. En los países nórdicos, la imaginación traza su *dülle griet*, su Margarita la loca, pero en el disfraz hispánico, el de la Infanta Micomicona, Altisidora, o la sardina goyesca, es siempre una intercomunicación entre la realidad y la gravitación igualmente real de la otra naturaleza creada por el disfraz. Compárese el *Carnaval* y la *Cuaresma*, de Peter Brueghel, con la «sardina» goyesca. Mientras en el primero la imaginación hace sus nuevos emparejamientos, pues en las momentáneas alteraciones del disfraz, la figura central empuña un anzuelo para buscar la pareja de *lo otro* en la irrealidad, en Goya, parece que el mismo puesto al revés —se ríen en la irrealidad unos y otros, desacostumbrándose— consigue por el retorcimiento del seco sarmiento de las entrañas, otra posible y entrevista figura, que es su disfraz, pero nunca encontramos en el disfraz hispánico la levitación imaginativa, el desprendimiento hacia otra momentánea naturaleza. La violencia de aquella luz gongorina evitaba los hipnóticos paréntesis frondosos, favorables a las metamorfosis grecolatinas, pues la luz, persiguiéndolas vorazmente, evitaba las suspensiones, los retiramientos y las reparaciones en la tierra ajena. El animal carbunclo, enarcado por Góngora, y al que los humanistas le buscaban afanosamente sitio por Plinio el Joven, sin encontrárselo, lo hallamos por la simbólica medioeval. El carbunclo empleado por la heráldica como mineral y como gratuidad que trata de entreabrir un conjuro, un lento miedo por el adversario, lo encontramos por *La chanson de Roland*, cuando habla de Climorin, «que nunca fue hombre cabal», y que al recibir el juramento del traidor Ganelón, le besó en la boca y le donó su yelmo y su carbunclo. La luz, los empachos de la luz y sus reflejos, se conjuraban en el carbunclo situado en el escudo para poder penetrar en el *entourage* de oscuridad del otro. Era, pues, imposible encontrar el animal carbunclo por Plinio el Joven, pues Góngora lo veía aposentarse como un insecto piróforo en el escudo que destrenzaría y devoraría la luz.

Ya hoy el enigma de don Luis de Góngora se ha cerrado totalmente, semejante el avivamiento de ciertas valvas de los gastrónomos chinos, a la obtención del oro coloidal, o la teoría del fulgor etrusco, se precisa en la distensión de la visión, pero desaparece si se intenta situar dentro del campo óptico de la poesía. La relación entre nuestras solicitudes y sus ofrecimientos se estableblece en una relación irónica sombría, pues como el cocinero malayo de Quincey, aparece en una tempestad, por la puerta cocina, hablando griego clásico, haciendo normal lo inverosímil, pues el que le oía era un helenista. La contracifra de muchos de sus versos se nos ha convertido en un *badinage*, como el hallazgo de una nueva vértebra por Juan Wolfgang Goethe o la rana eléctrica de Marat. Las vicisitudes del espíritu del maíz trocándose en uno de de sus gallos no es desconocida, pero nos alegra cuando comprobamos que algunas tribus nórdicas le decían al fuego, gallo colorado. Su escritura y su único sentido se nos han convertido en un signo, más cerca de lo vivencial que de su hermenéutica, y ante ese temor incesante preferimos descansar en la tibiedad de su inexistente eufemismo y suponerlo dentro de las banales y renacentistas reapariciones de la gaya ciencia. En un tapiz persa, un león ruge a un langostino escudado por la lámina de agua de un estanque artificial. ¿Cuál es nuestra lectura de esa paradojal combinatoria? ¿Pensamos, tal vez, en el calosfrío del león, si sus bigotes llevasen las puntas a la lámina? Nuestra lectura es irónica y de invasora delicia sensorial, ante ese agrupamiento, de una expresión que tiene que haberse percibido originalmente como simbólica y teocéntrica, y que viene a demostrarnos el relativismo o pesimismo de toda lectura de un ciclo cultural. Y es agudo y desgarrador que el pesimismo de esa lectura imposible comience por la poesía.

Sombrío Tobías, sin saber tampoco que es el ángel quien le acompaña, llega a constituirse —su fulgor es ya para nosotros tan lejano y resguardado como la teoría del fulgor etrusco— en el sacerdote que ofrenda de nuevo el cuarto día de la creación. Los conejos, los peces y cetreras son mostrados a la teoría de ese fulgor, desapareciendo en la ofrenda cuando su ángel se da a conocer. Lejos de irse acercando a nosotros, ha cobrado tal lejanía, que parece representar lo que pudiéramos llamar sin excesos maliciosos, el momento etrusco de nuestra poesía. Es a la luz de ese oscuro fulgor que nos dice:

> *¿Quién oyó?*
> *¿Quién oyó?*
> *¿Quién ha visto lo que yo?*

No, nadie lo ha visto, ni permanecido tanto tiempo en el haz de luminosidad. ¿Pero qué es lo que vio? ¿Vio solamente los minuetos rústicos de las serranas y los traspiés hipnóticos de los cabreros, los ocios de Polifemo contemplando los yerros del delfín al copiar los pasos de la corza, o las venatorias tardías del espectro del conde de Niebla? ¿Vio, nosotros también lo vemos —la sequedad del arco de la nariz, señal de mineral voluptuosidad, como la reducción carnosa de los labios muestra su orgullo desatado—, cómo se le iba cerrando el rostro hacia un punto de agazapo, punta de malhumorado lince? Vio cómo al paso de los otoños, se le iba perdiendo su obra sin haberla nunca escrito, pues las *Soledades* más parecen la obra del desdén de la oficiosa despedida, que el contentamiento de estar él en su centro. Vio cómo se le atribuía al Conde de Villamediana, su más fascinante y laberíntico amigo, sonetos en contra de Córdoba[1] y con burlas para él, y cómo le cargaban burlas y epigramas a él contra el conde, cuando la ballesta lo desentrañó, asegurando así en las malicias ciertas del vulgacho el encapotado odio de siempre de los poetas tejedores de la gran resistencia en contra de los

---

1.   Véase el siguiente soneto, *atribuido* al Conde de Villamediana:

A CÓRDOBA

Gran plaza, angostas calles, muchos callos;
obispo rico, pobres mercaderes;
buenos caballos para ser mujeres,
buenas mujeres para ser caballos.

Casas sin talla, hombres como tallos;
aposentos colgados de alfileres;
Baco descolorido, flaca Ceres;
muchos Judas y Pedros, pocos gallos.

Agujas y alfileres infinitos;
una fuente que no hay quien la repare;
un vulgo necio, un Góngora discreto;

un San Pablo entre muchos Sambenitos:
Esto en Córdoba hallé; quien más hallare,
póngaselo por cola a este soneto.

asquerosos y progéricos, porcinos y tarados protectores de las letras.

> ¿Quién oyó?
> ¿Quién ha visto lo que yo?

No, nadie lo ha visto, pero sí cómo su luz de apoderamiento, desaparecida ante la luz derivada, se iba endureciendo hasta sustantivarse, convirtiéndole, tal como hoy le vemos en su etrusca lejanía, en su pétreo animal de ponzoña.

Junio, 1951

Véase también el epitafio al conde, *atribuido* a Góngora:

Aquí yace, aunque a su costa,
un monstruo en decir y hacer;
por la posta vino a ser
y dejó el ser por la posta.
Puerta en el pecho no angosta
le abrió el acero fatal.
Pasajero, el caso es tal
que da luz con su vaivén,
y no importa correr bien
si se ha de parar en mal.

Cien años más
para Quevedo

RETORCER POR estiramiento, en marcha hacia el sarmiento, metamorfoseándose en fuego, fue intento en Quevedo de alcanzar la forma interna de los cuerpos. Aquella interrogación formal de los gongorinos, anhelosa de una encarnación, se enrosca en la palabra quevediana con una provocación que cruje como forma en cada uno de sus momentos. *¿Ves la greña que viste por muceta / Erizada, y la sima en donde embosca / Armas por dientes? ¿Que la cola enrosca / y en cada uña alista una salta?* Que los tiempos de Felipe IV eran malos, pues que había que estirar todos aquellos metales que se habían convertido en árboles, en nereidas, en ríos. No la cara natural de la instalación natural, sino cuando él mismo empañado por una recepción obligada adoptaba un rostro oblicuo, un sesgo de engarabitado. La forma que había unido la sensual ornamentación de Córdoba o de Granada con la forma cortesana de Florencia, se había coruscado en llamas negras, para hacer el barroco madrileño de Quevedo o de Goya. Hacer de una decadencia una plenitud, no esconderse, aun prefiriendo los escondrijos, sino participar con ciega seguridad de vencimiento, había formado la sustancia hispánica, que afirma con una fuerza increíble que hace trescientos cincuenta años está en decadencia. Ya en sus días Quevedo sorprendía en Italia un frenesí que va en quince años. Luego esa presunta decadencia, prolongada secularmente, entraña un vigor persistente. ¿Cómo es posible que esa decadencia entrañe un tan sobrehumano vigor espermático? ¿No será más bien el aislamiento del auge de ciertos valores que España rehusaba, que no podía ni quería incorporar al cuerpo sanguíneo de su gravedad? Por el contrario, el esplendor causalista y mecánico en que se han mantenido otras culturas, ¿no entrañaba acaso una dimensión más irrecusable, una decadencia que en su día motivará una ruptura, una espantosa oquedad que no sabremos después cómo llenar? Rebajan esa decadencia, testimoniándola, hombres como Quevedo, apartándose del esplendor colorista del insecto mortecino. Se retrocedía a una negrura, y se apretaba y contorsionaba lo hecho para la muerte, fortaleciendo al entuertarse, fábrica ya del grotesco posterior. Era tanto una oscuridad como una negrura. Más conveniente la oscuridad que puede ser febril de inicio, que no la negrura que desciende sobre las cosas, no como la máscara, sino en la torcedura del grotesco. Suelen retorcerse algunos metales antes de hacerles marchar hacia la hoguera y salen aun más retorcidos y ennegrecidos. Y la oscuridad que viene a ser tan conveniente para la forma interior de los cuerpos, adquiría en Quevedo la negrura de esa oscuridad en su misterio.

Después del mancebo, en ese desfile torcido del sueño de Quevedo, el simulador prueba también los palos del infierno. Y como el desfile es en sueños, todo está al alcance de la mano. Una increíble negrura iguala en el infierno de Quevedo al corchete con el alquimista. Y en un momento se hace rodear por Dioclesiano o Nerón, el sacristán, los retablos, los ministros, las lámparas y las lechuzas, los pellizcos, las vinajeras, las alforzas y la mano izquierda. «Estos huesos son el dibujo sobre el que se labra el cuerpo del hombre. Y lo que llamáis morir es acabar de morir.» Y como el contemplador es uno y el desfile es incesante cada uno va ocupando el puesto del contemplador y llega a ser en la raíz fogosa de su pueblo un desfile no contemplado por nadie. Aquí la vida y la muerte, barroco tardío, tienen el mismo hilo somnoliente, sólo que, buscando diferencias, la torcedura no se convierte en espiral y ofrece la última pureza de su mueca. Que los tiempos eran malos, que no se alcanzaba nada, que no había oscuridad y sí negrura, pero se probaba la combustión de la sangre con un gesto por alcanzar esa nada, que en la sustancia hispánica no podría disfrazarse con la máscara apolínea, sino que mostraba la mueca con que se le había sorprendido carnalizando a la propia muerte.

1945

Calderón
y el mundo del personaje

LOS TEÓLOGOS llaman justicia conmutativa aquel dichoso alegrarse que se levanta por la realidad del trabajo humilde, refugiado tan solo en el dato existencial, que no ha logrado poner su flecha en el redondel blanquísimo. La complacencia personal —digestiones y abrazos del artesano— puede permitirse cuando a la intensidad del trabajo responde la ligereza del rendimiento. Así Dios, dice el padre Garasse, citado por Pascal, concede aun a las ranas la satisfacción de su propio canto. En el tipo hispánico es frecuente este hablar y este eco que producen una complacencia inalterable. Palabra y eco que pueden marchar paralelos a los ligerísimos círculos del insecto, que pueden ser también buen pechazo de enfrentamiento a lo divino. Después de todo nadie se ha atrevido con la antología de las conversaciones consigo mismo. Pudieran ser deliciosas o terribles, pero serían casi siempre idénticas. Frente a la Epifanía o a la Eucaristía la sucesión de esos soliloquios demoran su real significado. El nacimiento de una forma divinizada o la presencia real en la Eucaristía agrandaban el soliloquio del pecho, pero también la oreja hará oír y oírse. En el *Auto de los Reyes Magos*, que inicia, como es sabido, nuestra literatura y nuestra dramática y el enigma de la obra de clerecía alzándose en prioridad sobre la de la juglaría, los tres reyes, necesidad de su soliloquio, van diciendo su reacción entre los signos. En un especial lujo cada uno se goza en describir la señal, considerándose *bono strelero*. La seca estructura de ese auto del siglo XIII será igual a la armazón desnuda de los autos de Calderón o de Tirso. Veamos: soliloquio, orgullo más que voluptuosidad ante el *incitatus* estelar. Comunicación y alegría coral que se van reduciendo hasta orientarse con una muestra rudimentaria de autoridad: si es rey celestial tomará el incienso, rechazará el oro y la mirra. Consulta a los sabios o rabinos que equivocados o no, nadie les espera el juicio y el telón rebana gustoso la meditación que se inicia. Solamente este derecho de agrandar su voz hasta ser oído, hace cercano y comprensible que en *El gran teatro del Mundo*, uno de los personajes sea el mismo Mundo, entre la Discreción y la Hermosura. Esta consideración del Mundo como personaje supone a la persona que habla una confianza orgullosa que se ve forzada para establecer el diálogo a situar en la otra ribera la existencia simbólica de ese Mundo personaje. El Mundo y el yo, escisión violenta en el tipo hispánico, que alude a ese Mundo personaje como a un Dios impreciso e indomeñable que nos envía su aliento fogoso y sus cornadas. La fuerza del soliloquio obliga a crear al Mundo como personaje y darle una prestancia alegórica que, al huir de nosotros, sólo logra hacernos temblar con su reverso de cercana o dura carnalidad.

En la *Sacra Rappresentazione*, cierto es que con más aparato musical, ya los florentinos habían recogido la especialidad de la palabra, aislándola al extremo de engendrar el estilo musical recitativo. Esas representaciones sagradas estaban limitadas, aunque apuntando desde luego a la decisiva salida de la voz humana, por un estado operativo inicial y por la imposición de las figuraciones prerrafaelistas y la *Sacra Rappresentazione*, pero sin establecer una precisa cuestión de prioridad. Es en los autos o misterios españoles donde esa palabra ha de llegar hasta el soliloquio, y donde la música o cualquier otra ambientación verbenera, esperará a que se colme la suficiencia orgullosa de ese discurso solitario dicho para calmar a los dioses. A pesar del soliloquio y del orgullo suficiente, los románticos olvidaron *El gran teatro del Mundo*. Acaso les molestaba. Sería que esa calderoniana *parte obedencial* les hacía pensar en la detención de sus declaraciones. Esa parte obedencial enlaza con la *potencia obedencial* de otro gran teólogo y poeta español, donde se intentaba resolver los enlaces del providencialismo con los trabajos por la salvación, con la dura ganancia. Así también en Calderón los cuidados ante la Gracia aparecen aunados a una responsabilidad justificante. Esa potencia obedencial permite que en *El gran teatro del Mundo*, el mismísimo Mundo personaje ejerza una inapelable justicia distributiva: yo el Autor, tú el teatro, y el hombre el recitante. El Mundo ha salido del centro del globo para oír llamada de hombre. El Autor reparte los papeles, pero con una igualdad indiferente: haz tú el rey. Calderón resuelve la oposición arbitrismo y Gracia, estableciendo no la diferencia de encargo, sino la igualdad en la comparecencia: «obrar bien, que Dios es Dios».

Cuando oíamos a Karl Vossler hablar sobre Calderón, saltaba esta afirmación suya: «es el más sensual de los poetas suprasensuales». Buena manera de acercarse a lo español, intentar apoderarse de ese reverso que va hacia la tierra en una furia de formas. A San Juan de la Cruz, también lo podemos atrapar así, quedaría como el sonido del gesto silencioso. Realizando un prolongado debate de contrarios, dentro del mismo sujeto creador, ya que en él siempre observamos la vivacidad del combate contra el demonio en figura de toro. Las tesis más favoritas de la hispanidad circulaban por aquellos autos. Su representación el día del Corpus, la presencia real de Cristo en la Eucaristía y la doctrina de la transustanciación, eran regusto principal de una catolicidad amante de la iluminación salvadora de la materia. La reverenda Mancornillon, monja de Lieja, va a soñar durante noches que en la Luna había un gran agujero. Una noche se ilumina el enigma: la Luna era la Iglesia, y el agujero significaba la falta de la fiesta del Cuerpo del Señor. El gesto y la palabra que se esbozaban en esas fiestas estaba atenaceado entre el signo preciso del Corpus y el monstruo ambiguo, *la tarasca,* figura indeterminada que mordía la parte más secreta del terror cósmico. En 1762 el recato impracticable del afrancesado Moratín arremete contra los autos. Contra los autos, como había también mordido la heroicidad del Cid. Fue oído, buena oreja de los gobernantes para las peticiones mortales; por una pragmática de 1765 fue suspendida la representación de autos. Queda así demostrado cumplidamente, como apunta Romain Rolland, en sus *Musiciens d'autrefois,* que los falsos renacimientos, o cualquier otro reavivamento de la antigüedad, engendra la animadversión contra el arte gótico y las sagradas representaciones.

El gran teatro del Mundo levantará la sucesión de su soliloquio entre las dos torres de nuestra Catedral que apuntalan el estilo jesuítico. El Concilio de Trento penetra en la obra de Calderón de una manera apretada y apretadora. ¡Qué manera tan especial de rayar el diamante y qué nervios tan neutros, pero buenos conductores de su fuego templado! Sabemos que de ese Concilio Tridentino, el estilo jesuítico aunado a la voz imperial, salió uno de los momentos más católicos, nítidamente universales, del estilo hispánico de más polémica eternidad. El barroco jesuítico va a unificar el ornamento con la agónica responsabilidad de la doctrina de la justificación. La forma variable del barroco italiano del XVII, por ejemplo, en el maravilloso Bernini, va a presentar problemas de morfología artística antitéticos del barroco jesuítico, donde la sequedad de sus ejercicios éticos acaba por producir una forma muy cuidadosa de sus mañas y florescencias. La tremenda voz de la sequía final se oirá de nuevo en el barroco calderoniano llevado hasta el estilo jesuítico de nuestra Catedral: responsabilidad con lo transitorio y justificación frente a la muerte.

Mayo, 1939

Del aprovechamiento poético

CUANDO EL estagirita lanzaba su afirmación reversible, como las de casi todos los moralistas, de que a medida que el ser se perfeciona, tiende al éxtasis, al reposo. Cuando Pascal nos dice, como si la frase anterior no existiese: nuestra naturaleza se satisface en el movimiento, el absoluto reposo es la muerte; no pensaban que el tránsito de una sentencia a otra, para el espíritu ansioso de unidad, dejaba junto con una levedad irónica, burladora de todo trascendentalismo, un comienzo de crisis espectadora, de desesperación, éxtasis y dramáticos tropiezos. Clásica desesperación filosófica, síntesis de todo dualismo, resuelta unidad de las antítesis. Pero hay algo más que nos ronda. Ya vemos la cara pálida y los ojos fríamente vidriados de Kierkegaard, buscando lo causal en lo primario (romántica desesperación filosófica), y nos lanza su saetazo de mantenido torcedor: la única pasión del pensamiento es descubrir algo que ni siquiera se puede pensar. Las radiaciones pensantes al explotar un medio de moléculas extraordinariamente densificadas no encuentran su posible refracción, su ángulo conceptual.

La posible crisis poética la vamos encontrando en esa imposibilidad de despego, de no bifurcación en caminos transmitidos o infieles. Todo entra en el juego, acostumbraban a decir los simbolistas. Todo lo desconocido, nos dice Claudel, es objeto de la poesía. Aunque se poseyera el secreto del arte, la piedra filosofal de habitar una sustancia gloriosa, tendríamos cuidado de no aplicarla a una referencia temporal, avaros la habitaríamos como una isla exhausta. El intelecto decide devorarse muy intelectualmente al borde de sí mismo, o para decirlo con palabras de Miguel de Molinos: el amor puro nos hace desechar la salvación eterna.

Volvemos a las definiciones primeras. Volvemos al descubrimiento de las cosas, de las cosas eternas. De las cosas que necesita el vacío absoluto que las aísle, de la mano que acaricia la brusquedad de la caída para fijarse astutamente. De lo inanimado entrecruzado con lo orgánico. De las cosas, de lo inanimado levantado por el milagro de la poesía. Milagro que no altera el aire de la cámara donde van los viajeros en suspenso. La animación de lo inorgánicamente estable, desinflado, jugando a un efecto desconocido; aplicándose dos cosas comparadas a una consecuencia improbable, nacimiento de la espuma de la nada poética. Poetizar, ojos cerrados y la mano hecha al resbalar de cada palabra según su calentura comunicante. Aliento, ánima, ciencia de la respiración. Respiración: venillas de aire diferenciado que van marcando su existir entre el aire que se aparta saltando sobre las esencias, sobre las ausencias, arrastrando lo inorgánicamente estable y lo desesperadamente intraspasable. Ciencia de la respiración, poesía: fotografía de la respiración, por la que tan cómodamente resulta lo inesperado, habitual; lo impersonal, agua de todos. La mejor música, ha dicho un místico, es la respiración de los santos. Corre por el cuerpo el río de la respiración, sutileza y ciega claridad. Ascendemos en ella desde la parte que no conocemos de nosotros mismos hasta situarnos con fuerza diferenciadora en la esfera de cristal, en el nombre inapelable. Como los elementos o cuerpos simples poéticos que la piedra heráclea —recordemos el *Ion*, de Platón— reúne, o cada uno de los elementos irracionales llevados a un esquema de una continuidad aladinesca, de una rapidez inmóvil.

Impresionismo clásico, dijo una comentarista a propósito de Debussy. Con larvados elementos ondulantes se lograba ascender hasta una cobertura neoclásica. Del impresionismo clásico hasta el impresionismo del subconsciente en que ahora estamos enclavados. No sabemos qué túneles estamos atravesando, podemos considerar tarea de dioses el diferenciar un reloj de una araña o una hoja de una copa. Asomados a ese pozo se entretienen en mostrarnos los primeros peces sin ofrecerlos purificados en el expresionismo del subconsciente. Larvas oníricas dominadas por una arquitectura neoclásica: pura y absoluta mentira, inutilidad, mezquindad. Lo primario en absoluta pureza; caos de caos, maldición inexpresiva, autodestrucción. Posible romanticismo ante la contradicción de lo que se expresa y el pensamiento indeciso y caprichoso. Al borde donde el subconsciente empieza a existir en lo real de la poesía cazadora con tupida red de palabras inclusivistas, fáciles, acogedoras, para unirse con otras palabras atraídas tan solo por la virtud comunicante de su palabra inicial. Sin criticismo dominador de esos monstruos que se desperezan, se extienden fríos y verdeantes y desaparecen en el pentagrama borroso de la subconciencia. Palabras que todavía no ajustan una imagen y que desaparecen antes que las sumerja el desarrollo de una vida despierta. ¿Nos contentaremos con hundir las manos en las aguas de la poesía y mostrar el primer pececillo, o ir despertando al separar rumores de nieblas y dominio de impresiones fugaces?

Quedémonos tan solo con dos temas para espumarlos levemente: tiempo del verso llevado a nuevas prosificaciones y razón de prudencia de la poesía.

¿Cuándo el tiempo contraído de la poesía se va extinguiendo, para ser utilizado por la relación causal de la prosa? La poesía y la prosa se bifurcan en un ritmo formal más que en una inicial que necesita el caz poético para deslizarse. Los materiales utilizados por Goethe en su *Tasso* fueron llevados primero a la prosa y después tratados por el opuesto sistema de la poesía, sin que la inicial poética despertada se dirigiese directamente a la formal poemática. ¿Cuál es el momento en que se extingue esa vida poética? ¿Cuándo la prosa puede vivir dominadoramente lo que el verso pespunteaba? El hecho de que haya un delirio poético y un desarrollo causal para la prosa, nos está diciendo que debemos aprovechar esa inicial poética despertada en una forma bien diferente. Si se elimina la vía iluminativa, el estado poético, como han pretendido Valéry y Jorge Guillén, la poesía queda reducida a una especial combinatoria. Todas las combinatorias han perseguido más la síntesis que la unidad, y así uno de los aspectos más subrayados de la crisis poética actual está en la búsqueda de una síntesis con respecto a escuelas y modos de la sensibilidad, y no de la unidad que nos haga habitable la ingenuidad de un nuevo paraíso. Valiéndose de recursos arquitectónicos y cientos de páginas, dice Ezra Pound, Flaubert logra alcanzar una intensidad comparable a la de la «Heaulmière», de Villon. Utilizando la dialéctica de ese crítico podemos decir que la carga intensiva de las palabras en poesía se ha trasladado a la carga extensiva de las palabras en prosa. ¿Qué novelistas tendrán la destreza de vivir extensivamente la poesía de Valéry, y qué novela gozará de esa paretada carga verbal, aunque en un disfrute vicioso, de este simbolista metafísico, que como él mismo dice en uno de sus poemas, a fuerza de buscar el matiz se ha encontrado con el hastío?

¿Y ya razón de prudencia, sus consecuencias, la publicación del arte como verdad última? Conducta pura a la que habrá que buscarle interlíneas y sutilezas entre la *calogathia* de los griegos, la gracia de los cristianos y también por aquella otra gracia de la pereza andaluza, o del romano ocio comendador.

Mayo, 1938

Las imágenes posibles

I

APESADUMBRADO FANTASMA de nadas
conjeturales, el nacido dentro de la poesía siente el peso de su
irreal, su otra realidad, continuo. Su testimonio del no ser, su testigo del acto inocente de nacer, va saltando de la barca a una concepción del mundo como imagen. La imagen como un absoluto,
la imagen que se sabe imagen, la imagen como la última de las
historias posibles. El hecho mismo de su aproximación indisolu-
ble, en los textos, de imagen y semejanza, marca su poder dísco
lo y cómo quedará siempre como la pregunta del inicio y de la
despedida; pues cuanto más nos acerquemos a un objeto o a los
recursos intocables del aire, derivaremos con más grotesca precisión que es un imposible, una ruptura sin nemósine de lo anterior. Ni es posible que un orgullo desacordado al enarcar la red
de la imagen pueda prescindir de la constitución de los cuerpos de donde partió. La semejanza de una imagen y la imagen
de una semejanza, unen a la semejanza con la imagen, como el
fuego y la franja de sus colores. En realidad, cuando más elaborada y exacta es una semejanza a una Forma, la imagen es el diseño
de su progresión. Y es cierto que una imagen ondula y se desvanece si no se dirige, o al menos logra reconstruir un cuerpo o
un ente. Ninguna aventura, ningún deseo donde el hombre ha
intentado vencer una resistencia, ha dejado de partir de una semejanza y de una imagen; él siempre se ha sentido como un cuer-

po que se sabe imagen, pues el cuerpo, al tomarse a sí mismo como cuerpo, verifica tomar posesión de una imagen.

Y la imagen, al verse y reconstruirse como imagen, crea una sustancia poética, como una huella o una estela que se cierran con la dureza de un material extremadamente cohesivo. Pues solamente de la traición a una imagen es de lo que se nos puede pedir cuenta y rendimiento. Todo lo que el hombre testifica lo hace en cuanto imagen y el mismo testimonio corporal se ve obligado a irse al pozo donde la imagen desperoza soltando sus larvas. Y la escisión de semejanza e imagen presupondría un cuerpo bordeado como un ejercicio en sus límites imposibles. Límite que sería un ejercicio, no la inocencia ni el don órfico del canto. Y como la semejanza a una forma esencial es infinita, paradojalmente, es la imagen el único testimonio de esa semejanza que así justifica su voracidad de Forma, su penetración, la única posible, en el reverso que se fija.

De ese mismo testimonio, el desdoblamiento de cuerpo y ser se sitúa en esa interposición de la imagen. Cómo concurre el nacimiento de ese ser dentro del cuerpo, sus sobrantes, las libres exploraciones que cumple antes de regresar a su morada. Cómo ese ser puede contemplar el cuerpo formando la imagen o el mismo ser reocupando el cuerpo para formar un objeto. Pero tanto el nacimiento de ese *ser* dentro del cuerpo como sus vicisitudes, o en ocasiones su oscuro desenvolvimiento, sólo pueden ser testificados por la imagen; pues si el ser tomase proporcionada posesión del cuerpo o si el cuerpo fuese su justa y absoluta morada, la imagen desaparecería o habitaría una planicie sin cogitación posible. Ya que el viaje incógnito de ese ser hasta posarse en nosotros y su posterior definitiva despedida, forma un ente, el cuerpo de la imagen, ¿nadie podrá volver a pasar por allí? Las interposiciones entre lo sucesivo; las pavorosas distancias entre una y otra ventana y la tropa en que cada guerrero estrena un distinto uniforme, y que forman las espumantes, indetenibles metamorfosis. Cada objeto hierve y entrega sucesión. La jarra suda su agua estancada, y de esa podredumbre estática, donde se sientan los insectos a esperar, la flor conduce su testa en la frialdad aconsejable para su frente. A la maravilla de que entre esos saltos se establecen interposiciones, imágenes, queda esa distancia va cía evidenciada en la metáfora. Las vicisitudes de un hombre que se desplaza y las vivencias de ese desplazamiento llegan a nosotros como un todo que ni exhala ni absorbe, pues la red de las imágenes forma la imagen, y aquel desfile de guerreros de distinto uniforme se convierte ahora en el primero que llega a la puerta o en el que se aleja desmesuradamente. Tanto una brutal cercanía como el más progresivo alejamiento, forman un inmediato capaz de endurecer y resistir la imagen, y a pesar de esa distancia será siempre *lo primero que llega*. De cada metamorfosis, de cada no respuesta, de cada súbita unidad de ruptura y de interposición, se crea esa imagen que no se desvanece, y las palabras que vamos saltando, despreciando su primera imantación asociativa; la otra cohesión que exige de la palabra la metáfora ofrece en su contrapunto, la formación de ese otro cuerpo integrado por la sustancia poética que ha logrado el ente de creación, el germen sucesivo, ya que lo primero que llega es el siempre que se va quedando.

En el periodo mítico helenístico, siglo VII a. de C., el concepto de revelación encarnada se verifica con una ingenua desenvoltura. La causalidad se borra y lo primero que llega toma agudeza y precisión. El arte en el periodo mítico, en aparente paradoja, aparece gobernado y como una entrega que se ha hecho a totalidad. Encontramos la misma destreza, y como la eterna ocupación de algo que le fue entregado al hombre. La misma sensación de posesión, y no de tierra desconocida, encontramos en el periodo esquiliano que en la física jónica. Mientras se revuelve en las rocas del Cáucaso, no obstante la incomodidad de su postura y de su hígado, nos entrega la noticia de que algo le fue regalado y que el hombre puede alcanzar por el conocimiento poético un conocimiento absoluto: «Enseñé asimismo la literatura de las entrañas y el color de ellas que agrada a los Demonios, y la cualidad favorable de la bilis y el hígado, y los muslos cubiertos de grasa. Quemando los luengos lomos, enseñé a los hombres el arte difícil de prever. Les he revelado los presagios del Fuego, que, tiempos atrás, eran oscuros. Tales son las cosas. ¿Y quién puede decir que ha encontrado antes de mí todas las riquezas ocultas para los hombres debajo de la tierra: el bronce, el hierro, la plata, el oro? Cierto estoy, a menos que quiera gloriarse en vano.

Escucha, en fin, una sola palabra en compendio: todas las artes, Prometeo, se las he revelado a los vivientes». Es decir, en pleno periodo mítico, el arte no es un misterio, siempre alcanza la proporción del hombre, pues el griego estuvo convencido que al poner las cosas en la luz, en su develamiento, adquirían un logos por la palabra. Los dioses portaban la claridad hasta el hombre y el teatro para la aparición no era el misterio. En los pensadores del periodo jónico, en Empédocles, por ejemplo, encontramos la misma formulación: «Enseñaron los dioses al mortal todas las cosas ya desde el principio», nos dice. Las contradicciones de la Moira devuelven a Orfeo, Proserpina o Polidoro. El hijo del rey Príamo, ejecutado por Poliméstor, abandona las cavernas y después de haber reconocido «al alma soberbia de Aquiles, gravemente suspirando por su hermana Polixena», se aposenta en el aire venturoso para contemplar los despojos de Troya. Hay un escamoteo o sustitución, en vez de cumplir un destino espantoso, surge la mentira primera: ¿la mentira primera es la unidad primera?, ¿es la mentira primera el símbolo primero de que hablaba Nietzsche?, ¿hay en la raíz de esa mentira primera una sustitución o una contradicción? La maldición de la raza de los Atridas que llevó a Orestes al asesinato de su madre, en lo que Nietzsche llama «la primitiva teogonía tiránica del espanto», y el hecho de que la familia de los Atridas, los mejores, tienen que soportar un espantoso destino, son las revelaciones recibidas de Prometeo Piróforo, el que porta el fuego. Ya en ese periodo mítico, el hijo, después que la madre ha envenenado al padre, y al tener que destruir la matria, desea una sustitución, una mentira primera, un destino revelado. Un destino espantoso, el horror, tiene que engendrarse en el pedir cuentas a las traiciones de la matria, y ante eso se busca una adecuación tan miserable como la adecuación celular, pero el hombre chilla y huye como un grotesco medioeval ante esa realización, ante el asco de la criatura frente al creador, y aunque en algunas de sus frases el griego introdujese el compás quedaba siempre rondado de un signo. Así vemos al griego en el periodo de los mitos, tratando las artes dentro de la revelación interpretada, pero el griego volvía a angustiarse en el periodo socrático o dialéctico al enfrentarse con el nacimiento del ser. La era mítica lo había encarnado hasta su destino, su espanto valía tanto como la sustitución que él hacía. La metáfora impulsando al hombre hasta su destino lo fortalecía. Ahora las metamorfosis del ser en su cuerpo al desconcertarlo lo debilitaba, preocupándose no ya de la unidad primordial, sino, en el perioso parmenídeo, de la definición de la unidad por exclusión.

Rodeado de los mitos contemplamos la entrega, y después en el periodo parícleo la indecisión comienza a doblar las rodillas y a enarcar la semejanza. Pero siempre en la imitación o semejanza habrá la raíz de una progresión imposible, pues en la semejanza se sabe que ni siquiera podemos parejar dos objetos analogados. Y que su ansia de seguir, de penetrar y destruir el objeto, marcha sólo acompañada de la horrible vanidad de reproducir. Aquella posesión de secretos, la seguridad de la tierra revelada, cuando el mito es reemplazado por el ser, se torna en la semejanza, objeto de vacilaciones y esperas. Había recibido de los dioses y gozaba de un mundo interpretado. La semejanza en Aristóteles, va siendo ya para nosotros un concepto tan enigmático como el de imagen. ¿Qué es lo que imita el bailarín? Que la imitación ha de verse en el tiempo, lo prueba que su acompañamiento es de flautas y de cítaras. La imitación cuyo concepto se precisaba en las épocas que subrayaban la importancia de toda convención, dándole total importancia a la imitación espacial de objetos o de modelos. Un modelo era un objeto realizado en el espacio y liberado de las corrosiones del devenir. Se congelaban las obras maestras que destilaban unos residuos fijos y unas cualidades igualmente espaciales que se asemejaban al oro. En el periodo mítico, el coro ondulaba y seguía al entonador, que marcaba una medida, indicaba y era el individuo, el actor. El coro vislumbraba al entonador, no al objeto. En la época períclea, los dialogantes son sucesivamente objetivos, oyen como estatuas y al hablar trazan un modelo, no una entonación. Nos estaba revelando esa entonación, la medida para el hombre de cada una de las progresiones de la metáfora, al mismo tiempo que una penetración en la imagen, pues el que entona busca en las acalogías de la conversación, los diálogos de las metáforas.

Va la metáfora hacia la imagen con una decisión de epístola; va como la carta de Ifigenia u Orestes, que hace nacer en éste virtudes de reconocimiento. Lleva la metáfora su carta oscura, desconocedora de los secretos del mensajero, reconocible tan solo en su antifaz por la bujía momentánea de la imagen. Y aunque la metáfora ofrece su penetración, como toda metamorfosis en la reminiscencia de su claridad y cuerpo primordiales, y desconociendo al mensajero y desconociendo su penetración en la imagen, es la llegada primera de la imagen la que le presta a esa penetración, su penetración de conocimiento. Cada vez que Orestes reconoce a Ifigenia se ve obligado a subrayar cada una de sus metamorfosis encarnándolas en metáforas. Pues en la penetración o conocimiento de metáfora no se verifica una ocupación o saciada inundación, ya que en esas provincias, conocimiento y desconocimiento, se convierten en imagen y semejanza.

En toda metáfora hay como la suprema intención de lograr una analogía, de tender una red para las semejanzas, para precisar cada uno de sus instantes con un parecido... La lucha fratricida de Atreo y Tiestes, representada por Ifigenia en telas tejidas. Los retrocesos del sol representados en esos paños con hilacha fina en el primor. La cabellera situada en el sepulcro en lugar del cuerpo de Ifigenia. La lanza de Penélope colocada en el aposento de Ifigenia, mientras mantenía su virginidad, son momentos donde el conocimiento poético logra su reconocimiento. Y mientras se cumplen las progresiones del conocimiento, cada una de las metáforas ocupa su fragmento y espera el robo de la estatua que se despliega como imagen. Lleva la metáfora su epístola sin respuesta y en la espera se preludia el rapto. ¿Cómo es que el rey orando en el templo desconoce el misterio del traslado de la estatua? La estatua había contemplado las esquiveces de Ifigenia y fraguaba los castigos de Orestes en la aventura del robo de la imagen aumentada por la decisión final de Pallas Atenea. Y el conocimiento por cada una de las metáforas que son como develamientos de las posibles coincidencias de las metamorfosis de Ifigenia, terminado su reencuentro en el robo de la estatua, como la imagen que prepara su nuevo desconocimiento para recorrer la ciudad.

Entre la carta oscura entregada por la metáfora, precisa sobre sí y misteriosa en sus decisiones asociativas y el reconocimiento de la imagen, se cumple la vivencia oblicua. El momento de la metáfora se puede cumplir en un símbolo que encarne la misma persona: la relación entre el monarca y la imagen de la suerte de su poder llegaba a ser de tipo metafórico. Luis XI vivía frente al pueblo como una metáfora, y la imagen, favorable a los reyes medioevales, formaba la sustancia donde el pueblo veía su jerarquía interpretada. La metáfora y la imagen permanecen fuertes en el desciframiento directo y las pausas, las suspensiones que entreabren tienen tal fuerza de desarrollo no causal que constituyen el reino de la absoluta libertad y donde la persona encarna la metáfora. El hombre y los pueblos pueden alcanzar su vivir de metáfora y la imagen, mantenida por la vivencia oblicua, puede trazar el encantamiento que reviste la unanimidad. El bosque y las ciudades no son el infinito paredón donde la interpretación otorga la cerrazón o el encantamiento, sino la penúltima, la suspensión, de donde brota la nueva cabalgata, el interminable ejército de diversos uniformes.

Así en las pellizcadas relaciones que se establecen en los egipcios entre el campesino y el intendente, se abren aquellos templos y empezamos a caminar con luz granizada las salas hipóstilas, Dehuti-Necht se dirige lentísimo y maestoso a una rama de tamarindo y va a azotarle todos los miembros al agricultor. Qué luz de topacio de esas puertas al abrirse en otras puertas y engendrar en las últimas sucesiones un gran navío. Asomémonos y veamos detenido con gracejo ese grupo escultórico que se esboza. El campesino está ya curvado pues en cualquier momento pueden descender los azotes. Supongamos que prolonga su espera curvado: como la relación no es inmediata, aquí los golpes no nacen de la cólera sino de un estilo lentísimo, entre el doliente y el intendente; el campesino se mantiene tieso mientras el intendente vaga por el bosque buscando sin apresurarse el ramo de tamarindo para golpear todos aquellos miembros que esperan. Al adquirir esa imagen las puertas van cayendo sobre las puertas, como en nuestras resurrecciones, donde un centurión va cayendo dormido sobre otro centurión, viéndose a hora adecuada para el milagro cómo la siesta cae intempestiva sobre un gran ejército. Si admitimos que esa imagen puede hacerse precisa como una cronología leída en un papiro por Champollion, podemos ver aún las más contrapuntísticas y sutiles asociaciones que puede ofrecer una lenta dificultad egipcia. Cortamos así ese estado de evaporización, acercándonos a toda posibilidad de cristalización. No nos asombra así que en sus relaciones contractuales usasen las monedas más eficaces y poéticas. Un velo, por ejemplo, podía ser adquirido por una medida de incienso y cien manojos de ajos. Pero ¿cómo el incienso podía ser medido, podía ser convertido en una moneda? Cuando el monarca otorga su benévola confianza a un súbdito le asigna como pensión «mil panes, cien jarros de cerveza, un buey y cien manojos de ajos». Así el egipcio en el esplendor del periodo Dypilon llegó a mezclar su propia imagen con el limo y el tejido de su complicadísima historia era fácilmente descifrado por el intendente o el labrador. Llegó a creer que todos los ríos del reino confluían en la boca del monarca. Y el poeta no tenía que ejercitarse, pues lo mismo el mozo de cuerda que el traficante en maderas para la barca de Amon-Ra, cuando moría el monarca todos lo anunciaban con igual plañido: se hundió, decían, en la línea del horizonte. La tumba natural de un rey era la línea del horizonte. Heracles desaparece también en una puesta de sol; recibe la túnica fatal y en fuego asciende de la tierra a las nubes, de las nubes al asiento de los dioses. Cuando su amante es Yola, como en un *ballet*, se truecan las nubes del amanecer, coloreándose de tintas violetas. Ese deleite subsiste aun para los filósofos. ¿Sí pudiéramos ver siquiera cómo se ha trocado la aurora en laurel?, pregunta Curtiss. La aurora es la ardiente; el laurel, de madera combustible, es también el ardiente.

En el periodo Fou Hi, según el decir de un historiador, el feudalismo chino se convirtió en un sueño. En el periodo Topsó, en el ceremonial del 15 de agosto llamado La Luna de Antes, sentados en la terraza, exigiéndose para la verificación la compañía de dos incurables viciosos en los placeres de la conversación y de un poeta especializado en el verso de treinta y una sílabas; penetra la luna hasta las ofrendas, la nadeja y la mesa, y se espera en las terrazas el hilo que la luna debe alcanzar para el comienzo de las danzas. Y en las conversaciones entre el rey Shan y el marqués de Khi se trazan los principios invariables del método celestial, que comprende desde el uso armonioso de los cinco divisores del tiempo hasta el tratamiento adecuado para el pago de las deudas. Así aquel pueblo extendía, como el inmenso desfile de las chirimías de sus bandas, su sabiduría como la sierpe de sus murallas. Llegó a habitar el humo y el sueño, el rostro ante el estanque y la luna fría, que iguala al estanque con el desierto. «Lo que moja y desciende se convierte en sal; lo que arde y desciende se convierte en amargo; lo que se curva y se endereza se convierte en agrio; lo que se ablanda y cambia se convierte en acre, y de la siembra y la cosecha procede la dulzura.» Eran suaves consejos adquiridos con una porfiada amargura. Khwan, rey, tiene que luchar con las inundaciones, represándolas. Khwan sufre prisión hasta su muerte, y al ascender su hijo Yu, el Cielo le entrega el Gran Plan y los principios invariables del método celestial. Rodeado de sus inmensas colecciones de proverbios, el chino se recuesta en el sueño, pero sin adquirir la imagen. Los dioses reemplazados por los proverbios, depositan los sentidos en el reverso del no ser.

De la soberbia escayolada de los romanos, si la cronología se interrumpe o falsea su juego, por entre las columnas truncas, se pueden obtener las más plásticas distribuciones de elementos de composición y de fondos. Podemos levantar falsas antorchas en la celebración, en casa del pretor, de la fiesta de la Bona Dea, a la que sólo es lícito la asistencia de mujeres. La prefectura romana ha tenido la confidencia de que algunos jóvenes libertinos se proponen asistir disfrazados. Y los centuriones enmascarados con túnicas como si fuesen ciudadanos, registran cuidadosamente a los asistentes al festival. De pronto, el asombro de uno de los prefectos, se encuentra delante de Julio César que ha asistido disfrazado de mujer. Cicerón, que está disfrutando de un ocio en su finca de la Tesalonia, recibe de su partido la orden de acusar a Julio César ante el Senado romano. Pero César le envía con un libreto una esquela interesándose por su salud, y aconsejándole, día señalado para la acusación, que deberá continuar en su finca para su total restablecimiento. Y Cicerón decide quedarse un día más en su finca de la Tesalonia, meditando acerca de la compra de otra finca en Dyrrhachium. Ese relato absolutamente falso, me hace propietario de esa mentira. El asistente disfrazado de mujer no fue César, sino Clodio; éste no mandó ningún billete irónicamente amenazador como César, sino gimió, compró a los jueces y consiguió el apoyo de Hortensio, florido enemigo de Cicerón. Las asociaciones posibles han creado una mentira que es la poética verdad realizada y aprovecha un potencial verificable que se libera de la verificación. Y no se falsean esas posibilidades que engendran otras asociaciones, que en nada destruyen las que se pueden crear después, pues Clodio era amigo de Julio César, fue nombrado tribuno por él, hizo que se aprobaran las leyes para desterrar a Cicerón. Cuando César pactó con Pompeyo, antes de sus desavenencias posteriores, le envió un billete enérgico, no irónico, ante imprudentes pronunciamientos de Cicerón que venían a recluirlo de nuevo en su granja.

La gravedad de las termas o del foro, fabrican de lo romano el rostro cejijunto, sobre el que se posa el moscardón. Para quedarse con el nombre de las fundaciones, Rómulo va al Monte Aventino y Remo al Monte Palatino. Que sobre la cabeza de Remo trazasen seis buitres y sobre la de Rómulo circulizasen doce buitres, nos dejaría mansos al conjuro, si no sirviese para quemar en forma segunda la verdad segunda. Están, seis y doce, los buitres sobre la cabeza de los fundadores, ya Rómulo queda con su nombre, y ahora empieza a librarse otra batalla que hace que los mismos signos espaciales concurran a otro escamoteo. Nos permitimos, impulsados por esos conjuros, que nuestro tablero dé las señales para el comienzo de la gran batalla de Lutzen. Separados por esos campos de Brueghel el Viejo, una llanura de trigo o un río que podemos impulsar con las manos, Gustavo Adolfo y Richelieu, en filas contrarias, meditan y oran. Sobre un cojín gualda, como la sortija rojo y azul de los adolescentes pintados por Rafael, Gustavo Adolfo ve el paso de los cirros, pero la presencia de una nube bermeja se precisa hasta parecer un capelo cardenalicio, y como una muestra en su vitrinal de una talla de alta dignidad, hace que lo habite su enemigo de más peligro, es decir, el otro que también está rezando antes de la batalla, separado por un río o por una llanura de trigo. Al despertar, después de un desayuno con los ángeles, «de otro es el mundo», exclama, tiene el convencimiento que la suerte de la batalla, le será desfavorable. Pero mientras un guerrero con un conjuro desventurado, encontraría su fuga justificable, Gustavo decide batallar como los mártires, donde cualquier posibilidad de triunfo es una falta de atribuciones, una desconfianza en el otorgamiento de los poderes. Pero aunque en realidad Richelieu no asistió a esa batalla y el único implorante fue Gustavo Adolfo, ni el conjuro llegó a atemorizarlo en una forma tan vehemente como para disfrazarlo de San Mauricio del protestantismo. Las colecciones de buitres recibidas en la infancia seguían agitándose como para dividir en los ejércitos que aguardan la misma necesidad de imploración.

En la contienda de Eumono y Aristón, al quebrar una de las cuerdas del instrumento de Eumono, vino una cigarra a reemplazar el volado traste, comenzando a cantar. En el mismo conjuro cuando la causalidad sea demasiado exigente, lo semejante destruye lo advertido. Qué fatigoso el sueño de Sócrates, cuando ve el polluelo de cisne sobre sus rodillas, y al día siguiente al recibir a Platón, lo reconoce como el cisne que se despereza dentro de su sueño. Sea otras veces una sequedad que tiene el rebrillo segundo como el pulimento del metal. Es tanto el halo, el polvillo refractado en el contorno que en lo que no le allegamos, ejercita una comunicación en ese cauce tinto donde no le alcanzamos. De la longitud del número, de la superficie plana entre las extremidades, de las inagotables labores de tafileteros y tapiceros, aventuras en Pérgamo, fábulas milesias, salto de la empalizada, despiertan el rumor del orden de colocación, enfilan detrás de esos paredones unas secuencias de monodias, es decir, un paréntesis de semejanzas capaz de formar las cantidades que pueden abarcar esas rúbricas. Bien por una precisión de movimientos de trucha, o bien —el salto de la empalizada— por un gobierno de imprecisiones domeñables que se muestra como el cuerno de la abundancia, el cuerno de caza, el de ayuda o convocatoria del rebaño. Un tumulto de sonidos que siguen su aventura por valles y collados, que siguen ondulaciones y espejos, hasta que saltando las ajenas ciudades amuralladas llega su final que se ve despertado por esa penetración de ecos carnales que fruncen la piel del caballo o provocan la irritación muscular del felino.

Otras veces era el ejemplo, el fatídico ejemplo, el que volvía para destrozarnos las más suntuosas tesis. Para mi mal, al reconocer la cartesiana sustancia que piensa, saltaba el personaje para trabar conmigo un diálogo banal, pero suficiente para destruirme un desarrollo acostumbrado, una acomodación en el pensamiento sustantivizado. Para provocarme esos ruidos o rocíos, venía una sustancia extensa y divisible como el alma de un caballo, o inextensa e indivisible como el espíritu de Sócrates. Su galope, precedido y perseguido por un alma, hacía del caballo el habitante de una inmensa sustancia que rodeaba al caballo; pero si niego este cuerpo, este caballo, que daba esa extensión que era un alma, que era como un inmenso caballo, como si en cada sitio regido por nuestra visión fuese inminente la aparición de un caballo. Un inmenso cuchillo, después de ese inmenso caballo, venía a pronunciarse, a reclamar sobre esa extensión. Caballos de cerámica griega, regidos por un concepto euclidiano de la divisibilidad, venían a encarnarse en un alma que se despertaba de esa primera y embrutecedora extensión. Venía el caballo sobre su alma, la reclamaba también, y después se diferenciaba bruscamente del espíritu, del espíritu de Sócrates. Si de acuerdo con Cartesio esa alma indivisible era «un aire delicado que está difundido», el caballo participaba y se incluía al propio tiempo en un aire que era su alma, pero que, extenso e indivisible, lo dividía al ser impulsado por las progresiones de su velocidad al fuego soplando de su nariz. Pero mientras esa alma extensa del caballo se iba convirtiendo en toda la tierra y el caballo se tornaba en un gran cuchillo que cortaba las rebanadas delicadas de ese aire difundido, era necesario retornar a la cartesiana sustancial que piensa. No nos encontramos al regreso con ninguna brusquedad excesiva, sino con su tercera palabra: lo que prueba demasiado, no prueba nada. Luego la poesía y su creación necesitaban desde su inicio la prueba hiperbólica; y nos encontramos con que esa mentira toma peso y se justifica en esa prueba hiperbólica. Si se ha encontrado una sustitución, marcha opuesta al conocimiento que va hasta el ser, donde el hombre habita una embriaguez que se hace evidente por la revelación, la presencia de la prueba hiperbólica es la única que puede trazar un continuo en aquel mundo que surgió como la discontinuidad mayor. En el *Bhagavad-Gita*, tocamos esas pruebas hiperbólicas. En la multiplicación del sonido de los caracoles de guerra, en la instalación de los carros para el gran torneo verbal, rodeado de la muerte y de la incesante flecha, los dos príncipes situados armoniosamente en sus carros trazan los círculos del ser, de los mentirosos sentidos y la verdad del vencimiento. Rodeado de trompas, de dardos, de las invisibles y hormigueantes estrategias de los pandavas y los curus, se va trazando la corriente mayor, la prueba hiperbólica, que es la plomada de la mentira primera. Rodeado de una gran movilidad, de guerreros que pasan y que desaparecen, de remolinos, de la gran rueda que siempre pasa por un punto y que ofrece un punto. De eso se rodea, pero su centro, el poema, es estático, de carro a carro las palabras van trazando el mismo poema. Estrechado por un gran combate, las palabras cruzadas entre los dos príncipes, cobran una exquisita lentitud, la necesaria para trazar el diseño de la sabiduría. ¿Cómo es posible la confluencia de las sentencias y los caracoles de guerra, y que mientras la primera se afina, la segunda se hace ronca y desacordada? Traza el compás la primera frase, hinchada; roto el compás, la sucesiva palabra, cae.

En medio de los remolinos, ocurre el desvanecimiento del príncipe Arjuna. El círculo permanece felino, pero al centro, en el juego de los accidentes, ocurren los torneos verbales y los desvanecimientos. Arjuna se niega, no quiere ser el instrumento de muerte de los nobles y reverendos varones que fueron sus maestros. Pero a sus desmayos, contesta el príncipe Krishna con sus teorías de las apariencias y de lo Absoluto. Y es en ese mismo combate, decisivo para las principales familias indias, donde se hace el elogio de la tortuga, el retiramiento de las facultades sensoriales y lo esencial que cubre su despreciado peto. De esa manera, con el gran combate que renueva la periferia del poema, mantiene el centro como la casa central. Hay una tregua, prueba hiperbólica, donde parece que se remansa lo que es en su centro la propia prolongación del poema. He ahí la segunda transmutación. Del combate, descompuesto en un eco y un remolino, queda como el gran zumbido que representa lo temporal, el tiempo no encarnado, el tiempo que no hace historia sobre la tierra. Tiempo poemático, forma sutil de resistir sin hacer historia. Y el espacio donde conversan el aprendiz y la sabiduría perecederamente encarnada, que cobra una lejanía más allá de ese zumbido, de esas alabanzas lejanas, semejante a ese cuadro de un supuesto primitivo deliciosamente artificial que situase en el primero y en el último de los planos, el mismo motivo. Un motivo caminando hacia nosotros. Y otro, precisado por la perspectiva, pero que se fuese desvaneciendo como si también desease sumergirse huyendo del anzuelo de la visión.

II

En aquel lavadero negro situado por Rimbaud, suelen acudir las lluvias (quantos), compás desmesuradamente abierto, hasta alcanzar en el ejercicio de un sentido inapresable, pero coexistente, un sentido extremadamente extraído para las asociaciones de verbo, de situación, de relación, de intercomunicación; entre las asociaciones dilatadas regidas por un sentido, y un sentido que actúa sobre un contrapunto preciso, monstruoso, sencillo repetible. Ese lavadero negro viene a abrir la ópera fabulosa. En esa forma de nutrición poética, semejante a la diversidad homogénea de la lluvia —ya que la historia es como una inexistente y bipolar lluvia horizontal—, la poesía avanza en su inicio sobre una llanura tan dilatada y lejana, semejante a la entrega vegetal que diferencia siempre el discurso de la corriente progresiva. Semejante a una doncella que después de haberse cansado en los burdos trabajos del lavadero negro, por la noche vigila sus sedas para acudir a la ópera fabulosa. Dispensadme si he empleado la palabra sentido y no la he precisado en el giro en que yo quisiera hacerla visible. Después de haber utilizado los recursos instantáneos de una red de asociaciones, a veces entregados por una voluptuosa extrasensorialidad; es ese sentido que va surgiendo y que termina aclarándose como la prueba hiperbólica, como los peces de gran tamaño avisados en su presencia por un ligerísimo movimiento vertical de la masa líquida, provocando esa delicia en la que aún el agua se extiende, pero ya perteneciendo a otro reino, por la superficie escamosa. ¿Será acaso necesario distinguir entre el sentido como proyección inicial y el sentido como resultante tonal? Subrayo ahora esta última condición, este deseo incesante que por instantes se hace visible, o se fija sobre nosotros con una insistencia grotesca. Así como el hombre ha reafirmado las posibilidades de su orgullo en la creación de la orquesta o en la creación de la ópera, que son organismos vivientes creados por el deseo perseguido por la secularidad de apoyar, de conseguir una dureza o una resistencia para su imaginación; de hacer permanente o perseguible de continuo un enemigo que nos obliga a seguir su ademán desenvuelto en el tiempo o su gesto fijo en el espacio. Una fijeza y una desenvoltura, apoyada en un monstruosillo que después se volvía errante, burlándose de las primeras imposiciones, que calmaban la inmovilidad de la congelación.

Al llegar Rimbaud a los deslumbramientos de la ópera fabulosa, iba más allá de una pertenencia para otorgar un recinto. Se relacionaba así con la más sorpresiva tradición, entre las del otro Cartesio que nos daba la adecuación de acto primero y de forma principal en el hombre. Así como el misterio de nuestras respuestas se adormece o se aclara en relación con un acto provocador, presentado con una distancia tan absorbente entre uno y otro, que la misma provocación se insinúa o se extingue, como si esa provocación nos mostrase tan solo su reverso. Pensaba yo por esa misma asociación de actos, que la respuesta en danza o en canto a la purificación de los metales o al cumplido itinerario del trigo, debe ser tan sorprendente para él, para el que tiene que contemplar nuestras respuestas, perdido por su propia cercanía a ese acto provocador. Y si ya dentro de su milagro cada acto desprendía su forma, engendrando en la reiteración el entrelazamiento del curso natural y el discurso artificial; esperábamos también de la forma su secuencia, desprendiendo su naturaleza en la diversidad o en el tiempo. Así tampoco la forma se trueca en objeto o en conocimiento dentro del ser, necesitando irradiar, construir imágenes que son los residuos de aquel acto a través de la voracidad de las formas. Aun en la distancia que puede mostrar el acto y la forma se mantiene su distintivo de inmediatez;

pero las imágenes invadidas por la forma quedan sólo como aproximaciones, como un deseo en la infinidad, deshecho en el ápice de la música o de la espuma.

En los misterios eleusinos, Ceres marcha acompañada de la flor de la adormidera, y el sacerdote, en la ofrenda de los cabritos, riega con el cántaro y empuña con el misterio de la siniestra la adormidera. Cada esbozo de lanzar la semilla está acompañado por gestos de la adormidera para provocar su olvido, para sumergirla en el sueño que marcha al encuentro de Perséfona. Cuando leemos en Cartesio que el espíritu es más fácil de conocer que el cuerpo, deseamos que esa ofrenda se aleje de nosotros para reaparecer después de un largo sueño. Ahora la demostración con que acompaña ese conocimiento amistoso con el alma y su facultad para sentarla a nuestro lado, se hace tan evidente y difícil como la dificultad del cuerpo. Sus demostraciones han comenzado para nosotros a cantar:

Como yo no distinguía todo lo suponía en su cuerpo.

Creía que la pesantez acompañaba al cuerpo y que era su realeza.

Si digo cualidad real es una sustancia que viene a hacerse grosera.

Un traje en sí es una sustancia

Si camina el traje y va hacia su cuerpo es una cualidad.

Oh marcha opuesta, inencontrable de la sustancia y de la cualidad.

También sabe el espíritu que la pesantez se libera del cuerpo pasado.

Y cómo esta pesantez no reconoce su nieve y olvida la extensión del cuerpo del hombre.

Finísima extensión, malla de acero, que rechaza y olvida la penetrabilidad.

Pues esa misma pesantez tiene su guarida en la misma masa de oro de un pie de longitud.

También la pesantez, sencillísima, vuelve a lo suyo y ahora duerme y recela en un pedazo de madera de diez metros de largo.

Pues si el cuerpo se cuelga de un cordel, la pesantez penetra toda en la parte de la cuerda qe sustenta todo el cuerpo.

Y así el espíritu se cuelga al lado del cuerpo

y junto con éste se encamina al centro de la tierra.

Y ya caminando al centro de la tierra lo podemos medir y dividir y así precisamos que él no se desvanece.

He aquí que el trato de los agrupamientos, en que lo diverso logra constituirse en ciudad, forma las figuras que incesantemente o en unidad temporal, logra su a horcajadas sobre el tiempo. La iluminación de los cuadrilleros en los trabajos subterráneos o secretos; la cacería; las agallas de los barcos en los sucesivos deshielos; el estallante ojo frío de la mesa de azar; el alma desatada del capitán que avanza en el desierto rodeado de negros; el campamento dormido con las hogueras desiertas; las expectativas del agua corriendo entre el veneno y el amanecer: las conversaciones del hombre y los animales frente al cañaveral incendiado; el paseo de los conspiradores hasta la meseta donde están los ahorcados; los estudiantes que se dirigen al cuarto empapelado del sodomita; las sobremesas donde el migajón no rueda del abuelo al bastardo hidrocéfalo; las notariales mesas de firmas donde se rubrica la extensión de los sonámbulos y los morfinómanos; el asombro yerto ante las operaciones aditivas, diferentes en tres pizarras e iguales con dos planetas diferentes. Todo ese mundo tan lento como fulgurante, tren inmóvil o caballo con tétanos, donde el hombre ha logrado formar grupos escultóricos rodeados de un espacio visible como un follaje duro y de un tiempo que zumba apagado, inaudible. Han logrado así, con un nombre tan secular como hecho para rectificarse de súbito, un tiempo que resiste como una sustancia y un espacio que vuela como esencia. De esas criaturas desprendidas vamos a fijar la cacería. Sucesivamente, en su agrupamiento, la cacería va formando una diana para el campo óptico, al mismo tiempo que va cayendo en lo temporal. Las trompas que impulsan en un soplo, los perros que trazan cintas colaterales, pero no siempre dentro del volteo de la mirada. Una ligera suspensión de las riendas del príncipe halconero, y el largo cortejo, conciencia vertebral, queda en éxtasis. Como en prolongación monstruosa y afilada, camina el índice del príncipe, entrándose en el pechugón de la garza, la cual se enajena, se inutiliza y cae. Sóplanse las plumas del halcón que viene a trazar su malla en cuidado de las plumas del ave de río. Del halcón a las tenazas del perro, del perro a las guindallas, a las parihuelas.

Aquel organismo, tan inventado como reinventado, la cacería, va adelantando así con sus contracciones con sus sobresaltos rebanados de pronto en el éxtasis en que se suelta el halcón o relata con las riendas sueltas al atravesar el vado o se entra en el castillo de sombra que le trae el alquiler del toldaje de una palma cana. La dispersión, después de la glorieta sombrosa, les aclara el pintarrajeo y si no se diluyeran en sus retiros, la creeríamos formando parte de una locura cuyo centro vuela. Ese organismo se restituyó, se formó para el veedor que lo reinventa al dejarle paso al grupo escultórico que de pronto recibe la impulsión de lo temporal, se pone en marcha y al fluir en el tiempo su estela se endurece para resistir. Y si alguien cometiese la travesura, comparable a una metáfora subrayada que vuelve a su lejana provincia, de aprovechar un diálogo conveniencista para retirarse del cortejo, al llegar a su descanso crepuscular los cazadores coincidirían en indicar y comentar esa ausencia.

El mismo espejo de la poesía tiene su revés que otorga una poesía de mayor movilidad, pero de muy difícil desciframiento. El que ha escrito la poesía es de pronto sorprendido por otra poesía que él toca y agranda, pero de revés. Un soneto de Góngora al conde Villamediana, celebrando el gusto que tuvo en diamantes, pinturas y caballos. Ese soneto es un índice amistoso, pero da paso a enlaces y misterios de más rebrillos. ¿Cómo se conocieron Góngora y el conde? ¿Cómo la tozudez gongorina quebraba para escribir a dos manos obras teatrales con Villamediana? ¿Acompañaba Góngora al conde en la misma berlina cuando éste paseaba por los alrededores oscuros de Madrid y por sus bajos fondos? ¿Por qué los dos mejores amigos de Góngora tuvieron muerte misteriosa, pasados a cuchillo? El conde intenta siempre acercársele como resguardo y compañía. Así, si Góngora crea «la hija de la espuma»; él se acerca más aún y crea su «nieto de la espuma». Cuando Góngora nos entrega su advertencia inaugural: era del año la estación florida. Villamediana se acerca más aun para enviarnos el mismo recado de situaciones: era la verde juventud del año. Aun si estos acercamientos del de Villamediana dejaban las cosas en su distancia habitual, el mineral, los diamantes, los frutos de Góngora se alejaban del lacustre, del junquillo de agua estancada de Villamediana:

voz que puede por tuya, no por mía,
articular del nieto de la espuma
la que de sus victorias fue la suma,
cuando hizo su arpón volante de oro
bramar un dios y suspirar un toro.

Ese momento en que la situación de dos coincidencias o la oportunidad que puede ofrecer de quedar en vibración con el mismo poderío que la escritura, ¿por qué ese momento en que todo parece prolongarse porque ha convertido al hombre en un molusco de incesante y visible segregación? Entre nosotros, esa situación es de real valor para completar una frustración poética, un destino que fue decapitado. Le oí relatar a un emigrado una noche de festival en la que se esperaba a Martí. De pronto atravesó la sala el hombrecito, arrastraba un enorme abrigo. Inmediatamente esa pieza, ese gigantesco abrigo, comenzó a hervir, a prolongarse, a reclamar, inorgánico vivo, el mismo espacio que uno de aquellos poemas. ¿Qué amigo se lo había prestado?, ¿y quién había lanzado ese pez tan carnoso en la reminiscencia? Así como el haz de nerviecillos parecía manifestarse en la mano de Martí; esas radiaciones se descargaban o descansaban en el círculo verde frío de los ojos de Casal, ¿qué gran nube homérica, qué trabajo de los héroes impedía que Martí y Casal ni se hablasen ni se conociesen? ¿Y cómo Del Monte tenía siempre a Casal en aquel cuarto sobrante de su periódico, donde se empeñaba en que Casal leyese a poetas italianos menores? Cuando Casal lanza su bocanada de sangre en los manteles, está fumando un cigarrillo. Su traje es el de la invitación a la casa de brocateles y risitas galas; cuando él suelta esa risotada, que así subiendo por los cañutos de la sangre parece como si viese una gran frase que alguien fuera de la sala ha lanzado y que sólo él ha oído y tiene que reírla. Es llevado a un sofá donde se le extiende con cuidado; cuando vuelven, Casal ya se ha ido con la otra frase de la otra pieza, pero en sus manos sigue ardiendo el mismo cigarrillo: ¿cómo pudo resistir, tan imperturbable, ese cigarrillo a la muerte?, ¿llegó a quemarle la piel?; ¿se apagó en las manos exánimes o alguien lo apagó y coleccionó? Ahora ese cigarrillo se agita y con la punta de su fuego parece volver, esconderse y lanzarse de nuevo a posarse en una mano como si fuese una divinidad egipcia.

Ahora Paul Verlaine está en Londres con barras clownescas de brea y hollín. Y Rimbaud está con él y ha sido la disculpa unas clases de francés que remediarán la pobreza. Detrás de ellos, como antiestrofa o coro, las madres. La de Rimbaud, que ve siempre que su hijo se le escapa desde que tenía diez años. Y la de Verlaine, que es la madre muy vieja del cuarentón largo, que ve que su hijo, más allá de la esposa y del hijo, la busca siempre, le pertenece. Ambas, como corcho tallado, se aprestan a seguir los designios de sus sucesiones. Piojoso, vociferante desigual, rueda de una a otra parte, como el plomo de una banda a otra del barco achicado como un tapón. Y la de Rimbaud, que recordaba el día que su hijo le pidió un piano y ante su consideración le descerrajó la mesa y luego le dio forma y registro de piano. Y la promesa de convertir todas las piezas de la casa en un piano si no llegaba el piano. Y la asombrada madre de Rimbaud, que ve que después del piano su hijo quiere ahora a Verlaine, que de noche camina hasta su casa gritando, sucio de hollín y de siniestros peldaños de buena canción; como si fuese entrada y salida de personajes previamente diseñados, cuando Rimbaud se escapaba de Londres, llegaba de inmediato la madre de Verlaine. De nuevo están juntos en Bruselas, ya con la madre de Verlaine. De regreso, la madre de Riambaud le hace el sueño en un segundo piso, el granero, con breves borronaduras de cal. Le depara así en su rica sencillez, la misma provocación imaginativa que cuando después de píldoras de opio ve sólo lunas blancas y lunas negras.

Entre Verlaine y Rimbaud y las dos madres, su hermana Isabelle, que tiene el rostro semejante a esas místicas polacas que un día durmiendo en los trigales, sintieron una rudeza, una conmoción, ostentando después la hinchazón de su vientre o un gran manto azul con espesas estrellas. Isabelle, cuyo rostro es semejante al de Rimbaud, si hubiese llegado a viejo. «Sin haberlo jamás leído, nos dice, conocía sus obras. Las había pensado. Pero yo, ínfima, no había podido resumirlas en su verbo mágico. Admiraba y comprendía, eso es todo.» Y sus deseos cumplidos de morir de la enfermedad de su hermano, que devoraba los huesos y paralizaba los músculos y las intenciones. No estaba llamada a ejercitar o cumplir sus dones, pero había estado despierta, vigilaba y cuidaba. Su labor era el testimonio en estado puro, no alteraba, no irrumpía, sin ninguna exigencia o reclamación de un fragmento de aquel destino. Ni siquiera podía ejercer un llamado directo, pues estaba la madre que irrumpía y que recibía los cuidados primero que ella y que servía como una imposibilidad de niebla para impedir que ella se extendiese y pudiese asirlo. Se realiza así una perenne coordenada de irradiación. No solamente la extensión poética que habían cumplido Verlaine y Rimbaud, sino sus vicisitudes, sus torres de vigilancia, sus familiares, iban a participar de la otra modulación del otro poema, pues toda verificación en la distancia, toda arribada de la ausencia, todo cuerpo que ha logrado integrarse sin una fusión de su sustancia participa y es la misma poesía. Desde el punto de vista de la modulación emitida, de la súbita modelación de los instantes, de la manera que tienen las cosas de penetrar como una túnica en nosotros (la piedra que está en el río está también en tu alma), encontramos la misma escritura en «El barco ebrio» o en «Lo que le han dicho las flores», que en una escapada de Rimbaud de Charleville, perseguido por su madre, mientras Isabelle se ha quedado guardando la casa. Nos damos cuenta que esa situación se ha convertido en sustancia, que goza de una *impulsión* temporal y de una penetración espacial, y que podrá reincorporarse a nosotros como un poema extinguido en la lectura pero exigente y reaparecido después; como igualmente se reincorporan a nosotros esas situaciones o modulaciones desprendidas, no en el sentido de que toda acción es un símbolo, que han logrado avivar un sentido como una progresión, que en su desfile o procesional desliza y recobra un cuerpo, donde la forma se adquiere o se extingue en el momento en que esa progresión se detiene. Progresión del poema que podemos asemejar a la del pez dentro de la masa líquida y que queda ya diferenciada de la impulsión al depender ésta de su punto de partida. Y la progresión de un número que podemos distribuir con un compás de los pies o del canto. Pues en realidad esa progresión es la prueba del fuego de que la impulsión está actuando sobre un cuerpo y no sobre lo indistinto homogéneo o sobre una sequedad que no puede ofrecer la metamorfosis de la semilla.

Se acercan, con nebulosos cabeceos, palabras sin reclamación ni exigencia de la parte contraria: mármol, cristal, clara de huevo, claroscuro. Nítidas, a cada una de esas palabras, voluntariamente, le rebanamos los ecos y le borramos toda adherencia. Cada palabra rinde sus reflejos al secuestrarla de la coordenada de irradiaciones. Las cuatro van a ser atravesadas por el venablo de un sentido que es su sucesión. De pronto, descubrimos que su sentido está en su sucesión y que es precisamente la sucesión la que les presta su marcha y su creación. Su sucesión habitual las hacía antipoéticas, y si ahora percibimos que exhalan otra sucesión, que pueden ser atravesadas de nuevo, cobrando otra modulación, como con un sentido impracticable pero rigurosamente preciso, pudiéramos ir enhebrándolas con tacto ciego, pero donde otro sentido destella. *Mármol*, sentimos la carencia de ondas en un mar prehistórico. Si la heráldica china consideraba el cetro de jade como el rayo de luna cristalizado, en el mármol toda radiación está impedida. Todavía no se han colocado puertas al *cristal*, y podemos salir o retroceder gustosamente. Cuando la puerta se cierra, es decir, ya en el espejo, la imagen está fijada y quedamos como la incrustación de monstruos en las paredes marinas, percibimos que nuestro cuerpo penetra en la puerta y que allí se fija primero, y que se incrusta por la secularidad. Nos dolemos que el cristal fuese una abstracción *gelée* y no materia orgánica y la clara de huevo viene a ocupar el recinto de la suspensión para el embrión que no puede soportar la aridez del contorno ni tampoco una heridora tangencia. Su descendencia del cristal, que era cristal espeso y orgánico, lo revela en capilla de aislamiento y brillo que los primitivos usaban. Que los debates entre la clara de huevo y el barniz permanecen eficaces, lo tenemos en la luminosidad de los fresquistas de Siena, y la oscuridad consiguiente, la del barniz. Si la clara de huevo tenía fuerza para conservar, el barniz no lo tenía para destruir, y el óleo que resiste treinta años puede asegurarse que no será devorado por el tamaño de ninguna mancha negra. Cuando saltan los cristales de la clara de huevo y sobreviene su descomposición, el claroscuro, en su asegurada lejanía, trae el cuerpo en sus invisibles tubas de infinita sucesión. Pues si el cuerpo está en primer término, y después de muchos también sucesivos elementos de composición, aparece en el cielo Orión, habrá que trazar la clara de huevo que incluye y alimente el cuerpo de primer término y la lejanía de la estrella, provocando que esa distancia que las separa no sea yerta e irrelacionable.

La emisión poética de una palabra puede igualar sus ingredientes o elementos actuando sobre nosotros. Entre los somníferos, las hojas de gordolobo y el ungüento populeo, igualan en su virtud constitutiva la espesura de sus sílabas con su imagen letal. En los últimos sueños, cuando olvidados del tiempo apenas podemos precisar nuestro pie ideal pisando esas arenas negras y esa mancha que nos va ciñendo hasta lograr nuestra total destrucción. *Gordolobo* es palabra adecuada para entregarnos la primera pequeña mancha que atrae la otra grande y total. Todos podemos tocar un lobo muy gordo, pero su paso ligero es intocable. Los movimientos lentos de un lobo gordo, su arrastramiento, su inofensivo acercamiento a nosotros, hasta penetrarnos y darnos en esa penetración, la gran mancha, el sueño indistinto, homogéneo e indefinidamente extenso. *Ungüento populeo* nos produce también ese oleaje gordo de sílabas espesas, que nos va otorgando sílaba por ola, hasta dejarnos en la playa de donde vamos a ser extraídos con las danzas del alba. La poesía no se ordena y realiza sólo dentro de esos regustos de la excepción, es una relación o enlace que sorprendemos dentro de un círculo para los ojos, que cabe justamente dentro de una sucesiva cantidad de vibraciones para el oído. Alguien toca la puerta sin excepcionarse como aparecido o forastero. La figura que atraviesa el patio parece arrastrada por los tres golpes en la puerta. Cuando regresa, el ladeo sorprendido de nuestro rostro lanza su ¿quién toca? La figura que atravesó el patio, dice: —Uno. Mientras vuelve la atravesadora de patios, no a su rueca escocesa, sino a su zurcido de innobles tapices, su Uno ha comenzado a reclamar y a hervir, a saltar a otra naturaleza. ¿La respuesta se refiere a un numeral o a un indefinido? ¿Quería decirnos que solamente había sido un yo diferente y cordial el que había anudado tres veces su llamada? ¿O ese Uno quería decirnos que era Uno de tal tribu, Uno de aquellos que yo esperaba?

De esa manera, a la cantidad de monstruos que el hombre ha podido crear, la orquesta, la cacería, la poesía, aparece el más cambiante instrumento de aprehensión, el que puede estar más cerca del torbellino y el que puede, al derivar de ese germen una sustancia, tener un cuerpo de la más permanente resistencia. ¿Luego es posible el aislacionismo de un monstruo elaborado por el hombre donde puede aprisionarse el germen y su desarrollo, la constitución de un ente germinal? ¿Luego existe el germen capaz de constituirse en ente de poesía y no en ser o en existencia? Es posible entonces la *poesía* en el *poema*; es posible que la visita en el tiempo pueda reconstruirse, permanecer, repetirse. Puede situarse la iglesia debajo del órgano, o como afirman algunos teólogos protestantes, la única fe diferente en cada individuo puede desgajar el espanto, y en el espanto construirse la torre. En la visión última, ¿es la torre o el poema? Mientras el vislumbramiento de la torre en la última visión es incomunicable, la seguridad de la existencia del poema es continua e inmediata, pues en el poema la imagen mantiene el fuego de proporciones, y en la poesía, la metáfora, no en el sentido griego de verdad como develamiento, sino en lo poético de oscuridad audible, adquiere su sentido de metamorfosis que justifica sus fragmentos. (Tal vez las asociaciones, los ritmos que Rimbaud llamaba nadas, y que elaboraba en tal forma su silencio que salía de ellos diciendo: deme papas, deme vinos. O al final, cuando le era casi imposible escribir a Mallarmé, y nos decía: he perdido la razón y el sentido de las palabras más familiares.)

La poesía, que es instante y discontinuidad, ha podido ser conducida al poema, que es un estado y un continuo. Pues hay siempre una comparación en cada poema mediante la cual fijamos un elemento de suyo fugaz e irreproducible. Si decimos tal vez que un cristal es agua dura o fija brisa, no es que intentamos detener el eco sino que intentamos una dualidad imposible como un águila y un toro que tirasen de una homérica carreta. Esa cualidad imposible, comparativa, hecha para un sentido hiperbólico, es la que mantiene la *liaison* de poesía y poema. Mientras el invitado es esperado, sus rasgos ante la ventanilla se convierten en un poliedro aleteante. Y las mismas brisas y cristales que él tiene que romper para acercarse, tenemos nosotros que perseguirlas también para hundir y perseguir su revés en el tiempo. Al pasar por una casa, vemos que penetra después en infinitas sucesivas casas, hasta que penetra en nosotros. Ese poliedro aleteante que se va acercando a nosotros prolifera sus huellas en el tiempo. Las casas en las que ha ido penetrando sucesivamente o las múltiples adherencias que ha logrado su desenvolvimiento, al mismo tiempo que se han ido desgajando, refractándose en chispas ocultas detrás de la corriente mayor, como un bailarín cuyos pies fuesen incesantemente secuestrados por navajas de ópalo.

Si es posible que el hombre haya podido elaborar una criatura donde puedan coincidir la imagen y la metáfora, viene a resolver no la sustantividad en lo temporal, sino una sustancia que se sabe y reconoce como tiempo. No una sustancia resistente al tiempo, que concentra una energía para el tiempo, sino el mismo tiempo que se sabe que es una sustancia, el mismo tiempo que es capaz de sustantivarse en un cuerpo... Después que la poesía y el poema han formado un cuerpo o un ente, y armado de la metáfora y la imagen, y formado la imagen, el símbolo y el ritmo —y la metáfora que puede reproducir en figura sus fragmentos o metamorfosis—, nos damos cuenta que se ha integrado una de las más poderosas redes que el hombre posee para atrapar lo fugaz y para el animismo de lo inerte. Aprovechando el nacimiento del ser, por su posible prolongación y sucesión del germen, puede captar en la metáfora, que es en sí las metamorfosis de ese ser, sus vicisitudes hasta alcanzar el *splendor formae*. Al mismo tiempo que por la imagen puede trazar las proporciones, ocupaciones y desigualdades del ser en el ente. Las imágenes como interposiciones naciendo de las distancia entre las cosas. La distancia entre las personas y las cosas crea otra dimensión, una especie de ente del no ser, la imagen, que logra la visión o unidad de esas interposiciones. Pues es innegable que entre la jarra y la varilla de marfil, existe una red de imágenes, participadas por el poeta cuando las concibe dentro de una *coordenada de irradiaciones*. Y nos damos cuenta que si dentro del poema subsiste la sustancia poética, donde coincide el tiempo como imagen de la eternidad y el tiempo como duración, y un espacio coincidente de un medio universal e indiferente y un espacio comparativo ocupado por objetos. Y las viejas pugnas entre generación y movimiento, resueltas en el germen sucesivo, en el germen poesía coincidente con el poema movimiento. De esa manera, en una indiferencia y desolación totales, donde apenas puede vislumbrarse la torre, nos sorprende la existencia de un flujo (todo hacia uno) que va hacia la sustancia poética, hacia un ente del no ser (opuesto a la distancia, esa ausencia de las cosas, no es propio no ser) que puede ser participado y mantenido en imágenes. Así esa distancia, esa ausencia de las cosas, no es su enemistad, sino una llaneza de inmediato, donde deslizamos el espejo que suda rocío de enigmas y la lenta transpiración o vapor de las imágenes.

La derivación en imagen tiene el poderío de entregarnos hechos analogados, en el entrevisto reconocimiento de uno solo de esos hechos, creándolos en unidad a pesar de la distancia devoradora que parecía alejarlos. Puede también esa imagen reducir hasta sumergirse y reaparecer con un cuerpo, irreconocible, sobre su lomo. Queremos hacer sacrificios y rendiremos lo primero que llegue, que ahora no es la imagen: a lo primero que llegue, y tenemos que sacrificar a Toro, hasta que se pierda en las aguas oscuras, y a Minotauro en artificial persecución laberíntica. Cuando Mino fue a la guerra, el Toro ascendió de secretario a gobernador y Pasifae se enamoró del nuevo gobernador. *La fille de Minos et de Pasiphaé* pasaba de Racine al abate Brémond y se perdía después en el *aquarium* sibarita de los simbolistas. Júpiter, naturaleza sin memoria, obtuvo las conveniencias de Taurus, y éste, que siempre ha sido débil con la blancura, con la abstracción de Europa, consentía en dejarse poner flores de almendro en el testuz. Adivinaba el toro que las torres de flores en la balanza de sus cuernos engendraría la risa de los coperos y de Calipso, que duerme en las grutas, guardándolas. Pero el toro, que también tiene su risotada baritonal, comentó a caminar hacia el mar, luego hacia el mar con noche. Europa arrastraba su cuerpo hacia el lomo sin agua, aunque pudiera caerse. Y Europa comenzó a gritar. El toro, antiguo amante de su blancura, de su abstracción, siguió hacia el mar con noche, y Europa fue lanzada sobre los arenales, hinchada con un tatuaje en su lomo sin tacha: tened cuidado, he hecho la cultura. De los gritos que recordamos: el dios Pan ha muerto, el nietzscheano ha matado a Dios, y las ediciones vespertinas que voceaban: el asesinato de Europa, en el bolsón de su faltriquera se ha encontrado la cultura. *Cien guineas de oro en el fondo de un calcetin.*[1] Qué tiempos, decían Tribulat Bonhomet o Papesmo Frisemorun, cuando Europa era de toro. Ahora nos olvidamos del espacio asimilado, de una experiencia, es decir, de la verificada intuición para hacer otro poema; se ha cruzado una larga planicie para ir hasta Yasnaia Poliana. Nos aburre ese diálogo, interrumpido por el malestar de la Condesa, deseamos la colección de marionetas rusas. Ese cuarentón que todavía tiene miedo, implora, y cochero alcohólico, no le llega la vía unitiva, no tiene con quien abrazarse. *El agua que cae del balde en el suelo forma la cara del diablo.*[2] El agua de coco hervida empolla la lechuza. Todos esos idolillos que salen en el sabat de la casa muerta, del agua triste. La casa muerta os permite estudiar «las distintas modas del papel pintado, los grifos del Imperio, las colgaduras con alzapaños del Directorio y las balaustradas de Luis XVI». Europa creó la cultura, una segregación suya, con personajes que claman la dialéctica griega, la coral bachiana, la metafísica idealista alemana, Dostoyevski, la novela francesa del siglo XIX. Los hemos convertido en *Dramatis personae*; a través de la imagen que los ha destruido, danzan, con sólo un nombre, no hay un río, se dice un río, o el mar, y se descorre una cortina y aparece el mar. El individuo, la persona, la máscara, la mascarilla, ya están en otra dimensión. Ratalaine nos parece simplote y charlatán. Había sido *cocinero en Madagascar, pajarero en Sumatra, general en Honolulú, periodista religioso en las islas Galápagos, poeta en Oomrawutte, francmasón en Haití.*[3] Y además, León López Halcón, llamado también el Venado, bananero en Barranquilla, muerto en *gang* en Connecticut, frente al Chase. Fauna tediosa que juega al tertulión innocuo y al Royal Research incesante y profético. Europa con su blancura y su abstracción está sola en la playa. No hay la novela de Afganistán ni la metafísica americana. Europa hizo la cultura. Y aquel verso: «tenemos que fingir hambre cuando robemos los frutos». ¿Hambre fingida? ¿Es eso lo que nos queda a los america-

---

1. Víctor Hugo: *Los trabajadores del mar.*
2. *Ibid.*
3. *Ibid.*

nos? Aunque no estemos en armonía ni en ensueño, ni embriaguez o preludio: el toro ha entrado en el mar, se ha sacudido la blancura y la abstracción, y se puede oír su acompasada risotada baritonal, recibe otras flores en la orilla, mientras la uña de su cuerpo raspa la corteza de una nueva amistad.

1948

Introducción
a un sistema poético

LA IMPULSADA gravedad del índice, pro-
longada en el *impromptu* de la nariz de la tiza, traza en el tor-
mentoso cielo del encerado la sentencia de uno de los ejércitos:
a medida que el ser se perfecciona tiende al reposo. Y en vuelo
maduro de atardecer se trenzan los juegos del índice cuando traza la rúbrica: Aristóteles. Ese reposo servirá para aclararnos desde la diversidad física de los equilibrios hasta Dios. Todo movimiento como tal es una apetencia y una frustración inicial. El
nacimiento de esa conciencia, derivado de la sorpresa de ese reposo, lo lleva a la tierra áurea y al hastío del ser. Sabe que como
apetencia, como hambre protoplasmática, como mónada hipertélica, será un indetenible fluir, heraclitano río no apesadumbrado por la matria del cauce ni por el espejo de las nubes. En esa
conciencia de ser imagen, habitada de una esencia una y universal, surge el ser. El mismo pico de la tiza traza sobre el encerado
otro de sus vuelos: «soy, luego existo». Esa conciencia de la imagen existe, ese ser tiene un existir derivado, luego existe como
ser y como cuerpo, aunque siempre el nudo de su problematismo, su idéntica razón de existir, se congrega en torno a ese ser,
recibiendo en ese paradojal rejuego el existir como sobrante infuso, regalado, pues ya él cobró conciencia de su trascendencia
en el ser. Abandonado a la conciencia de su orgullo sabe que ese
ser tiene que existir, pero sin abandonar su inicial de que ese exis-

tir tiene que ser una imagen. En ese temor de que Dios siempre en la *Biblia* habla de sí mismo en plural, «hagamos al hombre», dice con frecuencia en el Génesis, surge tal vez el temor del ser, la enriquecedora conciencia de su incompletez. De ese temor del hombre de que es un plural no dominado, de que esa conciencia de ser es un existir como fragmento, y de que fuera quizás un fragmento la zona del ser, surgió en el hombre la posesión de lo que Goethe llama «lo incontemplable: la vida eternamente activa concebida en reposo». Ese ser concebido en imagen, y la imagen como el fragmento que corresponde al hombre y donde hay que situar la esencia de su existir.

La misma mano vacila, goza en perderse, termina en tiza negra a la búsqueda de la blanca caliza que ahora sirve de encerado. Los anteriores concéntricos de albatros son reemplazados por ansiosos espirales alcióneos. Las tormentosas letras sobre la blanca caliza van trazando: el reposo absoluto es la muerte. Y en postrer ligamento *gémissant* de círculos y elipses complacientes, el sombrío ordenancismo de la sentencia, y rubrica: Pascal. La mano apoyada y vacilante que había avanzado en la sentencia, al final adquiere una penetrante decisión sobre la transparente espuma de la caliza y lanza su cantío de *nuncio canoro*: existo, luego soy. Pero, sin embargo, ese existir gime, pues se sabe aprisionado entre el mundo parmenídeo de su metagrama, de su exterior Leviatán devorador, y al de su propia identidad, o si se abandonase a la temporalidad de su sucesión, tendría que adormecerse y conformarse con los *ébauches d'un serpent*. Para los escolásticos de la escuela aquinatense la visión fruitiva forma parte de la visión beatífica, que es una operación intelectual. La potencia apetitiva es característica de la fruición. La potencia apetitiva está en directa relación con la idea de *entrar en*, por eso el misterioso entrar en las ciudades va unido a los símbolos de la Puerta del Este, el Ojo de la Aguja y los Muros de Anfión, teniendo a su lado el concepto de guardián, aclarándose así la expresión de Ronsard, cuando nos habla de un *aboyant appetit*, de un apetito ladrador. Lo fruitivo entre los griegos conducía a la inmortalidad, repitiendo el *menú* de los dioses, el hombre llegaba a ser Dios. Sustancias mágicas, néctares y ambrosías, trocaban al hombre en Dios. Por eso en las urnas cinerarias griegas, aparecen los muertos rodeados de la compañía lustral del orégano, conjuros para alejar a las harpías y a las ménades y el enigma de los cuatro sarmientos. Si los helenistas hablan del indescifrable, del enigma de los sarmientos, pues si con el orégano alejaban a las serpientes, a los enanos y a las brujas, con los ramos del sarmiento se unía a los conjuros para alejar, para hacer el vacío a los espectros, con los sarmientos volvía a llenar esa vaciedad, volvía a incorporar mundo exterior, igualándose a los semidioses.

De pronto, sentimos que las inscripciones de los dos encerados comienzan a polarizarse como en un cuerpo magnético, o se unen, se diversifican, se arremolinan o se tienden en el nudo concurrente logrado por la corriente mayor. La serenidad del índice o el temblor de la mano al avanzar en el vacío, el antinómico colorido de las tizas, el carbonario encerado o la caliza pedregosa, el reposo aristotélico o la dinamia pascaliana, el ser del existir y el existir del ser, se mezclan en claroscuros irónicos o se fanatizan mirándose como irritadas vultúridas. Pero en esas regiones la síntesis de la pareja o del múltiplo no logra alcanzar el reposo donde la urdimbre recibe el aguijón. Allí la síntesis presupone una desaparición sin *risorgimento*, pues aquellos fragmentos como un rompecabezas de mármol comienzan sus chisporroteos o sus instantes donde no se suelta el pez de fósforo que une al inanimado madreporario con la flora marina, con la cabellera de algas, o con la musgosa vagina. Contaminada esa síntesis de toda grosera visibilidad, bien pronto nos damos cuenta que conducidos por Anfiareo o por Trofonio, buscamos la cueva del dictado profético o las profundidades de la plutonía. Así, en esa malignidad de la síntesis, donde el perseguidor se une con su lanza a la espalda del que huye, Anfiareo, que goza de las protecciones de Zeus, al ser herido es también ocultado por la tierra escindida, guardándole, ya inmortal, con su carro y su caballo. Mientras contemplamos las distintas sustancias gimientes que penetraban por la boca del cántaro la visión horrorizada de esos desalados anárquicos fragmentos, los retenía como reyes yacentes, anclados en la fría secularidad de su extensión. Pero la única solución que propugnamos para atemperar el irritado ceño de los dos encerados, la poesía mantendrá el imposible sintético, siendo la posibilidad de sentido de esa corriente mayor dirigida a las grutas, donde se habla sin que se perciban los cuerpos, o a las órficas moradas subterráneas, donde los cuerpos desdeñosos no logran, afanosos del rescate de su diferenciación, articular de nuevo las coordenadas de su aliento, de su pneuma.

No, no era una síntesis categorial de las antinomias de los dos encerados, sino esas inefables, irreproducibles diferenciaciones que tal vez el artesano percibe en el cóncavo homogéneo, o el místico, atento audicionable a las contracciones de espiración y aspiración, en las que el espacio en sus radiaciones sustanciales o en las dominantes posesiones de los arácnidos, reobra como persona. Se trataba de galopar, casi sonambúlicamente, pues en la marcha de lo irreal hacia lo real, dormir es estar entrañablemente despierto, nuestra atención hacia el chorro de agua que en las mismas profundidades de la marina consigue su espacio más por los imanes de su polarización que por el inservible poético de su banal y escandalosa diferenciación. «El hombre —decía Saint-Ange, un olvidado contemporáneo de Pascal— es una botella de agua de río, flotando en un gran río.» Esa momentánea homogeneidad lograda tan solo para integrar la corriente que se dirige hacia el sentido, se deshace antes de tocarlo o disminuirlo visibilizándolo, pues aunque parece que ese sentido va a ser su devorador metagrama, sólo reaparece como sentido primordial del cual se partió si se integra como símbolo de su absoluto. Como si después de una larga cabalgata se complaciese en encontrar las abandonadas ciudades, o recibir el frío de sus noticias aviesas, pero ofreciendo siempre como un trágico sustitutivo donde espejease la identidad de la marcha y el sentido de los conjurados en las ruinas de Tebas. Semejante a la incesante y visible digestión de un caracol, el discurso poético va incorporando en una asombrosa reciprocidad de sentencia poética y de imagen, un mundo extensivo y un súbito, una marcha en la que el polvo desplazado por cada uno de los corceles coincide con el extenso de la nube que los acoge como *imago*. Marcha de ese discurso poético semejante a la del pez en la corriente, pues cada una de las diferenciaciones metafóricas se lanza al mismo tiempo que logra la identidad en sus diferencias, a la final apetencia de la imagen. Incorpora tan solo una palabra y la devuelve como el trazado de la tiza; aísla, por las intervenciones atrópicas en la seda, las acumulaciones del sentido, las destroza o dispersa, y al final se reconstruye prisionero del sentido. Interroga desdeñosamente, en la extensión que domina, y siente en esa dimensión que castiga la aparición de los objetos que entrelaza, para romperlos de nuevo en una ausencia que logra imantar su corriente. Maravilla de una masa acumulativa que logra sus contracciones en cada uno de sus instantes, estableciendo al mismo tiempo una relación de remolino a estado, de reflejo a permanencia, como de golpe en el costado o de escintilación errante detrás de la prodigiosa piel de su duración.

Siempre me ha atemorizado en Descartes no su valoración del error modal —la torre de lejos es redonda, de cerca cuadrada—, sino aquello en que parece reconocer como las verdades del Maligno, como si la *veritas* de Dios fuese igual y contraria al *fallor*, a la equivocación del Diablo. De la misma manera que la sucesión de sus asociaciones causales parece regida por la gracia, pero sus ejemplos parecen recibir siempre la helada de la duda hiperbólica. Si pongo la mano en la cera no hay duda que existe, si pasan figuras envueltas en sus capas bajo mi ventana, son hombres. Pero qué fácil en los juegos de luces y el calórico volver a dudar de la cera en la sensación, y los resortes homunculares envueltos en sus capas, figura y movimiento, no son hombres. Su duda hiperbólica, la del mal genio, relacionada o descendiente del razonamiento bastardo, de que nos habla Platón en el *Timeo*, se vuelve sobre la línea que separa la vigilia del sueño y la vaciedad del espacio sin sensación en nosotros. «Y sin embargo, no dejáis de percibir —le dice el Padre Gassendi, al refutar la Meditación segunda, a través de estos fantasmas— que es cierto al menos que vos que así estáis encantado, sois alguna cosa.» De la misma manera que nos estructuramos en el pecado original, parece reavivarse en él el error inicial en el sujeto de conocimiento. El enlace y sucesión en la manifestaciones vigílicas no basta para diferenciarlos de los fenómenos del sueño, pues no podemos estar muy seguros del contrapunto y continuidad de lo vigílico, como de lo incoherente y deslavazado de los hechos del sueño. Pero ahí está también la duda hiperbólica, la que debe aparecer en todo comienzo sobre la poesía. Es decir, si no existe una envoltura, una equivocación propia de los dominios del Maligno, fuera de toda adecuación entre el sujeto cognoscente y el objeto de sensación o con la marca de la poesía. Pero en Descartes vemos con frecuencia intervenir su genio malo, rodar su salamandra; combate la duda hiperbólica —error de fantasmagorizar al sujeto de conocimiento— pero a ella se abandona, le traspasa aun en sus momentos de desdén, cuando más rechaza la placentaria envoltura de oscuridad que rodea al sujeto. Si el espacio no dispara flechas contra sus sentidos, si no impresiona su superficie, dice en la Meditación sexta, está vacío. Ignoraba tal vez la fuerza creadora de la distancia, del Eros lejano, el rejuego de la ausencia engendrando una escintilación. Olvidaba que en ese simbolismo corporal, y que no es sino la duda hiperbólica reobrando sobre el mismo cuerpo, las distancias del cuerpo corresponden a sus posibilidades de creación. El espacio clavicular, donde se engendraba el árbol creacional de Idumea, o las extensiones del costado, donde interroga el centurión o se concentran en nueva osteína las evaporaciones somníferas.

La duda hiperbólica está en directa proporción, cima de coordenadas para que la poesía logre su extensión, en la situación hiperbólica. Alguien que minuciosamente entró en una combinatoria sin destruirla, o se escapó de la misma situación, dejando recostada en la roca de helechos una vena líquida, una implorante boca para la distancia vacía. La sigilosa entrada y salida, sin dañar los gestos primordiales esbozados por las figuras, de una situación hiperbólica, logrando esas incomprensibles diferenciaciones dentro de la homogeneidad de la corriente, de la inapresable cascada en las profundidades de la marina. Una mágica, imponderable combinatoria espacial, tocada apenas, rozada entre espumas que cribaban la anterior situación, por una temporalidad reverente llegada como un halo, como una lenta irradiación minuciosa que aclaraba momentáneamente, entre aquella congelada rueda de chisporroteos, las figuras visitadoras de su sentido y deshechas luego presagiosamente en el sonido de la sucesión. «El que tiene la esposa —se dice en el Evangelio de San Juan— es el esposo; mas el amigo del esposo, que está en pie y la oye, se goza grandemente en la voz del esposo: así pues, este mi gozo es cumplido. A él conviene crecer, mas a mí, menguar.» En el diamantino subrayado cobrado por esa voz, en la situación intermedia del amigo quedado como testimonio del aliento, de la voz dentro de la casa, precisamos la existencia de esas coordenadas poéticas. Silencioso testigo que está presto a desaparecer tan pronto esa situación deja de ser hiperbólica, tan pronto se deshace la conducción de esa figura hasta su combinatoria y la dolorosa e incomprensible vigilia para allegar al gozo de la voz. Conoce como testimonio que ese aliento organizado en la flecha de la voz no era para él, pero sabe también que él interviene en ese misterio, en la trayectoria de la novela de esa prodigiosa súmula de la voz en la luz. Y ahí se esconde y aguarda. Sabe que si se alejase de ese halo, de esos chisporroteos capaces de comunicar un ánima a esa región espacial, se perdería esa región donde hay un crecimiento y una mengua. Pero si siente su mengua, siente también su penetración en el acto de poesía.

Ascienden los números en su escala de Jacob, impulsados por su aliento, por su ánima, para después regresar —no sin una pausa donde situar variadísimas situaciones hiperbólicas— a su unidad primordial. Es ricamente incitante que los helenos del período de la madurez nos hablasen del uno primordial, mientras en los textos más conocidos de la sabiduría china se habla del uno indual. En el uno primordial, como en los trojes la áurea longura de la espiga, parece ya encerrarse la futuridad de un henchimiento, lo que más tarde en la tradición *ad ecclesiam* llamaríamos el uno procesional. Pero esa batalla, nunca extinguida en las variantes de la cultura, dentro del uno entre el protón y la unidad, o entre el germen y el arquetipo, quedándonos en la *poiesis*, en el recuerdo de la marcha de ese primordial hasta ese indual, el único memorial con que el hombre testimonia ante el *Je m'en fous* de los dioses. Ese henchimiento del grano de la primordialidad molestaba aquel reposo altanero que vimos desde el encerado mostrando su rúbrica estagirita, prefiriendo iniciar su repertorio de temas con principios, y no con la primordialidad, origen del movimiento y causalidad. Por eso, en uno de los tramposos sustitutivos invencionados por los griegos trazó la parábola de la forma a la unidad, interpuso la forma antes de llegar a la unidad, ligó el concepto de forma al de sustancia. Sabía este primer morfólogo, que el paladeo y la incitación se quedarían prendidos al goce conceptual de la forma adquirida, antes que atreverse con la dialética manutención del concepto de unidad, donde el griego se sentía un tanto errante y medroso ante el tinte tanático de los egipcios y a la obligación de conocer el nombre de los posibles porteros de las moradas subterráneas. Del uno primordial parecía derivarse la díada, el dos henchido también de su marcha tonal; del uno indual de los taoístas sólo se deriva el doble, pero el griego iniciaba su jocundo despertar al establecer un sustancial distingo entre el doble y la díada, apartándose del concepto del doble egipcio y colocando el número en la ascensional de su escala.

Recordemos que en el pasaje bíblico citado, el tres puede ser testimonio o ausencia. Lo vimos testimoniando henchimientos y menguas, subrayando el traspaso del aliento a la voz. En ese animismo numeral no podríamos precisar si el tres, paso del uno primordial al doble, o a la *imago*, es la síntesis o las bodas del uno y la díada, el enigma matrimonial de la casa o es, por el contrario, una pausa en el fuego que une los corpúsculos, una ausencia. A ella parece referirse la sabiduría popular en la copla de recta intención interpretativa de las oscilaciones del ternario:

> *Tres palabras suenan*
> *al fin de tres sueños,*
> *y las tres desvelan.*
> *La primera es tu nombre.*
> *La segunda el nombre de ella.*
> *Te daré más que me pidas*
> *si me dices la tercera.*

Por eso la cultura griega pareció señalar el fiel del ascendimiento de la forma al uno primordial y el descendimiento de la forma a la ausencia, a la imagen, así como del *descendit ad imaginem* partirá el concepto de los primeros siglos del cristianismo del *descendit ad inferum*. El análogo de los griegos está también enlazado con el Ka, con el doble de los egipcios. Ka es también para los egipcios del uno indual y el doble es meramente comparativa en dialéctica en relación con el uno primordial. La relación entre los egipcios del uno indual y el doble es meramente comparativa en la equivalencia, no en la infinitud. Por eso el egipcio llegó a meditar en el *miau* del gato, encontrándole una traducción en la metafórica conjunción *como*, había un sentido igualitario de sus equivalencias, sin llegar a esa metáfora como *metanoia*, como metamorfosis de los griegos. Puede verse también en el valor simbólico del alfabeto griego, donde la letra Kappa significa la palma de la mano, aludiendo ya a un reverso ocupado por el dos, formando parte del uno, la mano, pero totalmente diversa. El análogo que ya vimos partiendo del uno primordial, se ha de trocar en los primeros siglos del cristianismo en el *enigmate*, en la *indirita via*, en el flechazo oblicuo, en el espeso cristal que prepara las angulosidades de la refracción, la cauda de los colores siguiendo la suerte de la luz teologal, la compañía y trenzado del manto de la bienaventuranza.

Pero este *ascendit*, esa marcha ascensional hacia el ternario recibe una pausa, trueca ese espíritu de ascensionalidad en lo extensionable, se prepara él mismo el bostezo de su vacío, recordemos que para los griegos bostezo significaba como una evaporación del caos. Al alcanzar lo extensionable recibe dos esencias primordiales que son su cifra constitutiva. No es el centro contraído el que prepara el desprendimiento, los dos nacimientos, sino, por el contrario, es un espacio extensionable el que adquiere su criatura, y lo relacionable de ese múltiplo brindado en la extensión. Después del poderoso espíritu ascendente logrado en el ternario, se logra una extensión irradiante ocupada por una pausa creadora, aludida en el verso del abate Vogler:

Hacer de tres, no un cuarto sonido, sino un astro.

En el uno, la díada y el ternario el furor del *ascendit* los invade y los recorre. Pero desde el cuaternario, la *tetractis* (que queda para nosotros como una imantación nominalista, ya que comprende Dios, la justicia apolínea, pues Apolo representaba la justicia y la poesía —de donde tal vez Goethe derivó su concepto de justicia poética—, el juramento, la pirámide, la invocación), hasta el septenario, o el ritmo, las tribus de la sucesión temporal, se establece una pausa, un vacío, que es el que llena la *poiesis*. Entre el *ascendit*, la verticalidad anclada en Dios, la *tetractis* de los pitagóricos hasta el *descendit* del ritmo, de las órficas invocaciones infernales, queda el vacío extensionable, dotado de una vasta posibilidad irradiante, hasta que la presencia de un ritmo obtenido por una victoria vulcánica sobre la sustancia, pues en esa fuga de lo temporal, el proceso es recíproco e inverso de la pausa aprovechada por los corpúsculos de la poesía, desea una sustancia donde martillar, un metal en que apoyarse hipostáticamente en el sueño o en la ácuea indistinción. Por el contrario, la poesía, cuando ya cobraba la otra extraña ribera de su pausa, busca la sucesión temporal en una dimensión extensionable como relacionable.

Las expresiones *ascendere ad quadratum* y *ad triangulum* adquieren su plenitud en la catedral medioeval. La ascensión al cuadrado, como saben todos los que hayan estudiado la simbólica medioeval, fue el signo de la catedral francesa, mientras la ascensión triangular fue la característica de los maestros germanos constructores de catedrales. El mundo poligonal platónico fue el soporte del rosetón del pórtico de Notre-Dame. Al alcanzar su plenitud dialéctica el mundo griego, la hipótesis sustancial del número fue borrada. La geometría griega intentaba así desesperadamente liberarse de la agrimensura egipcia. El número se convirtió en el signo de la proporcionalidad de las formas, la pureza de la visualidad griega intentaba liberarlo de su *ascendit* y *descendit*. Por eso la poesía, tal como aparece situada en el mundo aristotélico, buscaba tan solo una zona homogénea, igualitaria, en donde fuesen posibles y adquiriesen su sentido las sustituciones; buscaba tan solo, como en el ejemplo aristotélico, una zona, región entregada a la poesía, donde el escudo de Aquiles pudiese ser reemplazado por la copa de vino sin vino. Siempre me ha parecido ver una relación entre la abstracción de la figura en los griegos y su concepto de la virtud. El desdén de Aristóteles por el labrador, considerándolo «oficio sin nobleza», ya que ocupan un tiempo que es necesario para practicar la virtud. Concepto que está aun más exacerbado en Sócrates, quien hablaba con desdén de la astronomía cuando era útil a la navegación y a la agricultura. Ese odio del griego a la aplicación de las ciencias, pensando que su mundo era esencialmente cualitativo, y donde tal vez podamos situar la causa más esencial de su próxima decadencia, y la forma más perdurable, en última instancia, con que su cultura resiste el forzoso esfumino de la secularidad, al lado de la sabiduría china y el renunciamiento de los príncipes bengalíes, se debía a su perenne complejo en relación con el egipcio, entre el niño griego que se burla del hechicero egipcio. Nominó, por el contrario, el egipcio la figura geométrica, cargándola de firmes alusiones hipostáticas. A través del valor simbólico piramidal, adquieren su sustantividad el isósceles egipcio, la pulgada piramidal y el codo sagrado. Ahí, el egipcio, como en un hierático relieve, logró incrustar el número y la figura geométrica en la carne de sus símbolos, en el légamo y la diorita de su cauce, eternamente reiterado en el fluir de la linfa de sus corrientes. Por el contrario, el griego aisló el existir de la figura de su cualidad derivada, así a medida que la triangularidad se aislaba del triángulo, establecido el correlato o proporción de las sustituciones más que su progresión temporal. Ahí el *quale*, el absoluto de las figuras, la triangularidad del triángulo, pareció que se convertía en una deidad, coincidiendo así la triangularidad derivada de la figura con su invisible, como ejercicio para la conversión y proclamación en semidioses, al par de la incorporación de ambrosías y sustancias mágicas.

El *ascendere* de la díada al ternario ya indicamos que ganaba la ausencia y el testimonio. Ese *ascendere* que no es precisamente característico de la poesía, ya vimos que en Aristóteles la poesía pertenece al orden heroico, no al sobrenatural, sino a la suspensión o el retiramiento. En el *ascendere* de los pitagóricos se logra tan solo una respuesta, una adecuación. En el suave pitagorismo de fray Luis, en su «oda a Salinas», se nos dice: *Y como está compuesta / de números concordes, luego envía / consonante respuesta*. Pero la poesía no puede contentarse con esa ataraxia de la respuesta. Su mundo es esencialmente hipertélico, y procura ir mucho más lejos que el primer remolino concurrente de su metagrama. La situación de la poesía en el orden heroico y su región comprendida por ese *vacui*, por ese vacío operado entre el ternario y el *descendere* del ritmo, parecen situarla en el ejercicio del soberano bien de los estoicos. A esos números concordes, a esa consonante respuesta, a ese *ascendere* que termina en una adecuación reverencial ante la *tetractis*, sigue lo que en un término acuñado por los clásicos llamamos retiramientos, claro que muy alejado de las implicaciones que aquí se le imparten. En ese retiramiento ocupado por la poesía, el *ascendere* hasta el testimonio o la ausencia, resto pasado al paréntesis de ese retiramiento donde ahora hemos situado la poesía, forma las progresiones del discurso poético. Esa ascensión, por fuerza de su propio chorro e impulso, forma la corriente que le otorga un sentido al perverso y arremolinado mundo de lo cuantitativo, resuelto tal vez en la sentencia poética, donde la metafísica, la mitología o el teocentrismo, las combustiones de lenguaje en sus sutilísimas contracciones de pneuma y sentido, parecer gozar en su reducción a un punto errante que se mueve como una luciérnaga dentro del sentido ocupado por aquella sentencia poética. En el otro extremo de ese retiramiento desciende del septenario o ritmo la *imago* poética, el mundo órfico del *descendere ad imago*, que cae sobre la corriente formada por la ascensión de la sentencia poética brindándole el otro sentido que recibe la poesía. Es el primero, el sentido de la sentencia poética al incorporar el *quantum* fragmentario de cada palabra como signo o como sensación interjeccional. Pero esa suma de sentencias poéticas, cada una de las cuales sigue la impulsión discontinua de su primer remolino, recobra su sentido tonal cuando la *imago* desciende sobre ellos y forma un contrapunto intersticial entre los enlaces y las pausas. En *La Odisea*, en el maravilloso capítulo XI, en que Ulises conversa allí con la imagen de Hércules, pues su cuerpo está en el Olimpo. «Después de Sísifo, vi al divino Hércules, es decir, a su imagen, porque él está con los dioses inmortales y asiste a sus festines.» Subrayemos de nuevo en esa *imago* de los griegos el paso de avance que significa en la penetración de la poesía con respecto al doble egipcio. Ya que aquel *como* comparativo que vimos en la soberbia escultura de su lenguaje animal, parece quedarse rezagado ante el concepto griego de cuerpo y de imagen formando parte de una realidad complementaria más sacramental y misteriosa, que la cultura egipcia nunca pudo llevar a signo y expresión. Quien haya seguido las entrelazadas concausas de esta teoría hasta este momento de la exposición, puede tener la vivencia de sentencias poéticas como: cuando la capa cae del cielo forma un cono de sombra que se puede decapitar con el filo de la manga. Toda realidad de raíz poética o teocéntrica (la capa caída del cielo) engendra una reacción de irrealidad (el cono de sombra), que a su vez en toda realidad que allí participe (el filo de la manga) adquiere una gravitación, engendrando el cono de sombra, donde la *imago* desciende. Es decir, realidad poética o teocéntrica, irrealidad gravitante, realidad participante, a las que corresponde una espiral inversa: realidad, imagen descendente, irrealidad gravitante o aquella que Dante llama, como ya indiqué en algunos de mis exámenes, cuerpo ficticio adquirido por la sombra de los fantasmas. Así la poesía se extiende a lo extenso de ese retiramiento entre esa progresión tonal de la sentencia poética y el *descendere* órfico de la *imago*. El poeta se hace casi invisible a fuerza de seguir esa concurrencia del *ascendere* y el sentido comunicado por la *imago*. Se hace invisible ¿por máscara?, ¿por transparencia?

La campanilla del Viático, a la salida de la torre de Juan Abad, «encancerada del sentimiento de la sospecha», con público y lucido acompañamiento de la parroquia, rodeado de tercianas y negruras, hacían refulgir aun más las doradas espuelas traídas de Italia. En Sicilia, las áureas espuelas de San Francisco se agazapaban en gavetas para no tintinear el escondite. Catorce años de encierro le tornaban las oscuridades como las cerrazones de su lenguaje. Los cierzos y las filtraciones de un río a la cabecera le abren los humores, escoriándole la pelleja amodorrada en la walona. Para hacerlo aun más invisible, la sombra en la torrecilla y las tercianas lo tumban cada día más en el horror. Pero esos encerramientos que nos regala el invisible pueden ser lo mismo por torres que lucífugos, pues si la ausencia de la luz logra igualarse al aislamiento para darnos el encierro, también en la misma presencia de la luz tiembla el invisible. Y José Martí, a medida que quiere más acompañar, se hace aun más invisible, y al pasar saludando en la tierra de todos, desde las algaradas del Alto Aragón hasta la última cerca de piedra, o en el campamento donde relata el cronicón inmediato, se hace tan invisible, como los reyes misteriosos del período de Numa Pompilio, vueltos más invisibles a medida que penetraban más en el estudio de las claridades del fuego, en el centro concurrente de la luz en el plato de bronce. Pero don Francisco mantiene en pie su invisible, arreglando sus torceduras, ciñendo los colorines del harapo y escapándose con súbita brevedad del ordenamiento conversacional de la matria, pero el invisible inmediato de Martí nos ofusca con más áureas y cuantiosas sorpresas. Tacha lo que lo podía sacar o diferenciar, ciñe el raído que le permiten las cenizosas traducciones de la Appleton y hablando desde las raíces nudosas del bisabuelo, acude a la concurrencia de los impulsos visibles donde sus días se arraciman. Tampoco le reconocen y toca su invisible como araña cerrada contra el espacio abierto. A medida que aumenta sus sacudidas, rescata en forma más temeraria sus retiramientos, y si decide desaparecer en la corriente caudal, tiene aún tiempo para pegar el trotón, como en las antiguas hagiografías, la capa colgada del clavo que refulge mientras se hace la visita y se verticaliza la capa, desapareciendo después el clavo sostenedor, y penetrar en la casa donde lo oye una niña absorta y toca el agua. El hecho de que se le acordonase el caballo o se le recogiese en parihuela, lo saca, por esa prodigiosa coincidencia en el fiel de invisible y retiramiento, con el propio Anfiareo cosido al abismo que le regala por instantes Zeus para que no sea descubierto por la punta de la lanza. Ha logrado su invisible como el tercero que asciende hasta su ausencia y se le regala como el *plus* de ese vaciado de la ausencia, cuando afirma aun más su invisible ante las comprobaciones de la punta de metal, que no logra tenerlo y no puede comprobarlo en un punto. El hecho se alza con tal asombro, porque aun queriéndose diluir en el campamento o en la voz alzada de la sucesión o teoría, rechazando más que nadie el invisible sombroso de la torrecilla, logra así la temeridad de la prueba más radical, no por lejanía sino marchando hacia nosotros y bucando en la muerte la desembocadura que más lo iguala, logra, por el contrario, su absoluto invisible. En los dominios de la *imago* el paso de uno a otro invisible logra superaciones tan misteriosas y esenciales en la participación a favor de lo nuestro, pues Quevedo se hace invisible disfrazándose, pero Martí se hizo invisible acercándose más.

El invisible, por incesante audición de ese susurro, de ese súbito blanco del retiramiento, logra y gusta expresarse en la apetencia del volante libro, lleno del signo órfico de los propios caracteres, en el Enchiridion, o libro talismán que centra la historia de los francos, desde Carlomagno hasta San Luis, igualado con el *daimon* dialéctico o con la salamandra cartesiana, y que se entreabre siempre en la obsequiosidad agradecida del poder espiritual ante los poderes temporales, por una regalada gracia de la fuerza ante la aquiescencia de los símbolos y transformaciones de la metáfora. Es un delicado y misterioso regalo de León III a Carlomagno, agradeciéndole tierras y llaves en la graciosa servidumbre de regaladas ciudades. La copa volante o el libro talismán llenan el encantamiento del bosque medioeval. La invención de la copa que acerca la fluidez, el devenir al centro del hombre, de sus combustiones, tiene en esta sencilla visión poética más importancia que la invención de la hoguera que aleja, que protege al hombre en la ausencia de la gracia y la inocencia. Por eso en la *Biblia* se dice, «cuando me viniere el tiempo a la mano», alude a esa deslizada y en la brevedad de su remolino, conducción de la corriente de lo temporal o del líquido caudal a ese preludio de la copa que es el cóncavo de la mano, pues esa misma palma de la mano que para la visualidad es un reverso, ante el rumor de lo temporal se abre como concha, recepta como vagorosa holoturia en la orillera madrépora. La copa volante tenía inseguro destino y lo mismo se posaba en la mesa del rey Arturo, que en las consagraciones de Aquisgrán, ya que contenía dentro del cuerpo misterioso, el movimiento, la tibiedad del impulso de la corriente por los círculos, la sangre preciosa. Cultivaba su impreciso, encuadrando tan solo sus posibles en una extensa red de coordenadas, se perdía en la momentánea consagración de su poder volante se disputaban su presencia por el incandescente poder de su ausencia, desaparecía al asegurar su guardia por el rey Arturo, como parecía ganarse en las invocaciones ausentes de Isabel de Hungría. Pero si la copa ascendía en la brumosidad de su volante impreciso, el *Enchiridion* se hace impreciso por la precisión y seguridad de su ocultamiento. Está resguardado por el Uno Monarca como metáfora. Está fijado en el Libro de los Macabeos: sólo se relata la historia de los reyes. Cuando el Uno-Monarca intenta participar como metáfora en la *imago* de la historia, *formatio et transformatio* según los escolásticos, puede sellar, entreabrir y resguardar el *Enchiridion*. La logración del Uno-Monarca-Metáfora ha ocupado las más vastas regiones de la *imago* participando: la tracia y las creaciones de las vestales, Numa y Orfeo, Apolo y Pitágoras, Anfión y los dorios del Norte, Carlomagno y San Luis, Fernando III el Santo (o interpretaciones fragmentarias como Felipe IV, entrando embozado al convento para consultar a la monja iluminada sor María de Agreda). La *imago* ha participado entre nosotros a través del título de un libro de contenido escaso y pobrísimo y en la lejanía, la sentencia y la muerte de José Martí. Al comenzar nuestra literatura un libro se brinda con un título de una fascinación mágica y severa. Es un título que hay que ir a buscarle par en la sabiduría china *(Ting Fan So robando los melocotones de la longevidad, Elogio de la peonía, El ave del paraíso se posa en una cascada),* o en la gran secularidad que unía la fuerza medioeval con la elegancia del flamígero o del curvo *(Paraíso cerrado para muchos, Jardines abiertos para pocos, Hospital de incurables, Recinto para cometas).* Comenzar una literatura con un título de tan milenario refinamiento como *Espejo de paciencia,* título que menos que un esqueleto regala una nadería, nos sobresalta y acampa, nos maravilla y aguarda. Pero supongamos que la obra alcanzase una calidad tan refinada y misteriosa, tan secular y tan contemporánea, como la su enigmátigo título nos sugiere. Hubiéramos comenzado con un *Enchiridion,* custodiado por José Martí, con el Uno-Monarca participación, con una secular paciencia de escritura, con un hieratismo en el lento tejido de las danaidas devuelto por el espejo. Está dispuesto José Martí, y es ésa su *imago* más fascinante junto con su muerte, a llenar el contenido vacío de ese espejo de paciencia. Su sentencia está recorrida por una paciencia que se sobresalta, cabrillea o se tiende en las coordenadas extensionables del Eros sumergido de la poesía. Poco antes de su retiramiento había soñado con la escritura de un libro, que para nosotros cobra su existencia por la testarudez aragonesa de su inexistencia, del que se le escapa como una frase dicha ante el lanzazo final: Sentido de la Vida. Pero si aquel *Espejo de paciencia* lograse articular de nuevo el prodigioso alcance de su título con la extraordinaria *imago* desplazada por la sentencia y las ejecuciones de José Martí, tendríamos entonces nuestro *Enchiridion,* el libro talismán, custodiado por aquellos que lograron con sus transfiguraciones, con sus transformaciones, con sus transustanciaciones, participar como metáfora del Uno, como el uno procesional penetrando en la suprema esencia.

Después de haber situado en esa inmensa suspensión el orden de la poesía y en trazar las variantes de su combinatoria de relaciones, la historia de la poesía no puede ser otra que la imagen evaporada por esas coordenadas (para los griegos, ¿acaso bostezo, repetimos, no significaba caos?) y estructurando la historia como la crónica poetizable de esas imágenes. Ese *quantum* formado por el *ascendere* de la sentencia poética, la metáfora como *metanoia*, como adquirido súbito en la *transformatio* de los escolásticos, hasta los propios temas que se van ganando en ese retiramiento, desde el germen y el acto a la embriaguez oscura a la alemana y la embriaguez cenital del católico por la revelación, desde el despertar griego a la voluntad de muerte del católico, al participado continuo del éxtasis en lo homogéneo, desde la dignidad estoica del poeta hasta su destrucción por esa ruptura entre lo heroico y lo infuso sobrenatural. Así el poeta se convierte en el Abastado de que nos habla fray Luís, en el lleno que alcanza la normal medida de la sobreabundancia. Así vemos que el hombre comenzó por ser un fragmento de una hormiga del Tíbet, comprobado por los datos de Herodoto acerca de la construcción de las Pirámides. Durante una extensión relacionable por la imagen, durante veinte años, quinientos mil hombres trabajando en la pequeñez de un perímetro que sólo alcanzaba un kilómetro, sólo es posible si el hombre alcanza el tamaño de una *Formica leo*, de una hormiga gigante. Sabemos que 3 000 años antes de Cristo, en el retrato de Hesire en la puerta de su tumba, relieve en madera, por una colocación del dedo gordo del pie izquierdo, nos hace pensar que tenía más de una pierna izquierda, ¿por error de perspectiva?, ¿por imagen gravitante en una tesis imaginativa sobre el origen del hombre como hormiga tibetana? La construcción de la Babel, de una torre cuyo techo, como dice la *Biblia*, fuese el cielo, sólo es posible afluyendo un contingente de hombres tan numerosos sobre la base de la torre, que tenían que ser hormigas de sexo y circunvoluciones cerebrales atrofiadas. Pero si lo vimos comenzando como hormiga gigantoma, lo vemos después adensándosele el aire en el que estaba al descubierto pero enterrado, eso le hace aumentar su ondulación flexible que va a colarse por los espacios intersticiales de los corpúsculos. El sudor anubado por el adensamiento le va regalando escamillas, que muy pronto el calórico y el ejercicio de la flexibilidad endurecen como un agudo cuchillo de obsidiana, pero la raspa con la masa de agua que le provoca sucesivas instantáneas victorias, lo torna oleaginoso y plateado. Y el caminar en sentido inverso de cuando era pez y se dirigía a ser hombre, es decir, de la palma al helecho, logra, con la sudorosa desesperación, afinar el hociquillo para alcanzar la caja de los cristales fluyentes. Al comenzar como filamento de hormiga tibetana y el poder terminar tocando la superficie interna de la marina con sus caudas como dedos, que lo tornan en sumergida araña de hielo segregando el espacio, en un cazón indiferente y confundido, decide, de nuevo en el esplendor derivado, volver a la misteriosa eternidad de su cuerpo misterioso, y entornarse en el alojamiento de su alegría:

> *Ve lengua y canta las glorias*
> *del cuerpo misterioso.*

De pronto, en el primer cuarto de la noche del 6 de septiembre de 1245, Santo Tomás de Aquino, después del memorable distingo ofrecido a Alberto Magno, y sabiendo por revelación que éste lo propondría para el Bacalaureo, que él por humildad rechazaba, decidió no asistir al convento de dominicos, donde su celda estaba al lado de la de San Alberto. Entra así con la lentitud dictada por su corpulencia en el mesón Le Mouton Blanche. La espaciosa cámara remataba en un gracioso balconcillo, con madera en el corazón de la Auvernia, donde se adormecían copiosamente los diversos de los oficios medioevales. Faenas, trigales, escuelas de vidrieros, o serraje de la piedra, producían un sueño de silenciosas hondonadas en el légamo primitivo. Separadas por una puerta de triple hechura, la otra cámara lateral está recorrida, ofrece cintas de humaredas rotas por una jarra levantada por una carcajada, entreabriéndose el bolsón coral para recibir el rabillo del tritón vinoso. El Aquinatense se ha encajado en la mesa, varón con la escribanía en la cintura, como dice Ezequiel de sí mismo, y parece en el absorto seguir un riachuelo de bienaventuranza con peces adormilados. Tiene el noble reposo equidistante de saber esperar a alguien y saber que ese alguien no llegará. Mejor, así está lanzado bruscamente en esa coordenada de ausencias y presagios concluyentes. Ha comenzado a hablar, a lanzar, sin que nadie parezca oírlo, su martinete de distingos contra el tocoloro turbante de Averroes. Cada uno de sus lentos mazazos va fortaleciendo el aire, resguardando la respiración en el ritmo y los oficios. Después ha penetrado un doncel causalista y exacto, que finge distracción mientras suaviza la ballesta por el testuz de un candelabro o sopla el polvo martillando entre dos grietas para la muequilla del hurón.

El buey de oro pensante no percibe el extraño que quiere morder en su halo, nadar envenenando en su aliento.

—Extraña es la bienaventuranza, parece decir el santo corpulento de voz baritonal, que es cosa increada, y así será siempre inagotable, pero tiene una propia naturaleza que la hace cosa creada.

—Pero si es una operación, le responden sin ser oído, tiene que participar el sentido y así cobra su finalidad.

—Gozo de la beatitud y de la delectación. Fruición que acompaña la beatitud, dice la voz del corpulento remontando. Oh, cuerpo indispensable en la consumación complementaria de la visión perfecta. Oh, cuerpo antecedente y consiguiente.

—Pero cada poro, vuelve a entreabrirse la otra voz que está ya en la visión, no en la mirada, del corpulento, si se quiere hacer fruitivo tiene que regalar la boca de la concupiscencia. La virtud puede abstenerse de participar, y eso es también una fruición. Todo al llegar por el *enigmate* se hace concupiscible.

—Bendito sea Dios, dice atronando con la voz alzada hasta despertar la sorpresa del sueño de los oficios, que hizo que la semilla no fuera segregada de lo que era el todo en el acto.

Empiezan a sorprenderse en los balconcillos de la voz que se ha ido imponiendo al espeso tejido de la noche y a los espíritus intermedios. Como sin penetrar en la ajena sospecha y audición, ha ido ganando la voz de la omnisciencia.

—Bendito sea Dios que resguarda el todo en potencia, haciendo de cada corpúsculo una volante esfera de creación.

—Luego hay dos decididos a dejarse dividir, a presumir de la creación, la semilla y el acto, la semilla y la potencia. Luego la indiferencia de los cuerpos es hermosa y sin causa —responde el de la chaquetilla, al tiempo que la distracción de la gamusina interrumpe el muequeo del hurón.

—Si somos imagen y podemos ser semejanza, situemos ante la noche, vuelve a decir el buen cantane, nuestra dilatación como un movimiento expansivo.[1]

Los artesanos, al rescatarse momentáneamente del sueño contemplan aquella corpulencia penetrar por manotadas y traspiés en el falso copero contestón. Al ver que el combate arrecia silenciosamente, vuelven a sus piezas donde el sueño cobra de nuevo sus óleos y potables descendientes.

Al llegar la novedosa mañana, el corpulento ya no está. Encima de la mesa central, el muñequito, el androide yace despedazado. Entre los émbolos y engranajes pulimentados, algún hilillo carmesí recuerda al embozado garzón de las respuestas.

Al situar en lo extraterreno de esta vida, ordenamientos cotidianos, el dato mismo puede convertirse en sensación, el razonamiento lentamente llevado en adivinación al súbito de penetración (el mismo 6 de septiembre de 1245) carece de arbitrariedad gordezuela, pues el Santo llegó a París por septiembre, donde señalando un día para cada uno de sus signos y presagios en relación con Alberto el Magno, ocupando el sexto día en que hizo el distingo del maestro, como dijo su propio maestro. La escapada al mesón, la situamos por la natural gravitación de que estando las dos piezas de dormir de San Alberto y Santo Tomás contiguas en el convento dominico, y queriendo Santo Tomás mostrar su gracia en su humildad por ocultamiento, como en San Alberto descubrir aquella gracia intelectiva y proclamarla, era consecuente que Santo Tomás se aturdiese al ser descubierto por adivinación tan soberana. Su lucha con el androide, con el mortificante muñequito de causalistas respuestas, corría como leyenda en toda la Edad Media, pues el pueblo quería aprovechar aquella corpulencia unida al macizo de su distingo en que desbravase al muñecón de acero, recorrido por el mercurio pensante.

Yace aquí el capellán del rey de bastos, dice Quevedo en un mordiente y frío epitafio, para aullarle aún a la sombra de don Luis. Pero ¿qué jugaba sino su pobreza, sus metáforas, sus enigmas? ¿Su pobreza se compensaba con la cegadora buena suerte,

---

1.   Estas sentencias del Santo están tomadas de distintos capítulos de la *Suma*. Otra manera me hubiera parecido irreverencia.

jugando de pareja? Se adelanta paralelo al cálculo de probabilidades, ese cálculo sobre enigmas y chisporroteos, en que alancea sus metáforas como monedas. Helo ahí, acudido y desdeñoso, apostando el metal de las probabilidades de cada una de las metamorfosis. El epitafio ha recurvado sobre Quevedo, quien queriendo colocar una piedra infamante sobre su túmulo, ha trocado la claraboya en cornucopia, dándole a la espesura de las sombras una pinta áurea para su reconocimiento, llamear de abismáticas monedas en los húmedos salubres de la claraboya. Al quererle cargar la escasa densidad de un nuevo vicio a su sombra, ésta favorece la última visión gongorina, regalándole a sus metáforas el temblor de la baraja deslizada a la gruta de Trofonio. Jugaba furiosamente, calculaba sobre lo imposible, como un jabato acorralado, fosforando sus marfiles en el revuelo final de la traílla. *Aquel que tiene de escribir la llave*, dice Cervantes en su *Parnaso* alabancioso, reconociendo la adecuación de una autoridad a los preludios indescifrados del cordobés, reventados de sentido. Llega así a la casa, en su torcido cálculo de improbables, reemplazando la llave por los gajos del as de bastos, y la cerradura comienza a hacer metamorfosis en cornucopia, impidiendo el total olvido del fuego en la transfiguración del Uno-Monarca.

El buey mudo, el buey de oro pensante... Pero se quedaría aislado e impenetrable para mí, en su estática magnificencia indiferente, si al repasar días más tarde el *Libro de Job*, no encontrase una expresión que venía a robustecer la bovina frente, apuntalando los diedros de la casa ante el heraclitano río. Saltaba en la paramera de la pétrea desolación, la expresión *un buey de viuda*. Un buey llevadero también de su pobreza, que alza en su testuz la única suerte de la que tuvo que retroceder al uno indual, perdiendo ya en su destino el ascendimiento. Vemos aquí, en ese desfile que viene para diferenciar y amenizar ese género, el buey que habla y que piensa, que canta y que consigue una nominación venerable: el buey de viuda. Como aquellos isósceles egipcios, que llevaban la geometría al mismo esplendor sagrado de la VI dinastía, y que convertían una extensión o una abstracción en una inmensa variación que se adelantaba con su diversidad casi irreconocible, llegando al simio de testa canina, o al halcón de oro cuyas alas son *como la madre de la esmeralda del sur...*

Ahora volvía a remontar ese halcón, en los renglones de gastos de la corte de Francisco I, anotados por el embajador romano Mateo Dandolo, allí se consigna para halcones de caza sesenta mil libras, es decir, alrededor de trescientos mil pesos de los nuestros. Pero ese dato cruel se diluiría sobre su propia parábola bizarra, si no se convirtiese en el haz fulmíneo que nos va a hacer contemplar aquella tapicería en la que Francisco I, en compañía de su querida señora de Etampes, visita el taller de Benvenuto. Objeto de la visita: decoración de una fuente en Fontainebleau. Benvenuto ofrece algunos esbozos; el monarca, sonriente, discute y acepta. Benvenuto apunta seca pero dignamente en sus *Memorias:* «Su Majestad me ordenó y rogó hiciera algún esfuerzo para producir alguna cosa hermosa, lo cual le prometí». En ese «me rogó», parece como si alguien le cobrase al monarca las cuentas por aquellos halcones de caza, que venían a iluminar esa otra espléndida venatoria palaciana.

Asombro, abejitas escapadas de un nacimiento en Noël. Ahora es una súmula convertida en un todo, ahora es *La rebúsqueda del tiempo perdido* fluyendo como un personaje en los témpanos del tiempo sustantivo. Sorprendemos en un delicioso capítulo de un economista, *La nueva nobleza*, un resumen hecho con toda la *flatterie* del siglo XVIII, algo que es como un resumen anticipado de *La rebúsqueda del tiempo perdido*, convertido en *dramatis personae*. Es en 1752, cuando el duque de Pecquigny contrae matrimonio con la hermana del banquero La Mossòn-Montmartre, cuando la duquesa de Chaulnes, influenciada por los moralistas franceses del siglo de Luis XIV, más en el estilo que en la dignidad estoica, le aconseja a su hijo: «Hijo mío, este matrimonio es excelente; es preciso echar estiércol a tus tierras», y se forma entonces una entrelazada descendencia de nobles vacilantes y banqueros presuntuosos: «Uno de los hijos de Samuel Bernard, más conocido con el nombre del "judío Bernard", es el conde Coubert, y contrae matrimonio con madame Frottier de la Coste Messellére, hija del marqués de la Coste. El otro hijo compra un oficio de presidente en el Parlamento de París, titulándose conde de Rieur, y casa con madame de Boulaivilliers. En virtud de estos enlaces, el "judío Bernard" llega a ser abuelo de las condesas de Entraygues, de Saint-Simon, de Courtorner, de

Apchon y de la futura marquesa de Mirepoix. Antoine Crozat, cuyo abuelo desempeñaba oficio de criado, casó a su hija con el conde de Evreux, de la casa principesca de Bouillon. El segundo hijo, barón de Thiers, casó con madame de Laval-Montmorency, y las hijas de este matrimonio casaron a su vez con el marqués de Béthune y el mariscal de Broglie. Un hermano de Crozat casó a su hija con el marqués de Montsampere, señor de Clèves. Una pariente del duque de la Vrillière casó con Panier, encumbrado por su riqueza. El marqués de Oise concertó su matrimonio con la hija del americano André, cuando la prometida no contaba más que dos años (recibió veinte mil libras de renta hasta la celebración del matrimonio efectivo y cuatro millones de dote). La hija de Berthelot de Pleneuf casó con el marqués de Prie; fue la amante del Regente. La hija de Prondre llegó a ser madame de la Rochefoucauld. Le Bas de Montargis se convirtió en suegro del marqués de Arpajon, abuelo del conde de Noailles y del duque de Duras. Olivier-Senozan, cuyo padre era trapero, dio su hija al conde de Luce, más tarde príncipe de Tringri, Villemorin dio la suya al marqués de Béranger. Los condes de Evreux y de Ivry, los duques de Brissac y del Pecquigny, todos, absolutamente todos, emprendieron el camino hacia las cajas de Turcaret.» Cómo, ¿los personajes de una novela existiendo doscientos años antes, desconocidos totalmente por el narrador contemporáneo de su creación, dándonos un resumen por anticipado de un extenso novelable que ya había existido en la intensidad de un párrafo brevísimo? O, por el contrario, hay una constante, la nueva nobleza, que lo mismo actúa como realidad histórica que como realidad novelable. Reconstruyendo lentísimamente en un posible de coordenadas comprobables, tan solo en el tiempo retrospectivo, lo que antaño fueron situaciones reales, extrañas y reproducibles, las complicaciones históricas y sanguíneas de la nobleza francesa alrededor de 1752, que vuelven a danzar y a soplar sus epigramas en la cima proustiana de la novelística francesa de 1910. Al leer ese párrafo de una página, reconstruida por un economista sutil, debo de confesar que experimenté las extrañas vivencias de mil y pico de páginas leídas hace veinte años, que volvían de nuevo a agitarse y a retomar sus hilos dentro de la fluencia. Pero aún hay algo más: ¿qué importancia podría tener ese párrafo del economista, para alguien que al llegar a los veinte años no hubiese hecho una lectura de *La rebúsqueda del tiempo perdido* como un todo, como un ser absoluto? Como esas divinidades surgiendo del encuentro del céfiro con una diosa, he ahí un párrafo de un sociólogo-economista abrazado al *in extenso* de una novela contemporánea, engendrando un azar de orden heroico en la espera de que ese hecho pudiera surgir dentro del retiramiento del espacio poético.

Ved ahora también por los tapices de El Pardo a Lope de Vega y a Góngora, lanzándole flechas al jabalí de irreconciliable colmillo para Adonai. Escojamos la última de las flechas que toma el rendimiento del colmillo. Desde 1621, en que lanza una venablera Góngora, a 1631, en que Lope sigue la montería de puro rejuego, ya por jardines y no por serranías. Viene el estupefacto de la jauría y vibra aún el último de los flechazos de Lope: *estrellas fijas encendió cometas*. ¿Eran cometas de pura cristalería y doblegada cresta de cartón, recortadas en las máquinas de representaciones palacianas? Pero siempre la errancia de ese surcado comentario resistido por ese mundo de la fijeza estelar, la rodillera firme para el techo. De ese cometa de recortada máquina de jardines reales, tachado de pronto por el cometa de los designios, por el cometa de los vaticinios sicilianos. Así como los monarcas de la gran madurez de los Austrias habían recibido aquel cometa del barroco vienés, llegaba después de los sofrenados Osunas aquel barroco siciliano, donde el pintado cometa saltando por los yerbales se deshace en malicioso traspié. Surca ahora la otra flecha de Góngora, decae el jabalí ante la tolvanera del galope final y el revuelo del polvo enmascarado, parece preludiar las cenizas. Las cenizas del escándalo comentario. Recojamos la última de las flechas gongorinas: *...que frutos ha heredado la montaña*. Siempre el misterio de sucesión en la pobreza. Siempre la herencia de la pobreza resguardada en esa dimensión como estrella fija. Y siempre el otorgamiento sacramental, el consiguiente misterioso del fruto. Pero el gran esplendor poético de España, es el esplendor de la pobreza heredada ya como cometa o como fruto. Ya como vaticinio o como opulencia en la misteriosa ruptura de la herencia.

Antes del gran ordenamiento aristotélico, afanoso de aclarar las concepciones de la poesía como oposición a *tecné*, es decir, como ser universal y padre universal. Y que retorna en el absoluto de los idealistas alemanes de Hegel a Novalis, situando siempre a la poesía en el ser principio, en la total causalidad inmanente. En la poesía como lo real absoluto, y la filosofía como la operación absoluta, de Novalis, reaparece esa concepción griega primigenia, del ser universal de la poesía, en oposición a los alemanes neoclásicos del periodo de Lessing que juraban por la poética aristotélica como si fuese el escudo de Aquiles. Pero antes Goethe, en quien lo dórico apolíneo délfico aviva su devoción por la luz suprafísica (espacio etéreo, firmamento para la guardia trácida, ensueño y elevación, claridad y alegría serena, sucesora de aquella sobriedad y sana inteligencia, en Platón), lo llevaron a la configuración de la imaginación poética como urdimbre y nexos, según los términos empleados por Dilthey. Sin duda, ofrecería una gran fascinación el estudiar esa urdimbre en relación con lo contrapuntístico, llegando así a diluir la sentencia poética en la imagen tonal del poema. Hay en la urdimbre algo del relieve, de lo sustantivo que necesita la poesía como ser universal o como absoluto, para cumplimentar los enlaces con las pausas. Las infinitas seriaciones sobre las que actúa la metáfora para provocar la causalidad de cada sentencia poética dentro del continuo aportado por la imagen. A medida que la metáfora actúa sobre esas series en la infinitud, en el tiempo absoluto, los nexos tienen que ser más sutiles diferenciaciones en lo indistinto. Para que la imitación aristotélica llegara a ser *imago*, y poder verificar sus semejantes sustituciones, tenía que reactuar en el ser y lo real absoluto, en su continuo esferoidal. En ese incesante universal, comenzamos por entresacar hilachas en lo homogéneo por la participación de la metáfora. Pero yo debería confesar que si es cierto que la estructura y los temas de la *Poética* aristotélica permanecen para nosotros subterráneos para no decir indiferentes y rendidos, dos apreciaciones, una, sobre la poesía, y la otra sobre el poeta, yerguen aún su fascinación y su encrucijada. Dentro de ese análogo, es donde es posible señalar las ambivalencias, en ese cosmos de la poesía, y he aquí el gran hallazgo perviviente de su *Poética*, señalar que es en la región de la poesía donde *éste es aquél*, donde es posible reemplazar el escudo de Aquiles por la copa de la hoguera petrificada; la hoguera, discutiendo con el viento, mueve sus brazos como hojas. Igualado el árbol con la hoguera, el éste con el aquél, desciende la metáfora, para lograr el nuevo reconocible, en la nueva especie que avanza, como en un presunto *Origen de las metáforas*, desde el helecho hasta la palma, gozosa de su yodada inauguración playera.

Frente a ese análogo de infinitas equivalencias, se habla en la *Poética* de que «el arte de la poesía es propio o de naturales bien nacidos o de posesos; de aquéllos, por su multiforme y bella plasticidad; de éstos, por su potencia de éxtasis». He aquí otro de los pocos señalamientos que aún nos interesan en la *Poética*. O bien, una gravitación, una armoniosa evidencia regalada por la secularidad, desde Dante hasta Goethe; ya un flujo poético de incesante gobernación, o un golpe de áurea astilla y brusquedad en la masa del análogo, desde Shakespeare a Rimbaud. El relieve de la plasticidad en las semejanzas, o un crujimiento por esos acumulados toques de energía en la fluidez de la corriente o en la densidad de la masa.

En ese cosmos de paradojales sustituciones equivalentes, la poesía es hasta ahora la única posibilidad de poder aislar un fragmento, extrayéndole su central contracción o de lograr arañar una hilacha del ser universal. Montaigne y Proust, que habían apresado grandes extensiones de sensaciones definidas en las redes de la expresión, señalaron formas cognoscentes, que el travieso La Fontaine regalaba al poeta llamándolo *poliphil, l'amateur de cout chose*. Montaigne parecía señalar en la voluptuosidad de la adolescencia, en un Eros de conocimiento, el arte goloso de extraer de figuras y situaciones el arquetipo de su esplendor, la transmisión de su instante de experiencia en la forma de su sabiduría. Cree que los guiños maliciosos de un paje, la inflexibilidad muscular de un sirviente, una disputa sanguínea de sobremesa, concurren en su diversidad a nuestro apresamiento. Cree que la diversidad de las fuentes nos enriquece los humores. Pero algunas páginas más lejanas lo vemos, en su altanera voluptuosidad candorosa, quejarse regañón de que en una mesa apartada se habla de la hermosura de un tapiz o del sabor de la malvasía, mientras en el otro extremo de la mesa se pasan grandes golpes de ingenio, sin que los tapiceros vecinos enarquen para saborear los epigramas y los *trait de sprit*. Ahí lo vemos un tanto adormecido en la propia decisión de sus consejos, creyendo momentáneamente que se puede extraer más empírica sustancia pensante de los ingeniosos que de los tapiceros. Confundido en la brújula de sus propias indicaciones, lo vemos cerrar el compás con la jerarquía del conocer, cuando para que ese empirismo adolescente sea enriquecedor tiene que ser indistinto y homogéneo en su captación, para reaparecer después en la distinción de cada una de sus definiciones y dominios. En realidad, aquella primera captación indistinta y su poética, sorpresiva reaparición en el fiel de los otros otoños, tenía que haberse cumplimentado en aquella pausa o suspensión; pues aprender de un tapicero o de un ingenioso está dentro del misterio del apoderamiento del orden de la poesía, y no del empirismo del azar ocupando el instante. Ahora es el contemporáneo Marcelo, *né de la fume de vos fumigations*, nacido del humo de sus fumigaciones, embozado por los *environs* y «haciendo preciosos descubrimientos en una propaganda para jabón como en los pensamientos de Pascal», pues si en el Eros cognoscente de la adolescencia, las homogéneas equivalencias del blanco o vacío de la suspensión, aislaba de la sucesión de sus paréntesis, lo que rebanaba la posibilidad de una prioridad jerárquica es, por el contrario, después de un estoico ejercicio en la persecución de ese susurro o en la infinita atención para la extracción de la negatividad, cuando aquel brusco detener por una exigencia del éxtasis, comienzan en el tapicero y en el ingenioso, en el neurótico ansioso de una nueva crema de afeitar o en el cultor dominical de los abismos pascalianos, a volcarse en la reminiscencia como retrospección temporal lograda tan solo en el ordenamiento de la poesía.

Aun en aquellos que se señalaron por la gravedad de su enemiga teocéntrica, por su bien reída animadversión a las flotaciones de la holoturia infusa, encuentran en esas equivalencias de la deidad con la cualidad o forma alcanzada por la sustancia en su derivación. En Lucrecio, las cualidades de la materia logran su equivalente con los dioses homéricos y el signo de las frases con que intenta apoderarse en imagen de las variaciones de los corpúsculos en el ordenamiento de una nueva reaparición, parecen divinidades orientales de múltiples brazos y rostros abandonados a los instantes de su poliedro. En la poesía, por la misma supresión de lo antinómico, no se puede prescindir de los equivalentes, de las variantes al éste y aquél en la semejanza de las pausas y de las respuestas. El eco, el rocío, lo esparcido, en el mundo lucreciano se igualan a la claridad irradiante de las apariciones minervinas o la blancura de manteo en la intercesora o en las vírgenes prudentes. Las emanaciones, el vapor, las condensaciones, los torbellinos, al ceño irritado de Hera o a los portadores de espadas arcangélicas. Cuando nos habla de la mancha blanca inmóvil, la paralelizamos de inmediato con el momento escultórico de la Diana de Efeso, cuando la influencia oriental a través del estoicismo empezó a henchir y a proliferar, o en el loto que crecía en el ombligo de Visnu, silla del dios Brahma. Si a los principios expandidos por el sueño, logra su equivalencia en las decapitaciones de Siva, atravesando los tres mundos, redimiéndose en Varanasi, cuando se le cae de las manos la cabeza de Brahma. Si sus diosecillos se arremolinan, cuando alude a los corpúsculos de traslación veloz, semejantes al tejo soplado por los reventones cachetes de Céfiro sobre la frente de Jacinto, sin que Apolo con la velocidad de su luz, haciendo justicia poética, lo pudiese impedir. En aquel mundo hostil de divinidades derivadas, entre la Venus generatriz y el descenso a las heladas fuentes del Orco, donde los dioses europeos y asiáticos pueden escogitar o enarbolar el azar concurrente o la vaporosidad irradiante de los corpúsculos, para alcanzar símbolos hipostasiados o tocar la materia señalada, como esas batallas que gusta de pintar donde las huestes del cobre son reemplazadas por las huestes de hierro, escondiéndose y saltando entre los ondulantes pinos sumergidos de la medianoche.

El individualismo del siglo XIX y su posterior crisis en Nietzsche, enarcó la Grecia de Dionisos, embriaguez, percepción inmediata y potencias genesíacas. ¿Era eso, me pregunto, en realidad tan necesario? Una cultura como la griega que llega a establecer exactas proporciones en sus mitos, en la física jónica de los cuatro elementos, en la concepción estática de la unidad y en las bromas de los megáricos, contrastadas con el indetenible heraclitano. ¿Necesitaba acaso la brusquedad, la ruptura engendrada por el lanzazo de lo dionisíaco generador? Claro que el mito dionisíaco era una reacción a la Grecia escultórica y socrática recreada por el siglo XVIII. Canova adormece en una extensión marmórea a madame Recamier, afanosa de alejarse, en sus aventureros preludios románticos al lado de madame de Staël, de la Grecia en sordina de los sofistas para llegarse a los estremecimientos del pie de la cabra y en los cuernos lamidos por el sorbete de la vid. ¿No recibe Voltaire un busto suyo que le envía Federico el Grande, y equivocándose sin malicia le da las gracias como si fuese el de Sócrates, riendo ambos el error, para enojarse de nuevo Voltaire cuando Federico defiende los errores gramaticales de Luis XIV? Pero el mito de Dionisos era más necesario a la cultura egipcia que a la griega. La medida llamada por los egipcios *orgia*, semejante a la baza castellana, se engendraba un día antes de la llegada al Egipto de los trirremes, la sonda se extrae llena de un lodo, medido por orgías. A una cultura lodosa, reiterada, diorítica, uniforme, la penetración de la sonda dionisíaca, de la orgía como medida de exploración submarina, le era decisiva para mostrar su nuevo rostro. Herodoto se muestra decidido al aceptar que fue Melampo el que llevó las cabalgatas dionisíacas a Grecia. Y la expresión *lentitud ciclópea*, que Nietzsche aplica al griego del periodo mítico, más la absorbe el légamo, la maternal vegetación, la inmutable ensoñación secular del egipcio. Pero aunque yo temo discrepar de una de las figuras más geniales de la Europa de los últimos cien años, me es imposible dejar de afirmar que el error de Federico Nietzsche consistió en ver a Dionisos como una creación trácica, correspondiente al orfismo, y no relacionarlo con el egipcio del periodo mendesio. Fue en sus inicios egipcios una fiesta de cabreros, donde el ardor de la estación sacrificaba animales lentos como el puerco, y no una cabalgata penetrando en la ciudad, de raíz crótica carnavalesca. Pero liberados ya de ese capitoso individualismo capitalista, de esa beatería de la excepción, de esa energía sombría volcada en el instante y en la aventura, podemos tener otra embriaguez más sagrada; no fue el mito dionisíaco un aporte esencial para el griego, sino el orden de la desmesura, de la *hybris*, que el griego alcanzó en su poesía al integrar una superior realidad en la *imago* de los dioses y de los excedidos en el cerco. Para el griego primitivo *colossos* no significaba tamaño, sino figuración, un pequeño muñeco podía ser colosal si alcanzaba su figuración, si triunfaba sobre lo informe. Orden superior de la desmesura, ordenamiento nuevamente creador del hombre y de los dioses. Ya hoy podemos afirmar que Hesiodo y Homero no imitaron una circunstancia, sino que la prefiguraron, ayudando a darles nombres nuevos a los dioses. Aquiles, malogrado hijo de la nereida, perteneciente a los murmuradores corrillos prometeicos, tiene, como mucho más tarde Euforión, por su *hybris*, por la desmesura de su origen, que morir joven, persiguiendo la maligna estrella del Can, mientras los hombres eleáticos disminuyen sus pies veloces hasta ponerlo al alcance de la tortuga... La inteligencia mordaz y la misteriosa comprensión del pueblo griego, se vengaba y presuponía la torpeza de los dioses. Cuando en *La Ilíada*, Tetis hace el ruego por Aquiles, Zeus Cronión le replica que se aleje, que puede ser vista por Hera, que a su vez suplica por los teucros y los sitiados, que hará lo que puede, que tiene su asentimiento, pero que se aleje, que Hera puede estar por allí, que no le conviene enemistarse con Hera, que lo puede perjudicar que lo vean hablando con Tetis. En la Atenea, *promakos*, la inteligencia armada, su frío y desdeñoso escudo parece dialogar complaciente con los ornamentos del escudo de Aquiles. Entre ambos escudos, por esa desmesura primordial sin la que no se puede establecer el ordenamiento de la poesía, se establece una intercomunicación de símbolos, y la ligereza de la luz en la diosa de ojos de lechuza se iguala con las forjas de Hefaisto en el escudo de Aquiles, donde los gimnastas y las doncellas se abandonan a sus estremecimientos en la marcha forzosa o en la danza. Cuando Diomedes, enardecido en la refriega, atraviesa con su lanza la mano color de aurora de la cipriota diosa, se escapan de sus manos gotas de ambrosía. Si el griego buscaba la inmortalidad incorporándose la ambrosía o los néctares mágicos, logra por obra de ese poético ordenamiento de la desmesura, que al tocar con su lanza en la mano de la diosa exhale esas mismas gotas, pero con un afán de hacerse mortal, reconocible, cumplimentada. Una divinidad parece regalar en la poesía ese conocimiento, dándole la móvil bienaventuranza de la extensión y de la duración, cuando los hombres a través de lo visible conjurado en la poesía intentan acercarse al risueño desconocido de los dioses.

Marzo, 1954

La dignidad de la poesía

DI UN gran grito y volqué el caldero con la mixtura de cobre hirviendo, dice el hombre del Renacimiento, el Cellini, antes de dirigirse a matar. Y el Papa sonríe (textualmente: su rostro empezó a serenarse), y añade el gordiano de las confusiones: el hombre único no debe someterse a leyes ordinarias, y más cuando la razón lo acompaña. Pero semejante norma de conducta quisiera desaparecer ante el hombre que va a matar, como igualmente inservible es aquella banal distinción entre el hombre único y las leyes ordinarias... Se trata de trazar otro canon de otra región donde lo primigenio indistinto sea la pieza de apoderamiento. Donde aquel grito se corresponda a esta sonrisa, como si otro acto precediese para la valoración del bien a aquel en que el cuerpo de gloria fue traicionado por una ajena participación. Pero desde el punto de vista de la creación, de la poesía, lo que nos atrae es la potencia concurrente, la pureza primigenia del grito y de la sonrisa. Es decir, ese grito y su acompañante sonrisa, se liberan del acto de matar, si éste no sucediese, su incitación, su reto y su valoración seguirían atenaceando con un grito que levanta el chorro de las profundidades, o como una sonrisa que doblega una fuente.

No se puede matar, no se puede matar. La poesía no resiste la escritura. Ni la traición del rey ni el cuchillo en la nuca pueden ser interpretados rectamente para matar. Judith encamina sus pasos como en sueños, atraviesa ejércitos con su canastilla, el rey duerme. La gracia encamina sus pasos, el sueño ajeno parece como que la espera para ser sobresaltado, ha matado como soplada, ha caminado sin tocar la yerba. La gracia ha decapitado a la naturaleza adormeciéndola. Sigue en la gracia cuando muestra la testa errante, detenida en sus manos mientras se aleja benévola en el sueño.

¿Cómo aumentar la corriente mayor, el pez y la flecha caudal, sumando la *poiesis* y el *ethos*? ¿Buscar la manera que creación y conducta puedan formar parte de la corriente mayor del lenguaje? Generalmente se unen conducta y vuelco, fundamentación y signo, por haberse situado el *ethos* en la parte más visible, exterior y grosera de la conducta. Como la numerosidad, la frecuencia banal, ha enemistado creación y vida, el *ethos* se ha valorado y perseguido en esa dimensión de la causalidad más aglomerada, en resueltas y opulentas series y constantes. Pero es que hay también un *ethos* en la creación, una conducta dentro de la poesía, que unas veces se interpreta y otras pasa a nuestro lado como una masa de abejorreos, canelones de la luz, terrón de compasillos áureos, en los que no logramos apoyar las manos. De la misma manera que existen los surtidores de aguas en el fondo del mar, trazando como columnas en ruinas de un palacio subacuático, allí tropieza el hociquillo o el instinto caudal les comunica una rauda torcedura; así el aliento, el mundo respirante hecho sustancia, que afinca sus contornos, no por amor de contención, sino por la uña que en aquella masa abandona las presiones, las contracciones, puede ser recorrido y empuñado, por aquello que pudiéramos llamar sutilezas para rendir lo difícil, en que el que transcurre por el hechizo de ese espacio, percibe sus actos impulsados como por un estar en una región donde la sobreabundancia anula el contrasentido y la relación antecedente motivación, y consecuente conducta, gesto o signo.

La poesía tiene que empatar o zurcir el espacio de la caída. De ahí la gravedad o exigencia de su imposibilidad. ¿Pues cómo lograr ese espacio de aliento, que aparece entre las contracciones de su circunstancia y el vacío de su identidad? En toda sustancia poética, hay como un punto bisagra, como una señal adhesiva a un caudal que primero aclaró e hizo posible la existencia de lo embozado detrás de su bisagra. Al desaparecer ese análogo el poema queda condenado a su propia confluencia y a las excepciones, a los aislamientos, a las imploraciones, que por su voluntarioso predominio logra establecer en lo temporal. Eso parece regalarle una resistencia previa, como por anticipado, esa región áurea que marchó hacia él, como para darle nacimiento, y el rescate de su propia sustancia, vuelta tenebrosamente orgullosa y como perdiendo por instantes ese silencioso choque adhesivo. El primer encuentro de la poesía es ese punto órfico, esa respiración que se mueve entre el cuerpo y un espacio como el de la araña al formar ámbito y hechizo. Esa respiración es el primer apresamiento de lo sobreabundante, de la liberación concupiscible, de la supresión de los sentidos entre lo que nos pertenece y lo que tuvo un incomprensible rescate. En realidad, la primera aparición de la poesía es una dimensión, un extenso, una cantidad secreta, no percibida por los sentidos.

Las convolutas o vermes ciliados, viven en los bancos arenosos, a la primera observación parece que intentan su asomo, y lo logran, cuando están con la marea baja, y vuelven a enterrarse cuando la marea sube. Pero si se le traslada a un *aquarium*, se esconden o sonríen liberadas de la presencia y de la voluntad de las mareas. Luego era un ritmo impuesto y no una derivación de sus circunstancias. Ritmo cíclico, no causal, no determinista, pues el vermes que se niega a regular sus movimientos de emergencia y secreto a los groseros bandazos de la marea, tal vez aceptaría la diversidad de la iluminación o las variantes sutiles de las temperaturas sumergidas. En «la tierra de los bueyes sagrados de Juno», según la precisión comarcana de Píndaro, mientras la reina enseña al poderoso Adrasto, camino de Tebas, el curso de un río, una serpiente inocula a su hijo matándolo. Se vislumbra ahí que existe un castigo, una maldición que no podemos descifrar, una especie de enemistad secreta entre el curso de un río y la teoría de una serpiente. Una dimensión de la movilidad que se goza en decir: si me descifras en el río, te muerdo en la serpiente. En la cópula hecha para renacer, Marduk desciende a los infiernos, mientras el pueblo ayuna; para engendrar con Sarpanitum basta que el combate se verifique en la cámara de la diosa y con una hieródula. Se sabe, en esa irrepetible línea de conducta sagrada, que algo se aplacó para que no escapase falsamente, bastaba el recinto y una semilla de la diosa, hirvientes por los gritos orgiásticos que el pueblo trasudaba como saliendo de un horno, para asegurar la vuelta del engendro. El conocimiento, monstruoso o sencillo, como cópula se presupone. Es decir, el acto del *ethos*, aun sin diálogo, tiene que ser creador. Bárbara, doncella de Nicomedia, es en extremo delicada para luchar con el vengador de la mortandad que se avecina; pequeña ante los golpetazos de la bestia paternal que la persigue, porta una espada titánica, en la que el temblor de su cuerpo parece afincarse; espada algosa, mojada, que suelta en persecución del relámpago o de las turbias ensoñaciones de lo estelar. Su delicadeza improvisa instrumentos defensivos orquestales, imprescindibles, que establecen como un puente entre la brevedad y la tesonera ensoñación de su cuerpo y la descomunal espada que suelta como una lombriz para pellizcar en la cresta que raya... Es cíclica, rítmica (Apolo aduna la poesía, la luz y el *jus*), sufre un indescifrable castigo, creadora aún en el diálogo desemejante y desconocido, no causal, sobreabundante, contra objetivos monstruosos a los que le sale al paso con instrumentos lejanos, pero necesarios, exigibles, donde circula una nueva ley de la gravitación de los cuerpos. En una leyenda brasilera la cabeza del dragón rueda cortada por la cola de la lagartija. De ahí se desprenden, como pedúnculos urdicantes, graves afirmaciones del *ethos*, que parecen partir de una negatividad. ¿Sabía la lagartija el encuadramiento frontal del dragón frente a ella? ¿Conocía la absorción devoradora del dragón? ¿Con la simple festinación de su cola se dedicó a salirle al paso al dragón? Es decir, ¿presumía la lagartija de la leyenda brasilera que tenía un destino, que ese destino era implacable, que para cortar cabezas de dragón no se pueden emplear colas de lagartijas? Sale entonces en alegre ronda matinal, pestañeando el destello de su casulla verderol, desconocida del gran *rôle* que le ha sido asignado, penetra en la confusión boscosa que favorece al dragón, sino que la sorpresa la arredre, suelta su pequeña cola, más que frente al dragón, a un misterio que la invita, y ve caer la cabeza del monstruo, adivinando tal vez, como paseante que ve rodar a su vera la copa de un árbol, que no ha sido el liberador de los hechizos que malgastan la ciudad. Pues el acto del *ethos* comienza, no en su dimensión de liberador, sino de intérprete de dos focos polares: el acto primigenio y la configuración de la bondad.

¿Está en la raíz del acto del *ethos* el caos, lo que no se manifiesta? ¿Se le pueden señalar las condiciones de Vistra, de la serpiente? No dividida, no despierta, dormida, en el sueño más profundo, tendida. En la *poiesis* se enraíza el acto primigenio, pero de una manera hipertélica, es decir, rompe la concepción de cualquier finalidad, pero el acto de bondad se configura, se detiene por uno de sus extremos; en el momento mismo en que el acto primigenio se detiene, el soberano bien aparece. En alguna de las más antiguas teogonías, cuando un dios copula, no con una diosa, sino con su representación humana, con su hieródula, comienza a llover. Estamos en presencia de una serie o constante de relaciones, que no podemos descifrar, pero que nos hace permanecer frente a ella, con una inmensa potencialidad de penetración. Es indescifrable, pero engendra un enloquecido apetito de desciframiento. Nos damos cuenta que esa aventura carnal entre un dios y una semilla humana, para nosotros permanece indescifrable, pero esa lenta caída de la lluvia, simbólica de la cascadura de la semilla por el *humus*, quiere penetrar en la situación simbólica, con casi primigenios y bárbaros recursos de interpretación. Se hace infinitamente descifradora y descifrable. Precisamos que el acto de bondad nace de la sobreabundancia, permaneciendo ahí como sagrado y en acecho, pero en ese acto del *ethos* la sobreabundancia se detiene por una desaforada absurdidad que la solicita, que es su alimento perdurable, cuya correspondencia la sentimos como esa lenta caída de la lluvia, que nos permite un instante de conocimiento en esa dimensión, en esa configuración de la bondad, para llevarnos de nuevo incesantemente, a la misma pregunta, ¿fue ese acto de bondad la interpretación de ese instante configurativo de la sobreabundancia?

En esa dimensión el hombre aparece como una metáfora que se lanza a esa situación simbólica, es decir, un contrasentido, una contrarréplica. La situación simbólica se aleja del grupo escultórico al recibir esa metáfora, esa decisión o claridad comunicada, como un fulgor, por la intervención del hombre. La participación del hombre como metáfora, para el que reconstruye en serie de puntos la parábola de esa intervención, aparece como refractada en dos ámbitos o cámaras de diverso adensamiento. La metáfora entre dos puntos referenciales para la conducta, tal vez entre el acto primigenio que la incuba y la configuración de su acción que la detiene, es una contrarréplica, un contrasentido. Aclarando todo lo posible en esa dimensión sagrada o aterradora, el acto primigenio actúa en A, supongamos cristales brasileros, para configurarse en B, cuchillos de obsidiana. Es decir, el hombre actuando dentro de esa región del *ethos* se presenta siempre como una vivencia oblicua, como una metáfora que genera un móvil incesante entre A y B, entre acto primigenio y configuración, entre situación simbólica y espacio de encantamiento o hechizo. Así como en toda extensión tiene que surgir el árbol, en aquel paréntesis que abarca acto primigenio y situación simbólica por una parte, y configuración o espacio hechizado por la otra, tiene que surgir fatalmente el acto del *ethos*.

En aclaración de esa vivencia oblicua vayamos en busca de algún texto de San Mateo, el alcabalero, el cobrador de cuentas. Eso nos hace pensar que en su función de medidor de conductas, no pueden ser candorosas sus aproximaciones, engendrando sus versículos perplejos e indescifrables. Dice: «Siego donde no sembré y recojo donde no esparcí». He ahí de entrada un rompimiento de toda causalidad en la conducta, del que se escapa para adquirir relieve un imperativo, una ordenanza que fabrica su gravedad en la causalidad de las excepciones. Esa gravedad que cobra la contrarréplica, como si tuviese que ser esperada en la propia imposibilidad de su arribada, encuentra en esa propia línea de vivencias oblicuas, que el genio de Napoleón no actuaba en el mar, sino paradójicamente se destapaba terrenalmente, es decir, sus batallas terrestres estaban regidas por movimientos de escuadras navales. Esa oblicuidad de su genio le llevaba a librar en tierra batallas navales, y las órdenes navales que fracasan en Trafalgar se despliegan en Wagran. Sus series causales operan como ángulos de refracción en el nuevo adensamiento, o como si actuasen a través de una lámina sin desniveles de refracción. Sus movimientos de despliegue y reconocimiento, la resistencia de sus centros, parecían soplados por un genio marinero, por la hinchada sonrisa de Poseidón, mientras la retaguardia quedaba como en el aire para incorporarse de nuevo.

En las antiguas teogonías, órficas o persas, el visitante es el muerto. El espíritu de la visita está íntimamente entrelazado con la ausencia, por la muerte de algún familiar.

Ahora bien, el que llega no es el esperado, sino el caballo que con sus cascos toca a la puerta. Ambas cosas son imposibles, pero su simple potencialidad en la imagen basta para crearle su gravitación. Esperábamos al muerto, que desde luego no vendrá, pero el caballo comienza a golpear la puerta con sus cascos, cosa que tampoco sucederá, pero en ambas inexistencias es posible crear la realidad del terror del caballo como mensajero o trasladador de las dos esferas. En numerosos sepulcros etruscos aparece el caballo como queriendo extraer los muertos de su *imago* a la realidad. En el fresco *Aquiles en una emboscada*, en la Tumba de los Toros, periodo Tarquino, la suspensión de la muerte parece quedar como emboscada, la última para Aquiles. El caballo del héroe es como una esfinge, su cuerpo ornado con todos los atributos del titanismo, riza una pequeña testa ornada de collares. Parece como si esa esfinge equina lo fuera a liberar de la emboscada, pero se sitúa entre una fuente y la magia de una copa equilibrada en la parábola de su cola. En la tumba de Francesca Giustiniani, la testa de dos tiernos caballos se empeña en representar como una primavera inversa. En el Sarcófago de las amazonas, la cuadriga de las furias lucha con los guerreros para incorporar de nuevo los muertos a lo renaciente. Se espera al muerto, el caballo lo dejará en nuestra puerta, es decir, su imagen oblicua. Cobra entonces existencia y gravedad la expresión, plena como una situación o nexos simbólicos, *lo dejado en la puerta*.

El caballo arrastra, colgado a su cola, el muerto. En los sepulcros etruscos el caballo realiza la marcha inversa, trae al visitante, si éste se esfuma, toca con los cascos en la puerta. Como los caballos, que aparecen en *La Ilíada* hablando con Aquiles, parece decirnos: «He cumplimentado el mandato, si el tripulante ha desaparecido, mi responsabilidad cesa al tocar en su puerta, sin la carga, pero con mi realidad; dígale a Francesca Giustiniani, que es una alta dama muy exigente, que por mi parte yo he cumplido su encargo». Su itinerario ha sido sagrado y sutil. Viene de lo irreal, cobra su realidad golpeando con sus cascos en nuestra puerta, y nos obliga a retransmitir su cumplimiento a la irrealidad originaria. Se ha cumplido un doble círculo, de lo irreal a lo real y de la gravedad a la imagen. De los muertos al rizado caballo etrusco, del caballo al hombre, y del hombre otra vez a los muertos. El grano de mandrágora en la boca del viviente lo irrealiza, en la boca de los muertos los gravita, les da realidad, por eso las infusiones tribales recaen tanto sobre el intermediario, como en el ritual órfico, que sobre el acudido inexistente. En el viviente, levita; en los muertos, gravita. He ahí una poderosa y titánica refracción, quizá la más grande de las conocidas. Secuencias de irrealidad y levitación, en la línea de los vivientes a los muertos; secuencias de realidad y gravitación en la otra línea, la seguida por los caballos etruscos, de los muertos a los vivientes. He ahí también en el mundo de los muertos, el cumplimiento de la sobreabundancia. Lo irreal, inexistente, al cobrar la más inesperada de las transfiguraciones por el más de irrealidad, el más de inexistencia, comienza a evaporar, a cumplimentar. Gravitación del cuerpo inexistente, a la que se llega por la refracción en dos cámaras, en dos adensamientos, cópulas de dioses con semillas, y que nos devuelven la imagen oblicua cuando el caballo golpea nuestra puerta.

El perro apaleado, según la satisfacción de los alquimistas, trabaja sobre las raíces, con mandrágoras para recibir la intensidad del perro muerto apaleado. He ahí la doble refracción logrando el Uno de la intensidad. El perro apaleado transmite a las raíces con mandrágoras su alma, mientras la del ahorcado desciende a las raíces. Imaginar esas raíces, cerca de un río, con lenguas de conchas y arena con saliva cristalizada, que tropiezan con un cuarzo, y mientras se despeinan en la refracción, se obligan a retroceder con reojo... Secretos del hilozoísmo adquiridos en una dimensión imposible, donde el caballo tripulado por el inexistente o el perro apaleado extrayendo en ese momento el secreto de las raíces, vienen a situar al hombre como una metáfora diamantina, cenital, único absoluto momentáneamente gobernado entre los imposibles. ¿Existe la causalidad hilozoísta capaz de crear la metáfora, o por el contrario, ésta como signo unitivo puede aclarar uno de sus extremos, mientras el otro se sumerge como un pez en la refracción anteriormente desconocida?

La boca de la rana parece hecha para parir otro cuerpo distinto en otra refracción, el aliento del buey para mantener en el aire el templo. Los santos que mantienen en sus manos pequeñas iglesias, parecen como si las recostasen en el aliento del buey. Pero la rana desconoce su virtud de parimiento en el hechizo, como el buey desconoce esa escalera que regala la ascensión. Ningún ser puede igualar al portador de la dignidad de la metáfora, que posee la varilla seca que florece de pronto al lado del agua que comienza su despertar. Que es como el rayo que une las dos refracciones en las dos cámaras distintas. Su presencia entre dos adensamientos que se desconocen, logra desde el secreto ente de penetración hasta las épocas imprescindibles para aclarar hechizos de regiones desconocidas, extraños mundos saturninos, donde el hombre justifica la hostilidad que lo devora.

Ese mundo igual y contrario ha tenido cifras vivientes. Extraños visitantes que podían fiarse tanto de su figura como de su inexistencia. Podían soñar o abandonarse, ordenar o enmudecer, sin perder el contorno de su arquetipo. Constituyen la marca viviente sobre lo homogéneo, que así llega a constituirse en el espíritu de lo homogéneo, el señor de lo semejante. Hazañas silenciosas, cargas de caballería por debajo del mar, que permiten por el súbito hacerse visible en las dos refracciones. La máscara de lo sagrado evita en esas situaciones la corrupción de la indiferencia o la soberanía ante lo insuficiente. El sueño o la suspensión continúan operando como el propio sujeto que se ejercita visible. Es Goethe recibiendo una comisión de mineros que creen que ha alcanzado la piedra filosofal o la heráclea. Su omnicomprensión, las pruebas de su cortés titanismo, podrán resolver las desazones de aquel trabajo subterráneo. ¿Qué sucede? Goethe enmudece ante la comisión de mineros. Se esperaba el verbo y reaparece el silencio, ¿es la fea inexpresividad? Nada de eso, los mineros continúan encantados ante aquel discurso sin palabras. El tiempo pasa y la comisión continúa en su redondel. Hazaña superada por su gran contemporáneo. Se reitera en el silencio por el sueño, aparece y se pierde de nuevo, retoma el hilo y lo abandona a la orilla del río con una piedra encima. Mientras tanto se adormece. Napoleón preside su consejo de ministros. Acostumbra a quedarse dormido. Se lo dice al que está a su lado. Comienza su letal excursión. Los ministros continúan sus objeciones y secretos. Después, reaparece, preside de nuevo. Está ya flotando. Ha logrado su semanal batalla victorioso. Los que estaban a su lado ¿precisaban aquel silencio y el sueño? La línea que separaba la irrealidad de la gravitación ha sido perforada y la unidad metafórica ha reconstruido, con elaborada y secreta rapidez, los puentes de nuevo.

He aquí una dimensión en la que el alcabalero, el cobrador de cuentas, vuelve de nuevo a mostrar su inexorabilidad. En aquel versículo en que San Mateo establece la equivalencia en esa línea de la doble refracción, de la sobreabundancia y el absoluto de la creencia y en la que aparecen los dones igualados y predispuestos a ser acrecidos en forma terrible. Pues en realidad la sobreabundancia señorea misteriosa en la cornucopia y en el sacrificio. Dice el cuchillo del alcabalero: «A cualquiera que tuviese, le será dado y tendrá más; y al que no tuviese, aun lo que tiene le será quitado». Es decir, en la abundancia y en la carencia, puede sobrevivir el más, trágico y sin tregua. Aún te será dado más, aún te será quitado lo que tienes. Nadie conténtese con el exceso ni con la poquedad, ni aun el total arrasamiento. Ambos pueden ser culpables y rotar hacia su total anegamiento. El texto del alcabalero tiene que esperar una epístola paulina, donde va a refractarse su complementario. Ya en algún momento lo hemos esbozado, conseguido el contrapunto de la unanimidad es lo mismo cristales brasileros que cuchillos de obsidiana. En ese vasto tejido se igualan la indiferencia del que come y el que no come, porque Dios es el que levanta, el que afirma, el que iguala todos los días. «El que no come por fe, el que hace diferencias es el culpable.» (3, 4, 5, 6 y 23, capítulo XIV, *Epístola a los romanos*.) La sustancia de lo inexistente, la vieja y no superada definición de la fe, sigue sosteniendo y apoyando, soplando y arrasando. Luego, para el católico lo inexistente no sólo tiene una gravitación, sino forma inclusive una sustancia, una superación del mundo griego y sensorial, lo inexistente sustantivo, es el desarrollo, sin metamorfosis, por la fe. Es tan trágico querer ser más rico, como querer ser más pobre. Hay el nuevo rico y el nuevo pobre, enjambre de detestos. El rey que abandona el castillo bajo la escarcha y el siervo que abandona sus cosechas ante las hordas, tienen un misterio, saben que tienen que concurrir. En la huida, que es un penetrar, un ahondar en lo desconocido, que es el más espléndido relieve de la unanimidad, se encarnan la metáfora del Uno-Monarca y se funde la imagen de la diversidad del siervo.

Nadie recibe los dones para no huir, para no hacer visible la sobreabundancia o la carencia. «Nadie enciende una candela en un sótano.» Aquí sótano es lugar escondido. Los versículos privativos o negativos, llevados a esta solución visible del *ethos* de la poesía, en su doble refracción, a medida que se hacen más terminantemente negativos cobran una gravitación inversa. Llegan por la negación al posible y por el posible a la gravitación de lo inexistente. Cuando en un versículo se dice como al desgaire, en pasmo innegable de afirmación, «a nadie que pide un pescado se le da una serpiente», reaparece en esa doble refracción, que en su *terateia* o maravilla para los griegos, en su tranquila verificación en la poesía como total gravitación, como si el reverso de ese mundo donde petición de pescado no equivale a serpiente, fuese precisamente esa constante sustitución, casi invisible, de pescado de serpiente. Bastan unos toques ligeros de invisibles causalidades para establecer la gravitación de ese posible. Es decir, pez, flecha de los líquidos; flecha, serpientes de los aires. Para que aparezca ese mundo de la *poiesis*, donde transcurre con armónica fluidez, que la petición de pescado inicia el otorgamiento de serpientes. Por eso, en los grandes momentos hegelianos del idealismo, la negatividad fue el soporte de lo absoluto. En cuanto al versículo dice *nadie*, el reverso es *muchedumbre*, y encuentra en su misma negatividad su gravitante. Al afirmar la imposibilidad de una candela inaugurada en su sótano, lo único que nos acoge y convida es el San Telmo de los velámenes subterráneos. Apenas oído el dictado de la candela que no se puede encender en el sótano, nos encontramos con Sonia, la prostituta eslava, en un sótano, con la candela de una vela encendida, leyendo a San Pablo. Parece decirnos: mi irrealidad, afirmada en un versículo de San Mateo, comienza a existir amarrada a un versículo de San Pablo. Sólo existo al leer, sólo puedo encender una candela para acercarme a un texto de San Pablo. ¿Intentaba el profetismo dostoyevskiano entreabrir una situación que pudiera ir más allá del versículo de San Mateo? Raskolnikov se quiere acoger a la doble moral para destruir. Sonia, la supermujer, la virgen, pues aún su espíritu está intocado, que se apega aún más a lo imposible de su absolutez, se autodestruye para crear. ¿Ha descendido, ha arremolinado la candela, ha intentado oponer un texto de San Pablo a otro de San Mateo, para sonreírse superficialmente en las contradicciones? Raskolnikov necesita hacerse visible, sabe Raskolnikov que se parece a Raskolnikov, adquiere su relieve por la destrucción, signos todos de un *ethos* sin misterio, de una conducta planificada y frívola. Pero lo que destruimos sabemos que nos es inferior, mientras que lo que nos destruye nos vuelve creadores en la huida. La aparente inermidad de Sonia desconcierta a Raskolnikov. Se presenta con la máscara de la más insuperable de las inferioridades, pero Raskolnikov tiene que adivinar cómo lo supera totalmente. La escena de Dostoyevski parece no contestar al pasaje de San Mateo sobre la candela en el sótano, sino al cuchillo terrible del alcabalero, el cejijunto intratable cobrador de cuentas. Raskolnikov se cree habitado por los dones, su aparente sobreabundancia demoníaca se autoriza para destruir, pero en el fondo lo que lo pierde es un error interpretativo de su propia persona, pues está congelado sin el más de la sobreabundancia que lo llevaría a destruirse. Su acción para destruir marcha con facilidad, frívolamente casi, mientras que su reacción, donde hubiese conseguido ese más de la sobreabundancia exigido por el alcabalero, para el renunciamiento es esquivo y superficial. Su sobreabundancia no alcanza la plenitud del orden de la caridad. Ha tenido que golpear sus sentidos, rescatándolos, en la destrucción, en el ente concupiscible. Sonia, en la aparente carencia de los dones, decide aprovechar su destrucción, agrandándola al máximo de su compás para salvar a Raskolnikov. Al intentarlo parece como si el poco que le fue otorgado descendiese aún más; decide volver creador su renunciamiento. Si Raskolnikov se acerca a Sonia es porque se cree perdido; Sonia decide aumentar su carencia, recibe la gracia en su renunciamiento al intentar volver a Raskolnikov. Éste, en la sobreabundancia, decide destruir, y es ahí donde se verifica su congeladura, pues no aclara la sobreabundancia en el acto de caridad; Sonia, por el contrario, en la carencia, decide aumentar el poco que le fue dado, es decir, perderlo todo, unirse al que destruye, destruyéndose, y logra el prodigio de su *ascendit*, de su virginidad. *Charitas omnia credit*, la caridad todo lo cree, el acercamiento de Sonia a Raskolnikov, el que destruye destruyéndose, la lleva al pleno del ordenamiento de la caridad, en esa última región sólo le queda amarrarse al texto paulino de la resurrección, que es el pleno de la imagen. Uno, Raskolnikov, vive en el temor de desconocerse, como la otra está en la pureza, en el intangible que se aleja.

El poeta como guardián de la sustancia de lo inexistente como *posibiliter*. No como en el mundo griego donde se corporaliza la nada del ser como ser la nada, por eso no necesitó la formulación del cero, sino la del no ser parmenídeo. La total superación del mundo antiguo, donde el versículo de San Mateo, la candela en el sótano no necesita refractarse en el más, en la sobreabundancia del don y de la carencia, sino que llega a alcanzar la total grandeza paulina de la sustancia inexistente, de la sustancia de lo inexistente. Por eso el poeta vive más en el mundo etrusco del nacimiento del fuego, de la permanencia del guardián, del monarca como supremo sacerdote, de la precisión de la corriente que el caballo etrusco resuelve como portador de las sombras. Sólo ha podido habitar la imagen histórica, tres mundos: el etrusco, el católico y el ordenamiento feudal carolingio, pero es innegable que la gran plenitud de la poesía corresponde al período católico, con sus dos grandes temas, donde está la raíz de toda gran poesía: la gravitación metafórica de la sustancia de lo inexistente, y la más grande imagen que tal vez pueda existir, la resurrección. El poeta es en esta concepción el guardián de las tres grandes eficacias o temeridades concebidas por el hombre: la conversión de lo inorgánico en viviente, de la sustancia en espíritu, por la penetración del aliento del oficiante, acto naciente de transustanciación, superación del acto naciente aristotélico en puro Nacimiento; lo inexistente hipostasiado en sustancia, y la exigencia total ganada por la sobreabundancia en la resurrección.

Al llegar el poeta a constituirse en guardián del inexistente sustantivo, la poesía tenía que gravitar como el testimonio de la sentencia que iba a ceñir la nueva sustancia. La preocupación paulina de sentirse deudor, «a griegos y a romanos, a antiguos y modernos», lo llevaría a las más temerarias decisiones. Hombre el más dotado de sentido crítico del primer mundo católico, se daba cuenta de las nuevas temeridades que había que encarar en nuevas aventuras. En los siglos I y II, a. de J. C., se había logrado en el estoicismo y el epicureísmo una síntesis del mundo oriental y el occidental, y la Diana de Éfeso parecía querer multiplicarse en senos serpientes como la diosa Siva. San Pablo intuye que hay que ir más allá de esa síntesis, y lanza su sustancia de lo inexistente, inconcebible para el mundo griego. En ese mundo paulino la sustancia, la enemiga feliz de toda síntesis. Al rotar la sustancia inexistente como posible, la poesía es siempre el resurgimiento del verbo. El poeta es el primero que intuye la cobarde cercanía de la síntesis, que hay que abandonarse al nuevo corpúsculo de irradiaciones. Los grandes morfólogos del XVIII, principalmente Goethe, se adormecieron y encandilaron en el disfrute de la síntesis que habían allegado, y cuando vemos que se equivocaban, como en su divertido hueso lingual, afincado en su creencia de que la flexibilidad, la ondulación y la prolongación, tenían que mantenerse ceñidos por una energía resistente, en este caso ósea, nos damos cuenta que su morfología se apoyaba en síntesis causales de lo inorgánico y de lo viviente (su gracioso: los huesos del cuello de la tortuga son semejantes a los del rinoceronte), no en la sustancia inexistente, en el absoluto de la nueva sustancia.

Si por el aliento el cuerpo toca en un punto con lo invisible, al lograr la sustancia de lo inexistente su expresión en la sentencia poética, parece como si por los ojos nos colgáramos de un punto. La nueva sustancia es la plenitud temporal. La sentencia se encajaba en la piedra con la intención de marcar una flecha, de iniciar una conversación con el viajero sucesivo. Para evaporarla de nuevo, desde la flauta órfica hasta los perdidos acompañamientos de Píndaro, los musicales conjuros hilozoístas producían las fascinaciones capaces de engendrar su desprendimiento. La poesía aparecía entonces como una sustancia irradiante, la *aporroia* de los griegos, que el número del ritmo provocaba. Al final de las alabanzas del cuerpo vencedor, en los himnos pindáricos o en las somnolientas embriagueces de algunos finales de diálogos platónicos, irrumpían los tañedores de laúd. Por la obligación de esos imperiosos acompañamientos, al finalizar el periodo órfico, la poesía, ansiosa de sustantivarse, tuvo que acudir a la nueva unidad que le ofrecían los dioses, los reyes, los pueblos, estos últimos en su dualidad de guerreros y de celebrantes, es decir, a la aparición de los mitos y los destinos. La poesía apareció entonces como el roble de lo sagrado ancestral. Era como la ciudad, en la lejanía del tiempo, donde los dioses se incrustaban en las batallas y parecían celebrar un largo tumulto que se arrastraba desde los comienzos. Era la historia de las opulentas figuras peleidas o de los suculentos destinos, que pasaban conversando o gimiendo por los Campos Elíseos.

En el periodo dialéctico, el odio en la *polis* contra el *daimon* socrático, hizo que la nueva *doxa* no lograse sustituir a cabalidad el periodo mítico. En Sócrates hay siempre como la embriaguez de querer rescatar su persona por medio de su *daimon* y como un preludio de querer marchar desde el Uno hasta la persona. Si por los mitos, los dioses se irritaban con la felicidad de los mortales, pero al menos, se interesaban por sus destinos; en la nueva *doxa*, la *poiesis* se extinguía —el *daimon* individual reemplazando al hechicero hereditario, al rendirse lo délfico al destino individual liberado de la *polis*—. Al destruir la dialéctica los hechizos de Orfeo y el periodo mítico, lo délfico mantuvo extrañas complacencias socráticas, colocando la sabiduría a la medida de los efímeros y aconsejando la proporción adecuada entre el saber y los recuerdos.

Al llegar el paréntesis octaviano, cuando el romano aumentó las evaporaciones de su sustancia para ensancharse en lo histórico, la poesía lucreciana, en la tenebrosa fascinación de la lluvia de estrellas, en la enigmática devoración de los torbellinos, o en el pueblo aglomerado en el templo para morir, no podía evitar que las espirales de átomos trazaran sus garabatos en la llorona escenografía de la nada. Era ése el momento para lanzar la sustancia de lo inexistente y que la sentencia poética fuese la encargada de apoderarse de la nueva sustancia. La sentencia poética no necesitaba ya del relieve en la piedra, ni de los acompañamientos del compás, ni la alabanza reinaría indivisible en sus tronos de orgullo. La poesía podía alcanzar la plenitud de la doble refracción, de las series causales suprasensoriales pero regidas por la identidad de su gravitación. La poesía no tenía que ser ya el guardián de la energía y el fuego, como en el periodo etrusco. El análogo griego no sólo iba a ser superado, sino que ofrecería su fascinación otra desconocida sustanciación. La misma ausencia no necesitaba de los caminos inversos de los caballos etruscos, sino que estaba como en acecho, en prodigiosa gravidez, para el deslumbramiento de la resurrección. La poesía quedaba como en inexorable audición para lo inexistente, para la nueva sustancia plenaria y aun para la resurrección.

Podría aludirse a las resonancias históricas de la poesía en las eras que ha recorrido, pues en realidad, como me he esforzado en demostrar, han existido momentos en la historia regidos por esa creación invisible, por esa magia soterrada, por esa indetenible correlación de los hechizos y los milagros, que tenemos que llamar poesía. Tres de esos momentos fueron el sitio de Ilión, el periodo etrusco y el católico. Numa introdujo, en ese periodo etrusco, una innovación radical, las diosas podían engendrar con los reyes, como las cariciosas aventuras del mismo Numa con la ninfa llamada la Tácita o la Silenciosa. No como en la época de los mitos más primitivos, donde los dioses sólo podían engendrar en la cámara de la reina con la hieródula o semilla. Pero no sólo en ese periodo etrusco, en el momento de Numa, la creación se elevó a la infinitud, sino que se creó el pontífice, el *potens*, con la enorme fuerza del condicional *si es posible* (que tal vez pasa al *virgo potens*, al alumbramiento en la infinita posibilidad). En ese otro mundo católico se va mucho más allá del análogo prodigioso y del potencial infinito. El asombro ocurre en el guardián de esa sustancia de creación infinita e inexistente, en la poesía, en la prescindencia de todo diálogo carnal en lo maravilloso, y en el rotar de esa sustancia inexistente que lleva su posibilidad del sacerdote al pueblo de Dios. No es sólo la resurrección de un dios, del *virgo potens*, sino de todo el pueblo en la unanimidad, el que prepara su resurrección en la imagen como geometría del pensamiento de Dios.

El *ethos* de la poesía fue un ideal dórico. Los hombres emparentados con los dioses exhalaban y motivaban el canto. La poesía fue para esa nobleza una justificación de su *areteia*, de su clase, de su superioridad, de sus bellos gastos en la inmolación. Fue también un testimonio de esa potencialidad distinguida para la inmolación. De aquí parte la concepción del poeta como la esencia de la *clasis*, el mejor de los mejores, el privilegiado, el que habla por el coro y aquel por quien el coro espera para contestar airado a los destinos. Pero lo era en cuanto clase, en cuanto se esperaba de él la inmolación y la tenaz vigilancia. Al desaparecer lo mítico y las aventuras de Orfeo, al descender lo délfico al nivel del individual orgullo y de la razón exacerbada ante sus propios impedimentos, la poesía se ganaba el perplejo y una como tumultuosa indecisión. Para resistir el telar de las parcas o el laberinto de los destinos, para encolerizar a los dioses con sus temeridades, como una integración de esa manera dórica, los griegos lograron establecer una nobleza fundamentada en sus hereditarios juramentos para la inmolación. Exangües en sus mitos, en las cercanas decisiones de lo délfico, en la era socrática, el griego comenzó por llevar la poesía a la *arateia* o culminación de la nobleza. Su sabiduría, su conocimiento por la poesía, es por la sangre, sólo puede poetizar aquel a quien la sangre le ha dado rica sabiduría. En el *Gorgias*, lo que se discute si puede ser heredado es la virtud, la ejemplaridad de la conducta, pero no se contempla la nobleza dórica, que conoce y poetiza por la sangre, pues ya en el periodo socrático la nobleza pareció convertirse en la beneficiaria de los dones regalados, y no como en el periodo dórico, de los obligados al sacrificio, de los primeros en la inmolación. La idea de que los dioses sólo se calman por el sacrificio de los mejores, de que es necesario alimentar la *némesis* de los dioses con los manjares humanos más misteriosos, fue lo que mantuvo a esa nobleza en el sentido de los escogidos para el sacrificio. El intento de Tebas, de unirse con los persas, fue superado en sus inenarrables consecuencias, por el sacrificio de la nobleza tebana. Hecho que bastaría para asegurarnos la desaparición de la nobleza en nuestra época, pues quién, qué clase, en presencia de la frecuencia de nuestros errores, en el mundo contemporáneo, sería capaz de llenar con su inmolación esa extinción de la antigua sustancia aristotélica, del viejo corpúsculo de los epicúreos del retorno sin fin. La relación de la verdadera aristocracia en la *polis*, el convencimiento de que el error de cualquiera obliga al sacrificio de uno de los mejores, es típica de este momento en que el instrumento, las vicisitudes, se vuelven contra sí mismo, en el demoníaco espejo de su identidad. Perdido en el subterráneo, no le interesa liberarse en la participación del diálogo o de la carnalidad, sino escarbar con frenesí en su propio hundimiento como dimensión única.

Los restos perdidos de aquella integración dórica, de aquella nobleza tebana, sólo reaparecen en nuestra época marcados por la lejanía del terror. En la *polis* se respetaba una clase de la que se esperaba que en los momentos de peligro ocupara un lugar de juramentos y de muerte. Era consecuente que el pueblo no pudiera identificar al heredero de aquella clase cuya sola potencia era su obligación para desaparecer cuando pasaba con la máscara, inesperado sobreviviente, de la poesía. Con esos sagrados atributos la poesía se alejaba por el terror, siendo su historia gemebunda la apetencia por acompañarse de otros participantes en la fuente de su oscuridad y de su incontrovertible gravitación. Baudelaire, Rimbaud o Martí, parecían como si anduvieran en acecho en medio de las ruinas, o se acercaran, con las precauciones de quien tiene que aislar el ramaje del silencio, a la casa sumergida. En las últimas líneas de Martí, en el acudimiento a la cita donde se le prepara un final a la suntuosa y sombría manera etrusca, parece como si para acompañar la galopada, en lo que fija para cada día, le siguieran los enigmáticos deshielos, la turbamulta girona sin imanes: la frase que se afina para rechazar por la varonía, las leyes del agradecimiento, «el bello mozo de pierna larga y suelta», la sortija, el caballo moro, los pañuelos de cuadros azules, la mesa coja, los polvos del asma, las seis matas de flores, las ceibas inicialadas de balas, los presagios donde se mezclan las lanzas y las estrellas, la miel de limón para las pócimas, los retratos de Goethe, las antologías griegas, el barbero guapetón, la cuarteta con la ordenanza para el amor, los proverbios haitianos donde se ríen los perros de la sabiduría napoleónica, siguen su capa y su corcel como endemoniadas abejas que le hundiesen un clavo. El paredón de la ceiba va descorriendo sus planchas para hincar la gárgola de los destinos. En la historia de la gravitación por la imagen, cuando decimos el diario de José Martí, el único equivalente que se le puede encontrar es «la casa de los duques». El espacio ha sido hechizado, se le ha hecho hablar a una dimensión, a una cantidad de paisaje. «Vio, dice Cervantes, que eran cazadores de altanería, los que rodaban en la introducción de la casa de los duques», es decir, que el fragmento del encantamiento existía antes de la asombrada llegada del más original de los castellanos. Pero Martí llega como en el acecho silencioso de la sobrevivencia a la casa que lo espera, aunque está vacía, y que después se cierra, ya no espera a nadie más. A pesar de su asombro minucioso, narra las vicisitudes de la fundación, que le pide que penetre, que le ruega, como un mandoble de la costumbre, que pase y ponga su sombrero en los candelabros del antílope. Anota, «hay una casa como pompeyana, mas sin color, de un piso corrido, bien levantado sobre el suelo, con las cinco puertas de ancho marco tallado, al espacio colgadizo, y la entrada a un recodo, por la verja rica, que de un lado lleva por la escalinata a todo el frente, y del fondo, por una puerta de agraciado medio punto, lleva al jardín de rosas y cayucos: el cayuco es el cactus —las columnas blancas y finas, del portal, sustentan el friso, combo y airoso—». Parece entonces irse apoderando de la visión que le entregará las equivalencias y los prodigios de las leyes secretas de la imaginación, el rotar de la sustancia de lo inexistente, y corporaliza la gravitación de que veinte años de ausencia equivalen, en esa sagrada sustancia de lo inexistente, a un remolino en la muerte, de la misma manera que un artesano de orquéstica precisa que una trompeta equivale o suena como veinte violines. Los recuerdos de esos diarios nos sorprenden, como si Martí buscase también en él mismo una equivalencia donde lo sagrado, su misterio como *potens*, engendrador de lo posible, tuviese un asidero risueño, una compañía de paso matinal, pues parece intuir que como eco de la nobleza sagrada de la inmolación, que es la etruria que ya señalé en Góngora, no podrá ser descifrado. Por eso, después de describirnos la casa pompeyana, donde vemos con terror su penetración en la casa sumergida, alude a los gigantes y andrajos del festeo, y nos trae con gracia una comprobación tranquilizadora cuando nos previene: *el gigante trae la corbata en las manos.*

La *areteia* —el destino y la sabiduría por la sangre—, tenía que aparecer enemistada con la *aristia*, aún en el remolino la protección de Pallas Atenea. Aunque esta última tuviese su aparición deslumbradora en el Canto V de *La Odisea*, la *aristia* de Diomedes, a quien los dioses favorecen con la invisibilidad y la huida, es en la poesía de Baudelaire, liberada de la fatalidad de la sabiduría por la sangre, donde reaparece la nueva *aristia*, donde destino por clase para la inmolación está sustituido por gracia de la persona en la participación, y conocimiento no es sabiduría que sonríe, acaricia y jerarquiza, sino penetración de la hostilidad que nos sustituye al llegar a la ciudad sumergida y a la confluencia de los destinos. En Baudelaire, el triunfo de la *aristia* comenzó a ser definitivo, y las categorías del conocimiento y los grados de la gracia comenzaron a rotar en el dado. Con él la poesía entró en un torneo desesperado, que reproducía en asordinados ecos el lucreciano fin del mundo antiguo, cuando la *terateia* de la lluvia de estrellas se convirtió en la combinatoria finita del corpúsculo. La poesía como fiesta de la inteligencia, según la expresión de Valéry, o como la danza del intelecto entre las palabras, según la de Pound, quizá sea como las extremas posiciones de la poesía en contra de la *areteia*, o destino como clase. Pero nos sonreímos un tanto al precisar que las palabras que emplean, para combatir la *areteia* en la poesía, como fiesta y danza, aparecen fatalmente en el cortejo de los llamados a la inmolación, en las ceremonias de la estación y en los conjuros. Con Baudelaire la poesía pasó de un destino como clase sacerdotal a un castigo o maldición en la persona, a un suplicio en la lentitud de las aproximaciones, a la infinitud de la ausencia. Había logrado una síntesis rendida en el corpúsculo donde conocimiento sensorial se mostraba indivisible. Ruina de una sustancia de la que había querido huir siempre Goethe, buscando paradojalmente las series de lo orgánico, la naturaleza por encima del yo, prefiriendo olvidar que en la cultura el yo se hace naturaleza por el crecimiento, y que el imperativo kantiano se hace también naturaleza por la universalidad de la aceptación. Prefirió no adentrarse en esa región última de la poesía, donde decir brizna de hierba equivale a decir respira arena o pensamiento sutil, tal vez como en la pintura japonesa, donde si se pinta un bambú hay que acompañar la composición de un tigre; si a un pino, con una cigüeña.

Había caracterizado a la *aristia* la penetración de la ajena hostilidad y las vastas dimensiones que había entrevisto, que tenían que apoyarse por la propia necesidad de su identidad en un germen de creación. Pues en esas misteriosas leyes de la imaginación, que constituyen el no disimulado designio de mi faena de esta noche, la dimensión crea el árbol, de la misma manera que los conejos polares están marcados por un lunar para no desaparecer totalmente en el sentido dictado por la nieve. El crecimiento vertical del árbol, que le regala la leonardesca perspectiva área y la inmovilidad, le obliga el sumergimiento de sus raíces para buscar la fugitividad de la dimensión enemiga y el agua... De la misma manera que si aislamos el risueño y maliciosamente ingenuo ojo del camello, gravita sobre nosotros como una metáfora que rota para unir las enemistades, para precisar que el ángel juega con el pestañeo del camello, o que los ángeles ponen sus monturas en la deliciosa cabeza de la jirafa. Pero detengámonos, no asustemos a los que siguen trazando círculos en el desierto... En esas indetenibles, vastas, indescifrables dimensiones, el hombre logró establecer como fortines o avanzadas de sustituciones y reconocimientos, dobles refracciones de equivalencia, que parecían regalarle una gravitación a esa sustancia de lo inexistente. Los agrupamientos verbales, convertidos en órganos por la cotidianidad de su marcha, por la servidumbre que les daba a los abrillantados metales de la obligación o castigo, asegurando una cantidad suficiente verbal que dictaba órdenes sobre los cuerpos o las máquinas, en tal forma que reobraban vivientes sobre el ejecutor como expiación o desaforada alegría. Al oír, con el acostumbrado oído de todos los días, «el tambor rotativo de menciones», o «los cambios por cuartos y las menciones sucesivas», llegaban a convertirse en entidades liberadas de sus particulares aplicaciones o de la ceguedad de sus costumbres, para irrumpir sustantivadas en la hostilidad que nos reta. Semejante a esos señalamientos de los campesinos, que no desprenden del oficio costumbroso del cotidiano risueño castigo, sino de la propia naturaleza obligada a precisiones y a donarnos puntos de partida. Donde el tratamiento naturalizado, mete violentamente a la naturaleza en la dimensión, precisando el extremo quedado en claroscuro. «La legua paría», dicen para animar una sobredistancia imprecisa, o «doble al llegar a la pinta de la guayaba», para apoyar en fruta y color las indecisiones de un itinerario. Y aun raspando en el sueño, en las desiguales interpolaciones hechas sucesivas, dejándonos, como a là vuelta de una marea, los amalgamados restos de un naufragio indescifrable. A pesar de esos impedimentos titánicos, como cuando avanzamos rodeados de rechazos muy corpulentos, lograban reunirse ecos verbales y restos desaparecidos, como si los propios milenios pudieran ofrecer la superficie donde se cumplimentarían esas batallas. «La caja de lápices enterrada será roída por el manjuarí», como si al descender en lo oscuro la caja de pintorroteos infantiles, el vigilante espinazo, el bastón de osteína, lo fuera royendo con afán de detenerlo y de marcarlo. «Excúseme, no le regale la bolsa de sangre», como si en el mismo sueño tratásemos de llegar a un tercero cuya banalidad e indiferencia parece hacerlo aún más inexorable, en el convencimiento secreto en que estamos de que esa inútil regalía, más inútil aún por su banalidad, le fuera necesario, imprescindible casi, a ese tercero, para el logro de su trágico despilfarro, que podemos inutilizar cerrándolo para la obtención de esas insignificancias en clave.

Esa concurrencia en el punto metafórico entre las gravitantes leyes de la imaginación y las levitantes leyes de las costumbres, produce en la sentencia poética una claridad de encuentro inverso, como si coincidiesen en la casa sumergida el tapicero y el tapiz volador, el califa en la momentánea pérdida de la cabalgata venatoria. Para hacer una experiencia térmica, el canciller Bacon destruye una gallina y la cubre de hielo granizado, días más tarde recibe una divinidad, la pulmonía, que lo rinde. Fulminante causalidad rendida por la imagen del hielo, por lo semejante de la crueldad, es decir, el canciller objeto él mismo de experiencias por un demiurgo. Shakespeare, en su oficio de barbero, se afina sus mostachos, con esa arrogancia de quien puede prescindir de los demás, mientras los otros le acuden, el relato truena, se interrumpe, el aburrido lee, muestra como escenografía su tedio y su lectura, bosteza, lombriz oscura, ternera de diorita irreconciliable suspira en el atrio napolitano, se desliza una carta. El barbero, con clara de huevo, dibuja en el espejo una flecha resbalando por la hoja del puñal, que graba: suspiro por la vaina. Desaparece, y lo detenemos de nuevo, ahora es el taquillero, los indomeñables escándalos de la barbería han sido rebanados, desfilan frente a él, en teoría, uno tras otro, les ve el rostro, relámpago como un árbol enano de Bagdad creciendo en el instante, ya es otro. Después, es el caballerizo, el potro llega domado. Se acostumbra a resguardar, mientras el otro desaparece, una pieza querida, un caballo consejero. Mientras lo cuida es suyo, su voluptuosidad trabaja sobre lo que pronto va a descender a lo oscuro. Su rapto es silencioso, su éxtasis abraza la pieza cuyo extremo está momentáneamente oculto. Graba su sentencia: «si la esencia destilada por el verano no sobreviviese como líquido prisionero cautiva en muros de cristal...» Cuando habla de esa esencia destilada por el verano, observamos al silencioso penetrador de la barbería, el rostro fijado frente al taquillero, y a la momentánea amistad del equino con aquel que en un relámpago lo embrida. Y enfrente, creando exquisitas y potentes categorías poéticas, el líquido prisionero, encristalado, el asiento del recién venido frente al relato rijoso y espejeante del barbero, el rostro anonadado en la incesante teoría del taquillero, y el visitador de la cámara de los hechizos que rebanó el posible espanto del caballo ante el secuestro instantáneo del caballerizo... Ahí también Jean Racine, como un solemne y pascalino tabernero, se ejercita en la destilación y el veneno... «Sabrá un día que yo debí darle un veneno y que vos mismo habéis mandado a destilarlo.» Parece en su lejanía solemne, que la persona agraviada se ha convertido en un dios, y que un mismo dios ha ordenado la destilación de su veneno, lográndose por el contrapunto de la ausencia y la minuciosa comprobación de la artesanía, un ejercicio intrigantillo de los dioses.

En esa región, que parece dilatarse para existir como participación metafórica, surgía muy poderosa, incontrovertible casi, la evaporación de la imagen, pues es innegable que en cada remolino donde el hombre participa como metáfora, surge en él, tanto por ascensión fáustica, como por súbito mágico, el deseo, lentamente trágico, enloquecedor, fascinante, de apoderarse de una totalidad a través de la poesía, como de otra conciencia palpatoria, donde el ciego vuelve a precisar, a reemplazar una metáfora de participación por la absurda totalidad de una imagen de ausencia. Surgía entonces en nosotros esa tendencia, de la que ha hablado Stendhal, con gran sorpresa para los stendhalianos, a «hacer teorías con las barajas de nuestra ignorancia», pues es innegable que al lograr la poesía un espacio hechizado, una cantidad mágica, lograba resistir o sustituir una causalidad, que regalaba una ópera doctrinal de las barajas, donde se jugaba la mujer ciega, la *matria* de los comienzos, pues una de las realezas de la poesía es que a la causalidad sucesiva de la metáfora sucede el cuerpo de la causalidad asociativa o contrapuntística, de la imagen. El hombre de hoy, por ese sistema poético, puede unir, por ejemplo, la copa equilibrada en la cola del caballo, que vimos en el sarcófago etrusco, con un accidente familiar, como un presagio, convertido por esa extensión de la poesía, en un relieve hierático, de la misma manera que un pescador primitivo asocia una discusión familiar con el fracaso de la siguiente pesca nocturna, creando para nosotros, sus espectadores cansados, la deslumbrante causalidad de una discusión submarina ante el malicioso asombro de los peces, que se resguardan. Bacon, el canciller misterioso, dejó una sentencia que Shakespeare disfrutó como un tiburón que rompe todas las redes. Decía: «La poesía es como el sueño de una doctrina», y Shakespeare habitó totalmente el prodigio de la extensión de una doctrina sumergida con el constante evaporar de una ensoñación no cristalizada. En realidad, en la expresión de Bacon, al disfrutar la palabra doctrina de la dichosa cercanía de la palabra sueño, se hacía equivalente doctrina a extensión de encantamiento, a dominio con féricos torreones de aviso, trazando el círculo de los conjuros donde el sueño se aposentaba como una evaporación que se igualaba al relente, al tegumento estofado que rodea a la hoja cuando la iguana interpone su soplo en los consejos del rocío.

Esas avanzadas que a través de los milenios han logrado fortuitas coincidencias, mágicas unidades, fulgurantes reconocimientos, tesoros rehechos y desaparecidos en el lomo del delfín del instante, gravitaciones de irrealidades que parecían reclamarnos, lentos y morosos crujimientos de la caparazón del quelonio al fuego, causalidad en las enemistades, fugas que coincidían con el caballo espantado, han formado siempre la nueva sustancia, asiento de la más temeraria y reconciliable poesía. Aquel viejo corpúsculo que aunaba la gracia y el conocimiento, las coincidencias estructuradas en las series causales, había comenzado a languidecer y a envejecer al sentirse reconocido y habitado, contemplando con sorpresa en nuestros días que su porosidad se quebranta al sentir la calcificación de sus elásticos. Pero la poesía tenía que volver por sus ancestrales atributos: el señalamiento de que el nuevo corpúsculo ha comenzado a girar. Y que su próxima finalidad será establecer la gravitación de esa sustancia de lo inexistente y que el poeta tiene que ser de nuevo el *potens* de los colegios sacerdotales etruscos: el engendrador de lo posible, el rotator de la unanimidad hacia la sustancia de lo inexistente.

Nos decidimos hacia un nuevo peligro, la grosera inmediatez de un desarrollo dialéctico en esas inmensas coordenadas centradas y aclaradas por la poesía, pues como al margen de esa prodigiosa sustancia que se avecina, nuestra época ofrece también una ominosa confluencia que lleva la poesía hacia la dialéctica, y está de nuevo hacia las fuentes de lo primigenio, pero el intento nuestro es un sistema poético, partiendo desde las mismas posibilidades de la poesía y no un desarrollo dialéctico. Es decir, la poesía partiendo de la metáfora como superadora, de la metamorfosis y de la *metancia* del mundo antiguo; de la imagen como proporción y nueva causalidad entre el hombre y lo desconocido; del hilozoísmo poético de la voz penetrando en la harina para sustantivarla; de las horas regladas o productividad del instante poético; de la duda hiperbólica, como superadora de la síntesis; de la diferencia entre corpúsculo y germen; de la resistencia del cuerpo de la poesía; de la sentencia poética como unidad de la doble refracción; de la dimensión o extensión como fuerza creadora, es decir, la energía en la extensión tiene que crear el árbol; del *posibiliter* infinito; de la nueva sustancia; de las nuevas leyes de la gravitación de la sustancia de lo inexistente; de la mayor exigencia conocida hecha a la imaginación del hombre; es decir, la resurrección; pueden rendirnos los ordenamientos del nuevo tiempo paradisíaco.

El afán requerido por el versículo, *todo lo que aprendí de mi padre os lo enseñé a vosotros*, de exigirlo, llevaba aún en la alabanza a reclamar una plomada de existir, y de existir en cuerpo, y en cuerpo para los sentidos. La prueba anselmiana buscaba un proceder inverso, pero que terminaba rindiendo también el conocimiento a la alabanza. Si la mayor realidad no es el pensamiento mayor, tendrá que ser otro pensamiento mayor. Si el pensamiento mayor no lograba crear una realidad, la posibilidad infinita de la sucesión del pensamiento mayor llegaba a crear la realidad. El argumento en que se barajaban San Agustín, San Anselmo, y Gaunilo, de la existencia o no de las Islas Perdidas, más allá de las Afortunadas, porque fueron concebidas por el *eidos*, porque fueron pensadas, negado por aquellos que no aceptan que el pensamiento pueda crear una realidad, pero que aceptan, lo que es más desafortunadamente monstruoso, que la realidad pueda crear un pensamiento, negándose a aceptar lo que ellos creen que es la primera absurdidad, pero afincándose sonriente en la aceptación de la segunda, es decir, la realidad creando su percepción, su nombre y su definición. Si el *eidos* anselmiano parecía al ponerse bajo la adoración de pólemos, que al ser negado fortalecía la razón profunda de su existencia, visto desde la *imago oblicua* cobraba una prodigiosa fuerza de creación. Nos permitía llegar a un punto, que si no va más allá de la prueba anselmiana, se hacía más evidente y misterioso. Es decir, todo lo que se puede imaginar gravita, o si queréis, el *posibiliter* de la *imago* tiene su gravitación en la nueva sustancia de lo inexistente, o también, todo lo que se pueda imaginar tiene análogo. ¿Y qué cosa puede ser ese análogo que rota hacia sus enemistades, sino el cuerpo del *eidos* y de la *imago*, que es su aleluya, en su tiempo paradisíaco, el cuerpo misterioso del hombre cuando atraviesa una región hechizada?

Esas ascensiones o claridades, en la marcha de lo real hacia la imagen, tenían forzosamente que despertar su contrasentido o contrarréplica en la inversa trayectoria de lo infuso hacia su gravitación, de la oscuridad primordial a la gracia suficiente, hasta la violenta penetración, como los sones en la piedra del periodo órfico, de la dormición en nuestros cuerpos. La *Deiparae dormitionem*, la dormición penetrando en la creación y en la muerte. En el mundo antiguo para producir la *oikonomía* o encarnación, fue necesario crear una causalidad en la gratitud entre el engendro con el oscuro y la sombra, el *ombravit*, en el acto del nacimiento, y la dormición como escudo frente a la muerte en la ascensión. La creación por lo oscuro y la ascensión por la dormición. Aun en el caso de la *Virgo Potens*, de la plenitud de las posibilidades, hubiera sido indescifrable la penetración del cuerpo en el tiempo paradisíaco sin el acto de la dominación. Pues la poesía logra siempre la perennidad de esa nueva sustancia, no tan solo con la penetración de esas devoradoras claridades desplegadas en una superficie de milenios, sino por esa reversión, fulgurante entrevisión, instante del relámpago en la piedra, de lo oscuro descensional y de la dormición. De esa manera, el poeta lleva también una candela al lugar escondido, pues ya lo oscuro y la dormición se han apoderado de él. En la dormición baja los peldaños hacia el sótano escondido y allí despierta la candela, hasta que llegue el que al huir se encontró con el caballo espantado.

El encuentro de ese hechizo configurado, de esas claridades surgidas en la mágica causalidad de la doble refracción, con la rápida dormición penetrando en el costado con sus escalas de crinaje de caballo, se verificaba en el espíritu de las batallas. Pues una suma de hechizos, de viciosas minuciosidades, del rapto de la dormición, ordena las batallas como formas de cultura y de poesía. El último de los grandes emperadores hablaba de «los pensamientos de la batalla», los que surgen en la madrugada, al lado del río, cuando todavía no se ha fijado la percepción. Horacio, que pasa desapercibido en la batalla de Farsalia, en la era de los presagios cesáreos, le rechaza un puesto de secretario de correspondencia al emperador Augusto. Julio César, como metáfora del Uno participando, cubría totalmente el espíritu de las batallas, y la contenciosa y horticultora poesía de Horacio tenía que pasar con su capote, gruñidora, en ese momento en que parecían resurgir los misterios etruscos del rey sacerdotal. Lucano, que no podía encontrarse en Farsalia, la convierte en el centro de su poesía coruscante, pero se burla de Nerón, recitando sus estrofas en los letrineros. La gran poesía no estaba en los poetas, sino en la última manifestación del periodo sacerdotal en Julio César. Al extinguirse el periodo etrusco y cumplimentarse el primer gran momento de la alabanza del salterio de David, y volcarse los símbolos de la revelación en el órgano aristotélico de la poesía de Dante, tenía en los últimos cien años, después de haber alcanzado en la *aristia* de Baudelaire su primera fusión de gracia y conocimiento, que volverse de nuevo sobre la búsqueda de la *areteia*, para inmolarse en persecución de la nueva sustancia, de la plenitud temporal. Observad que en las últimas batallas, los nombres de sus jefes ejecutores se extinguen, como si no hubieran ido a horcajadas sobre el espíritu de sus remolinos. ¿Quién dirigía el primer gran Marne? No nos apresuraríamos a precisarlo, pues sabemos que Charles Peguy dirigió el espíritu de la batalla, hasta ser el testigo requerido por Pascal, el que muere en la batalla.

Cuando digo el espíritu de la batalla aludo a la unidad de la concurrencia en el turbión, a la absorción de la nada por su remolino. La resistencia estoica, su dignidad por el soberano bien, lograba la imagen, como lograba su visibilidad o su relieve por el orgullo de la católica participación en las esencias, por el actuar del hombre como metáfora entre su cuerpo y la infinitud. Pero el canciller misterioso, el barbero, el caballerizo, el solemne tabernero destilador de venenos, la rana paridora, el manjuarí que coloca su espinazo con la médula del sueño, se hunden, gimen, o rectifican, al llegar al turbión, de la batalla, absorbidos por la dormición que se tiende como las alas de la caballería, y el rechinante abrazo con el *umbravit*, con la sombra espermática. Sólo loco, sólo poeta, dice el príncipe veneciano con el disfraz de Federico Nietzsche. O el diálogo del enajenado con su curador. ¿De seguro que usted se irá en un coche infantil? Ciertamente. ¿Y el coche será todo de oro? No lo niego. ¿Y el coche será tirado por cuarenta millones de venados de diamantes? Quién lo duda. *Ciertamente, no lo niego, quién lo duda*, que comienzan a destilar su gravedad, su plomada de inexistentes, el infinito posible de la poesía.

1956

Preludio a las eras imaginarias

CON OJOS irritados se contemplan la causalidad y lo incondicionado. Se contemplan irreconciliables y cierran filas en las dos riberas enemigas. Gustaba la causalidad, pacificada, de los enlaces más visibles. Enlaces que se sumergían o adquirían su halo de visibilidad en los placenteros criterios de la finalidad. ¿Iban los enlaces causales por acariciadas colinas a su finalidad? ¿O la finalidad, imán devorador, atraía a la infinitud de la causalidad a su visible liberación? Pero antes de precisar si es apacible o cejijunto el rostro de la finalidad, veámoslo como una proyección ascendente, el *ascendit* de causalidad a finalidad.

Las vicisitudes de la causalidad antes de precipitarse a su llamado, a la precisión de su nombre, tienen distintas máscaras. Las variantes que alteran, en un ingenuo afán de remozarse, un ordenamiento. Las variantes se lanzan a la diversidad de su ordenamiento coreográfico, apoyadas en los pies de la danza que logran un ritmo equivalente. La equivalencia jugaba sus ritmos alterados, la igualdad de un sonido para dos movimientos al lograr su identidad. La identidad que es la extensión crea el ser, como la extensión crea el árbol. Pero todo ser es ser causal, para diferenciarse de la sucesión en la Infinitud. Pero el ser es ser causal, como el árbol es bosque. La causalidad es como un bosque... dominado. El ser causal es como un bosque dentro del espíritu de la visibilidad.

El *experimenti sortes*, de Bacon, es en su apariencia una refutación a la causalidad aristotélica. Suerte, sortilegio, parece como si llevase el azar entre una causalidad sucesiva y otra simultánea, que penetra como un cuerno de marfil en una ingle hirsuta. Hay que experimentar al azar, viene a decir Bacon, provocando una causalidad no esperada. Recibiendo la sorpresa de la causalidad, como una navidad primitiva llegada al villorrio el día de las danzas, sin ser esperada. No obstante, el sortilegio, aquí también irritado, quisiera ir contra la causalidad, al menos la de nexos visibles, sucesivos. El conjuro, la forma de causalidad entre el hombre y las cosas, engendra la reiteración, la conversión del hombre en cosa.

Veamos en una escultura del periodo helénico búdico, la dama de las manos finas, Apsara. Un escorpión resbala por la canal voluptuosa de uno de sus muslos. Aceptamos la ley primera de esa escultura, lograr la afinación danzante de una de sus manos. Pero la otra mano, lejos de seguir el rastro *tourmenté* de escorpión, se cruza sobre el pecho, como sobrecogida de la serpentina perfección de una mano, del voluptuoso paseo del *scorpio* por la teoría rosa. Su enigma fuera de causalidad habitable, parece reflejarse en su rostro, que contempla la penetración voluptuosa de una de sus manos, mientras es invadido por la otra deliciosa búsqueda del escorpión. Apsara, dama gozosa, se entretiene en el ritmo de sus dedos, mientras se sobrecoge al ver que es apetecida por la ajena voluptuosidad. Terror al sentirse en el centro de un ajeno destino, que tiembla.

Ahora nos desplazamos hacia la robustez, que quisiera ser maliciosa, sin lograrlo, de Balzac, jugando con el enigma del onagro. ¿El mulito que estaba al pie del pesebre era un onagro? Balzac parte de la irrealidad del onagro, después para disminuir su tamaño y dispersarlo, acude a naturalistas y a físicos. Gigantescos aparatos de presión hidráulica, martillazos, intentan destruirlo. Pero entonces, vuelve al mundo de la irrealidad, «se creyó transportado al mundo nocturno y fantástico de las baladas alemanas». Deslizarse de esa tosca materialidad, una piel de onagro cuyo conjuro está en su reducción, a la niebla de una balada donde la muerte llega con una capa que suda escarcha y ademanes de irreconocible caballero, es aquí el trecho de la imagen a penetrar y develar.

Veamos a Van Gogh agitado por las espirales del amarillo en un fondo donde se extiende la aceptación del azul. Una cabellera arde en un amarillo devorada lentamente por un azul bituminoso. Le obsesiona lo estelar fijado en el cóncavo. Sus tormentos tal vez cesarían si su imaginación se desplazase hacia una era imaginaria, como la asiria, donde lo estelar predomina. Sus espirales se calmarían en un despliegue de cacería, su oro en las tiaras de las consagraciones, sus jardines en la fuga de azoteas donde se persigue a la estrella. Los azules de Van Gogh son como una pirámide de sacrificios, donde la espiga de trigo al recibir un lanzazo, parte hacia las estrellas. Lo que lo irrita es la desproporción enloquecedora entre una cabellera y su gama de azules, frente a la aguja estelar y un mechón de azul nocturno como sucesivo inalcanzable perfecto.

Estoy en un café; de la mesa donde están aposentados los jugadores, sale una voz: «Todo el que tiene una novia china, tiene buena suerte.» En seguida, nace un verso, de la raíz de los versos que nos gustan: «Novia china, buena suerte.» Me parece realmente deslumbrante. Fue la voz tan solo lo que oí, porque cuando me fijé en el grupo, observé que me era imposible precisar de quién era esa voz, la raíz humana de ese verso. Poética la voz, anónimo el rostro. Buena señal.

La novia china y la suerte, ¿en qué región de las emigraciones imaginarias se habían detenido? El epicúreo cálculo pascaliano de las posibilidades venía a resolverse en la imaginaria novia china. Y el azar que allí se busca para fijarlo, aquí venía sonriente a reencontrar la voz que lo aclare.

Podemos mencionar un aforismo: el que viaja puede encontrar una serpiente en la mesa donde se reúnen los maestros cantores; el que no viaja puede encontrar un maestro cantor en una serpiente. Superación de las sorpresas por otra mayor, en la que ya el inmóvil recibe la sorpresa, espejeante, ante sí misma, buscando una identidad imposible, donde cae como sorpresa una jerarquía como de revelación. Es decir, el no viajar aparece como un conjuro capaz de llevar lo órfico a confines donde la etapa previa a la maldición se entretiene cantando.

¿Se extienden de nuevo ante nosotros los ondulantes velos de Tanut, el reto inmisericorde de lo incondicionado? Kant pareció oponer lo incondicionado, la libertad, a la ley. Pero no es ahí donde plantea el problema que más nos incita, sino cuando afirma que la misma serie de lo condicionado engendra lo incondicionado, es decir, afirma una causalidad que se determina totalmente por sí misma o lo que es lo mismo, «remontar de lo condicionado a la condición en el infinito». O de la causalidad a lo causante en la infinitud. Su serie de lo condicionado sigue el punto de vista anselmiano, o sea que la concepción de la misma serie de lo condicionado prueba también la existencia del nexo en lo incondicionado. Habla de la *causa noumenon*. Es decir, existe un paralelismo y una continuación entre la serie de lo condicionado y la *causa noumenon*.

Para un griego del periodo aristotélico, no existían las series condicionadas ni lo condicionante, sino entre la casa y la forma, lo generatriz actuando sobre la materia producirá la forma. La causa era una potencia, una fuerza; el efecto era la forma o distribución de una fuerza y su eco o su forma, ¿pero la forma era la extinción de la causa? ¿La materia era la pausa donde se entrelazaba la potencia y la forma? O, tal vez, hallada la forma, se engendraba de nuevo otra serie causal numinosa, como si volviese a sumergirse en lo generatriz del devenir.

En realidad, los nexos causales, las formas aristotélicas, la *causa noumenon*, presuponen el continuo, que viene siendo como el espectador, la naturaleza cogitanda, lo extensivo. Aquí el continuo es lo condicionado y su misma posibilidad lo condicionante. La forma como efecto presupone ya la segunda naturaleza, el segundo nacimiento, el «todo puede ser naturaleza» pascaliano. Los nexos causales en un continuo parecen como un reto al azar, a los sortilegios. La relación que puede existir entre las series causales y el continuo sucesivo, es la misma que existe entre la sustitución y la identidad. Si no aceptamos el continuo, el azar obtiene un triunfo vergonzante sobre los nexos causales, desfigurando indescifrablemente la cara de los dioses. De la misma manera que si no aceptamos el tapiz de fondo de la identidad, las sutituciones se convierten en metamorfosis como metempsicosis, no como transfiguraciones. Las sucesiones causales parecen desenvolverse en un teatro donde pueden ser leídas, como el continuo, por la unidad de su sustancia idéntica, pueden ser descifrables. La posibilidad que brota de los encadenamientos causales vence al azar, porque antes trazó el continuo como naturaleza condicionante, primera, por ser ella la que brinda para escoger. El azar es una selección que brota de una lectura indescifrable; las cadenas causales, adelantándose, son los torreones donde el azar sucumbe.

El agrupamiento de las variaciones inconexas, donde la causalidad se libera de la igual distribución de la potencia, nace de un margen espacial que se destrenza como condicionante. Recordemos a nuestro queridísimo Oppiano Licario, en la edificación de su «Súmula, nunca infusa, de excepciones morfológicas». La respuesta es la única condicionante fatal, de imposible escapatoria, de ese espacio donde la causalidad se hace esperada. Veamos a Robespierre, en sus años de abogadillo en Arras, cuando en casa de una familia de carpinteros se gana el apodo estoico de «El incorruptible». Pasea, es pobre, extremadamente casto, agota el perplejo detrás de la palidez, prolonga la lámpara de la soledad. De esa masa de hechos tiene que surgir la respuesta como una condicionante del espacio de conocimiento. Si se pregunta el nombre del perro que acompaña a Robespierre en sus paseos, más que la fulmínea respuesta Brown, lo que nos recorre es la fatalidad de esa respuesta, que permanece como en acecho de su relieve, que se logra cuando una temporalidad presenta como respuesta, en directa relación con la pregunta, cuando su surgimiento es fatal y obligado. Como si en una orquesta se le diese entrada a un instrumento, cuando en realidad el ejecutante, como si avanzase en una ensoñación, despierta en la obligación de entrar con un sonido, que era, por otra parte, el único que podía emitir para despertar.

Las variaciones causales, de nexo muy recóndito o profundo, sólo pueden ser allegadas por la impulsión, por el aire cinegético que las impulsa a una finalidad, que ellas mismas se clarean por la potencia de su recorrido o movimiento. Lo que coincide en la marcha, se aclara por la igualdad de su meta. Si dos jinetes desconocidos coinciden, si la impulsión que los atenacea es diversa, uno de ellos, al llegar a la higuera, destruye al otro antes de galopar cada una de las penetraciones en el desierto.

Retomemos, con las debidas precauciones, aquel escorpión que vimos deslizarse por los muslos de Apsara. Esa estatua es lo más opuesto a una prisa por suprimir un dolor. La afinación de las manos se aleja de la angustia inmediata, despertada por la punzante alimaña, y parece como buscar en el aire un peligro mayor, que apretará con extrema distinción cuidadosa. Se agita la figura como para tocar un punto en el aire, que ablandará y despegará la insolencia de la sabandija calcárea. Con la otra mano, cruzada con delicado sobresalto sobre el pecho, quisiera como resguardarse de los peligros. Pero el escorpión es muy reincidente en sus furias, y lo vemos aparecer en el pórtico de algunas iglesias medioevales, donde se representaba a la lógica en figura de escorpión, moviendo sus pinzas como si fueran dilemas que destruyen a sorites y entimemas. En ambos casos, el escorpión es un persecutor incesante, mueve sus pinzas para cascar un sofisma o para extraer del aire un demonio delicado y peligrosísimo.

Pasemos el absorto que nos ganan los concentrados y estallantes girasoles de Van Gogh. Abren sus espirales como afanosos de romper el ciclo de Helios, en un azul que absorbe la fiereza de las hilachas amarillas. En las apreciaciones goethianas de la luz, buscando el traslado de los girasoles espirales y el azul que devora de Van Gogh, a una atmósfera más crítica y apaciguada, el amarillo está siempre en las proximidades de la luz, es como un color que se busca porque se escapa, de ahí los tachonazos amarillos, las espirales que van hacia lo solar. Lo azul es la lejanía, no lo que se busca, sino el fin de la marcha. El amarillo con brillo, el oro, derivación de la energía solar, coincide con el amarillo subido, en seda también con brillo. Así, hay en el amarillo grato, asociado a la idea de pureza, y el amarillo no grato, el azufre, infernal tósigo de Asmodeo. En la seda, despierta el amarillo lo curioso táctil; sobre el fieltro burdo, rugosidades de la mano, asperezas. Goethe, afanoso de sus morfologías *a priori*, lleva la penetración de la luz en la lejanía, en la oscuridad, como era de esperarse, a un amarillo rojizo y a un azul rojizo; pero cuando nos dice que el francés prefiere el amarillo elevado al rojo, precisamos en Van Gogh, un amarillo que va hasta el final, que se pierde en la noche, que sólo se reconcilia con el yo que se desata. En los girasoles, en su servidumbre de luces, can del sol culterano, después en la espiral de sus amarillos, la profundidad de los azules no logra remansar el pinchazo como de un ave siniestra que llevase en su pico la cinta del trigo. Lo que en Goethe aparece como una reconciliación, amarillo rojizo y azul rojizo, en Van Gogh adquiere la dimensión de una penetración en lo oscuro más retador. ¿Qué dimensión es necesario adquirir para leer en esa luz de sucesivo furor de Van Gogh? Aquí, la luz y su cercana persecución amarilla gravita como una revelación, se persigue del lado de lo incondicionado y con el respaldo de un telón prodigioso, la antigua *terateia* griega, la maravilla. Pero antes de llegar a ese rapidísimo cortinón claroscuro de último acto, tenemos que recorrer algunas escenas, remolino y *éclaircissements*.

En el mundo griego parecía lograrse la antítesis entre causalidad y metamorfosis. La causalidad aparece allí como una sucesión de la visibilidad. Las metamorfosis se sumergen en los rápidos de las oscuras aguas somníferas. En las metamorfosis hay siempre como una lucha entre el fuego y el sueño, como si el fuego fuera la edificación que ofrece su pausa entre la incesante teoría del sueño. Mientras Licaón prepara el sueño de Júpiter, éste le destruye el castillo con incendios. Mientras nos abandonamos al sueño, se levanta una hoguera. Recorremos las escalinatas, buscamos a Radamanto o Aquiles en los infiernos, laberintos o minas, voces de los muertos o pozas, pero en el centro de la marcha ha quedado la hoguera fría, hechizada, esbelta fuente de lo subterráneo. O sea, reemplaza el sueño por un equivalente elaborado, así cuando Júpiter pone a lo temerosa, «cubrió la tierra de una suave y dorada neblina», donde la temerosa se rinde con «pasmosa naturalidad» (Ovidio). Cuando Io es convertida en vaca por Juno, Hermes, para liberarla de su suplicio, porta el caduceo y la varita de adormidera. Es innegable que en esas metamorfosis la causalidad subsistía, siquiera sea después de su cumplimiento. La metamorfosis ofrecía también esa causalidad, aunque atraída por su concurrencia hacia una forma final. Eran como operaciones, visibles o sumergidas, en las distintas etapas de la configuración, solamente que esa operación no era regida por la visibilidad.

La misma sucesión en la metamorfosis ofrecía como una tregua en la fulguración de la presencia. Al surgir en el mundo católico la posibilidad de lo incondicionado, era tan solo una relación momentánea, entrevista, entre la criatura y la divinidad. La brusquedad de ese incondicionado conmovía la masa recipiendaria, donde quedaba tan solo un recuerdo desvaído de aquella arrogante causalidad, como una piedra encendida que roza un enmascarado tumulto. Admitiendo que ese tumulto pudiera ofrecer sus propias leyes en lo irreal y en el demiurgo, tenía a su vez que penetrarle esa causalidad, tejida por las manos temblorosas de los efímeros, como otro incondicionado elemental, grotesco y muy disminuido.

La lucha de la causalidad y su incondicionado era de raíz mucho más trágica que la que ofrecían la causalidad y las metamorfosis. Trasladada la antítesis causalidad y metamorfosis al mundo griego de la *poiesis*, la causalidad parecía convertida en sustitución y la metamorfosis en imagen. La condición para que ese reemplazo se verifique era que esa metamorfosis imagen se redujese a su identidad. La semejanza en la imagen, o la totalidad del espejo, confluían en la identidad. La última contemplación del sí mismo, o la esencia de los objetos, confluencia del género triángulo con la especie triangularidad, alcanzan la identidad, en que coinciden el sí mismo y su trágica y tesonera reproducción. La persistencia en la identidad tiende como a crear un doble en la extensión. Yo diría que la sustitución o metáfora es posible en la identidad, porque la identidad es posible en su prolongación, que es la extensión.

La identidad gusta de asemejarse a lo saturniano, pero en esa aparente semejanza, se entroniza la perdurabilidad de lo idéntico. *A satu*, lo saturniano, para los latinos, es la plantación, la semilla. Pero lo saturniano crea primero, siquiera sea para cumplimentar la destrucción, también lo idéntico es capaz de un doble, para contemplar cómo se hunde en lo semejante, cómo escapado vuelve para sucumbir y sumergirse en lo indistinto, rostro en la onda, que sólo logran descifrar las dríadas, sin desprenderse del ámbito protector del árbol, donde se hunden como una sombra en la neblina. Habría que plantear *in extremis* si la marcha de lo creado llega a teñirse del humor saturniano. Si la identidad logra desalojar un doble, que es la extensión: si la extensión suelta el árbol, que imanta el rayo, es fácil seguir el río saturniano, entre cañaverales y barqueros de sones gemebundos.

En ese momento precisamos que la imagen identidad se detiene, sólo ha podido engendrar la extensión saturniana, el árbol para el rayo. Es el momento en que Dios logra su adecuación con el hombre, busca un cono de unión entre las preguntas de la criatura y su respuesta incondicionada. Oigamos a Job, rodeado de arenas, escamosa la piel, molestando, irritando, pegándole con su báculo a la respuesta de la divinidad. Dios no le responde, si no le pregunta a su vez, el «quién hace llover sobre la tierra deshabitada y sobre el desierto donde no hay hombre». Vemos en esas respuestas de la divinidad el vencimiento de la extensión saturniana. Frente a esa identidad extensión que se consume, lanza la divinidad otra pregunta mayor que engendra un nuevo causalismo. Es decir, si se hace llover sobre la extensión desértica, algo tiene que suceder no esperado, pues si en la tierra deshabitada y las otras regiones donde el hombre está ausente llueve, no podríamos afirmar que se llueve para la tierra y para el hombre. La aparición de Dios no busca calmar las preguntas desesperadas de Job, él sabe que eso sería imposible, las calma a su vez con otras preguntas sin respuestas, pero en esa interpretación interrogante, la divinidad lleva la mejor parte: llueve, después aparecerá el árbol, después el hombre. De la única manera que podemos liberarnos de la extensión saturniana es creando la sobreabundancia de alimentos, donde el dios inexorable se enrede, se fatigue por los excesos incorporativos, se muestre en la vacilación de que toda la tierra se le brinde. Esa extensión saturniana, quizá se enfrente con el desierto, en apariencia su más fácil enemigo, el que más se le parece. Es allí donde lo saturniano carece de alimentos, donde la criatura no aparece. Pero allí están las preguntas de la divinidad, la lluvia que aparece sin ninguna voz que le invoque, pero el doble sombrío de la identidad va a ser decapitado. En la última posibilidad de la extensión saturniana, cuando ya no podía obtener la victoria, porque estaba ganada por anticipado. Pero es allí donde aparece el árbol, donde se descuelga el hombre. Ningún pueblo como el ruso para sentir la obligación creadora de la extensión, al extremo de que la palabra aldea en ruso viene de *dérevo*, que significa árbol.

De esa incomprensible derrota de la extensión saturniana frente al desierto, queda como un residuo de los retos anteriores en el *uno*. Formado por una reducción del doble en la identidad y por el árbol del desierto. El uno es el comienzo que vuelve a la extensión saturniana, a la muerte. Pero existe el uno, tan asombroso como la lluvia en el desierto, como el hielo en el vientre, según la frase que utiliza la *Biblia*, pero que mira el fragmento derrotado de la extensión, que está también en el asombro del árbol en el desierto, que es la unidad, el hombre. La unidad muere en la extensión saturniana, pero en el asombro de las preguntas de Dios, quien las oye, está el uno unidad, el hombre, hecho para la segunda muerte, cuando las preguntas de Dios se aclaren en la visión de la gloria.

Cualquiera de los asombros que el hombre se niega a aceptar es inferior al del unicornio que bebe en una fuente. Un árbol en el desierto es menos asombroso que el hombre por los arrabales, bajo la lluvia, cubriéndose con un periódico. Todo lo acepta el hombre, menos que es un asombro, un monstruo que lanza preguntas sin respuestas. Se asombra del incondicionado de la divinidad, pero se niega a aceptar que él es un incondicionado igualmente asombroso. Encuentra en los desarrollos que le rodean un signo causal, pero si se le obliga a creer que él forma parte de esa causalidad mientras duerme, enmudece. La batalla que se libra en su sueño entre el uno y el árbol, lo adormece tan solo para el asombro, pues cree cerrarse en el sueño. El mundo del unicornio bebiendo agua en la fuente tiene su aceptación, pero el hombre se niega a aceptar que él continúa, que él prolonga un incondicionado, que Dios tiene que contestar, o volver a preguntar, para engendrarlo de nuevo en la causalidad misteriosa. No invisible como en la metamorfosis de los griegos, sino en la transparencia, en el fulgor, en que el hombre toma el relámpago de lo incondicionado.

Era gloriosamente percibible el encuentro de la causalidad y lo incondicionado. Los últimos torreones de la causalidad se hundían en el mar, sus fundamentaciones rodaban por las arenas. Habían que elaborar la causalidad que une a la divinidad con el hombre, a la muerte con el círculo, al colmillo que rasga el árbol para que salte el nacimiento que Adonis, con el colmillo que penetre en sus muslos para que Adonis descienda a las moradas subterráneas. Las dos cabalgatas parecían desear un castillo concurrente. La causalidad impulsada por un viento fastuoso, hierático, ancestral, amansaba su tropilla al borde de la línea del horizonte donde el pensamiento se hundía en la extensión. Lo incondicionado quería parir un árbol, vencer la extensión saturniana, recibir el doble enviado pr los moradores, pero se siente atormentado por aquella misma identidad al revés, ¿pues si lo incondicionado naciera y se interesara tan solo como incondicionado, qué placer podrían tener los dioses? La causalidad, tenaz de los efímeros tiene que ser orgullo placentero para Júpiter Cronión.

¿Dónde la causalidad puede sustituir incesantemente, donde lo incondicionado encuentra la imagen que exprese su abarcable terrible lejanía? Se necesitaba una región donde la concurrencia fuera a la vez una impulsión, la impulsión una penetración, la penetración una esencia. Residuo de la causalidad sobre lo incondicionado, es un doble. Eco de lo incondicionado anegando e iluminando la causalidad, es un doble. Al llegar al castillo las dos poderosas huestes, el juglar hace sus suertes, baila el osezno, relata el falso padre, el secuestrador. Acepta bailar en lo alto de la llama, como el unicornio acepta beber en la fuente. Por la mañana ya no está. Llegó cuando no había nadie en el castillo, al despertar ya no se le encuentra. Es lo incondicionado. Se sueltan tropas a buscarlo, armadas de una causalidad minuciosa. Es Orfeo también, sumergido en la masa tonal de los navegantes aventureros. Es David, rey viejo, rayo largo que va entrando en la noche. Lo que ha quedado es la poesía, la causalidad y lo incondicionado al encontrarse han formado un monstruocillo, la poesía. Baila en lo alto de la llama, metáfora, como el unicornio bebe en la fuente, imagen precisa de un desconocido ondulante. Sentimos que se ha creado un órgano para esa batalla de la causalidad y lo incondicionado; que ese órgano, *she looks like sleeps*, dice el verso de Shakespeare, es muy preciso en el sueño, logra crear una vertiginosa causalidad en lo incondicionado. Ese órgano para lo desconocido se encuentra en una región conocida, la poesía.

Esa concurrencia —causalidad que deja de ser saturniana, incondicionado hipostasiado— que ofrece la poesía, es hasta ahora el mayor homúnculo, el doble más misterioso creado por el hombre. Crea un devenir espacial, que al volverse sobre el hombre, deviene el mayor posible conocido. Hace de ese espacio, por la poesía, el incondicionado más propicio a la contracción de su masa y expresión; crea el centro de la causalidad más misteriosa, visible mágico o cinegética de devorador final, pues en la poesía el hombre es el único para el cual parece creado ese espacio incondicionado, que al actuar la causalidad mágica del hombre sobre el espacio incondicionado, hace de este último un condicionante muy poderoso. Pero lo más fascinante es que ese encuentro, esa batalla casi soterrada, ofrece un signo, un registro, un testimonio, una carta, donde el hombre causalidad, me reitero para ofrecer más precisión, penetra en el espacio incondicionado, por el cual adquiere un condicionante, un *potens* , un posible, del cual queda como la ceniza, el vestigio, el recuerdo, en el signo del poema. Lo maravilloso de la poesía está en que ese combate entre la causalidad y lo incondicionado se puede ofrecer y transmitir como el fuego.

La invención del fuego y la poesía ofrecen desde los comienzos dos caminos. Satán vigilaría la energía del fuego transmitido como su voz más decisiva. Hay una historia del fuego, desde que acorralado se va reduciendo al corpúsculo irradiante, hasta poner a hervir a Gea, que el hombre vigila como su conocimiento más feraz. Mientras la poesía es siempre lo sobreviviente, como si el hombre habitase también el centro de la creación. Hay una invención del fuego y sus vicisitudes que culminan en la destrucción pero hay también una red de coordenadas en la poesía que llevan al hombre a la visión de la gloria, a la resurrección.

Ese combate entre la causalidad y lo incondicionado ofrece un signo, rinde un testimonio: el poema. Sigamos con un rasguño una sentencia rica de evidencia de Pitágoras: «Existe un triple verbo. Hay la palabra simple, la palabra jeroglífica y la palabra simbólica. Es decir, el verbo que expresa, el verbo que oculta y el verbo que significa». En esa frase, Pitágoras parece como si nos retomase y nos llevase de nuevo a la dimensión anterior en que estábamos, pues el verbo que expresa se muestra en una gran causalidad incandescente, en la que todo está por la transparencia, aclarado; el verbo que oculta, oculta la voz de lo incondicionado, pero en su propio verbo hermético, en su movimiento ocultado, lleva el deseo de aletear en un gesto, demostrar sus sobresaltos en unos pasos de danza. Aparece como un cono de claridad en lo oscuro, ya fulgurante, ya con la lentitud de la noche, que envuelve en la corteza del rocío, que cruje despaciosamente el secreto de la pulpa, que trenza el ramaje para la humedad favorable. Y el desprendimiento en el asombro natural, el desprendimiento... en la poesía. Ese desprendimiento que lleva siempre el recuerdo del árbol anterior y esa incorporación furiosa, devoradora, en el nuevo cuerpo, deviene el simbolismo de lo desprendido en el nuevo signo del cuerpo adquirido.

Fausto más Elena de Troya se producían en Euforión, monstruocillo de muerte. Euforión saltaba en la punta de la llama, con la aceptación del unicornio bebiendo en la fuente. Eran el itinerario del conocimiento, las vicisitudes del fuego. Triunfo de Satán en la muerte. Pero enfrente el verbo que significa. Las cadenas causales, los torreones de signos penetraban en lo oscuro como oculto, no como tinieblas frías; los signos penetraban en los símbolos, en el verbo. El verbo que significa estaba en la poesía, en ese residuo áureo que decantaba lo condicionante, lo posible, oscuro oculto que se expresa, no la tiniebla fría de Satán.

El signo penetra en la escritura, rehusando siempre su mortandad, pues signo es siempre señal. La señal comienza en la teoría o desfile a hora y júbilo señalados. En la vacilación del cortejo por aparecer, en la prosecución de la pareja, en el solitario deseado coincidente, también el signo rúbrica la posibilidad de la aparición. El signo expresa pero no se demuda en la expresión. El signo, pasado a la expresión, hace que la letra siempre tenga espíritu. En el signo hay siempre como la impulsión que lo agita y el desciframiento consecuente. En el signo hay siempre un *pneuma* que lo impulsa y un desciframiento, en la sentencia, que lo resume. En el signo queda siempre el conjunto del gesto. El signo tiene siempre la suficiente potencia para recorrer la sentencia, su espacio asignado. La potencia actuando sobre la materia parece engendrar la forma y el signo. Es cierto que en la forma la materia parece llevada a su última dimensión y morada. En el signo la potencia en la materia se vuelve hilozoísta, cruje, se lamenta, regala su escultura para que la entierren.

En el afán primero, que rodea el nacimiento de la escritura, queda el propósito de señalar un contorno a la extensión, quizás el alfabeto sea también un parimiento de la extensión, como el árbol, y de escribir su nombre. Fueron «tan lejos como el río lo permitió», y para grabar el lentísimo paso de danza de la caravana, para encontrarse con los sucesivos, para impedir que el pie se borrase de la arena, el alfabeto naciendo en el terror del desierto. Dos propósitos acompañan el nacimiento del signo. El confín de la aventura, donde algo se espera que suceda, y apuntalar el recuerdo de los que fueron llevados a la dimensión como lamentación. Por un lado, se pretende llegar hasta donde el río lo consintió; por el otro, el paso del buey, asegurar el rejón que va cubriendo y definiendo la extensión. El reto de la extensión y el paso del buey parecen quedar en cada letra mandada a grabar por los reyes pastores. El terror de ser destruido obligaba a marchar mirando hacia atrás, como si se temiese la llegada de los aullidos. En el signo alfabético hay algo de la vivienda en la extensión aposentada por la semilla, que recibe la tormenta y después reconstruye. Podemos verlo como un cuadro de primitivo con los siguientes elementos. Animales: buey, camello y pez; partes de la casa: puerta de tienda, piquete de tienda; partes del cuerpo: revés de la mano, palma de la mano, ojo, boca, parte posterior de la cabeza, lado de la cabeza, dientes; elementos de agricultura: seto, aguijón. Los ejércitos penetrantes, las inmigraciones deseosas, la penetración en el sol, la línea del horizonte, la aventura y su límite, el afán de volver a ser tocado después de muerto, conllevaban el signo de la lejanía precisándose en la extensión. El afán de pintar un camello en la línea del horizonte y un buey durmiendo cerca de la casa, apuntalaban la extensión de la fascinación para penetrar y del resguardo para asegurar el sueño y la promesa de las estaciones.

Son los signos aparejados por el permiso del río. Dieciséis signos forman la casa del primitivo, del rey pastor, del consentimiento de la lluvia. Ese mismo alfabeto nos entrega un dato aterrador en relación con la expresión contemporánea. Cinco letras, cuyos significados nos son desconocidos, fueron introducidas por un poeta. La poesía, en el periodo mítico, no sólo llegó a crear dioses, sino también signos desconocidos. Al lado de la vivienda del pastor y del campesino que traza signos en relación con la vivienda, el poeta comienza por situar signos de contenido desconocido. El alfabeto aparece entonces como una colección de señales de lo que se conoce y lo que se desconoce, de los diseños del rey pastor sobre lo que conoce y se agita en relación con su vivienda, y de las muestras del poeta sobre lo que desconoce, invisible y sin decidida aplicación. Pero entra también en el alfabeto un signo que resume lo que se conoce horizontal y lo que se desconoce vertical, la Tau, el signo de la T, de la cruz, con sus aspas cruzadas de cielo y tierra. Copia de la posibilidad hasta donde la mirada la precisa y aparición de lo invisible estelar o surgimiento después del naufragio de lo visible, pero en una forma de asombro indetenible, de visible inexistente. Precisa intervención americana en ese momento del signario ceremonial transmisible, es la concepción de los cuatro soles de los aztecas. Sol de tierra, sol de aire, sol de lluvia de fuego, sol de agua. Un quinto sol, sol de movimiento que representa el signo de la cruz, en el rostro, en el pecho, el cielo y la tierra, la horizontal y vertical, lo bajo y lo alto. Es la cruz, como *quincunce*, como movimiento del medio, que adquiere una impresionante grandeza en la simbólica azteca. El *quincunce* es el eje del centro que vence la inercia, es también el Señor del Año y el Señor de la Piedra Preciosa. Recuérdese que los griegos colocaban en la boca de los muertos la adormidera, para intentar que lo hiperbólico en imagen volviera a penetrar como aliento de vida. El azteca situaba ese *quincunce* en la piedra preciosa, es el calor, la reducción solar para la medida del hombre. La leyenda afirma que la madre de Quetzalcóatl, para concebir, se tragó una piedra preciosa. Así colocaban en la boca de los muertos una piedra preciosa que sobreviviría después de la incineración. El griego intentaba por la adormidera establecer una relación entre lo invisible y lo visible, entre los muertos y los vivientes. Los aztecas buscaban en la piedra preciosa la pervivencia, la continuidad de la vida por el calor sobreviviente en las entrañas de la piedra preciosa. En su *quincunce* buscaban el predominio de lo solar, los ciclos irradiantes predominando sobre la unidad nueva de la vida y la muerte. En el centro de su Tau, de su cruz, se mostraban el esplendor total del destello, del fuego central, del ombligo evaporado, de las piedras preciosas.

En el mundo antiguo uno de los mayores signos logrados fue el *nomisma*, nombre de una moneda que evaporaba una ostentosa riqueza de significados. Esta moneda se llamaba también *só-*

lido, que a su vez interpretaban como *íntegro, total*; llevaba la efigie y la firma del rey, a lo que debe su nombre. El *nomisma* se llama también argénteo. Se le llamaba también séxtula (pesaba seis onzas). El pueblo la llamaba *aureaum solidum* (sólido de oro). *Tremissis* se le llamaba a la tercera parte del *nomisma*, porque si se repetía tres veces formaba un sólido. Vacilamos ante la riqueza de significados que rodaba esta moneda. Condiciones de la materia: solidez, valores morales, alusión a integridad. Proposiciones de totalidad, relieves, caligrafía. Unión de fragmentos, unión de seis onzas. Metal, sólido de oro. *Tremissis*, fragmentos que aludían pitagóricamente a una totalidad. En ese mundo la riqueza del signo no era como en los modernos una contención, una limitación y una nostalgia, sino un rodar de alusiones concurrentes, que se integraban en una metáfora que rotaba entre la solidez y las proposiciones, las efigies y los metales, la caligrafía y la integridad en las modulaciones de lo estatal.

En nuestra época la poesía no muestra ninguna de esas decisivas ocupaciones. Haber colocado letras, liberadas de la grafía signaria; haber llevado dioses al Olimpo, como Hesíodo y Homero, situaba a la poesía en las dimensiones del titanismo mítico. ¿Qué había pasado, dentro de la poesía, en el transcurso de veinte y cinco siglos? Salvo la misteriosa coincidencia entre el rosetón del pórtico de Notre-Dame y la rosa que abre el paraíso dantesco; salvo el bosque de los conjurados de Shakespeare, alanceando el jabalí infernal y los relámpagos en las tabernas con los misteriosos reyes confesores, hasta los venatorios cornos de marfil y las plateadas trompas renacentistas, la poesía había perdido los esplendores inaugurales, el gran sillón calendario para el jefe de la tribu. Ese decaimiento en la persecución del silbo final, se debía tal vez a la suma de lo transmitido en pequeños, pero enloquecidos fragmentos, revueltos corpúsculos en la infinitud, que parecían con nocturnidad y silencio adelantar la definitiva sorpresa que se avecinaba, los minúsculos y temblorosos primores que se colocaban momentáneamente preludiando un inmenso mantel, invisible y arremolinado, pero tentador, como necesario final no esperado. ¿Qué otra disculpa sería tolerable para justificar esa pausa extensísima de la pequeñez, ese deterioro de lo nacido mayestático?

Retomemos los combates de la causalidad y lo incondicionado, como los primeros escuadrones de penetración en la extensión ocupada por la poesía. Apenas puede la causalidad, operando sobre lo incondicionado, llegar a su apresamiento y conjugación. Tiene necesidad de un instrumento que muestre una delicadeza serpentina, no esperada, abridora de una brecha por el asombro tumultuoso. Ahí nos llega la «vivencia oblicua», que parece crearse su propia causalidad. Si vemos en la ciudad de Tsien Chen Fu, levantar en su centro dos graciosas pagodas, según los datos suministrados por Frazer, para librarse de los maleficios que sobre ella ejerciera la ciudad Yung Chun, nos levanta el perplejo de una causalidad interrogante. Pero presto nos llegan noticias que integran la magia de esa causalidad, tales como la superstición china de la servidumbre formal de una ciudad por otra, cuya forma la destruya por su símbolo, así aquella ciudad de forma de carpa tenía que estar hechizada por otra que tuviera forma de red. Al levantar las dos pagodas, las redes quedaban enmarañadas y rotas y el conjunto de sometimiento formal se volatilizaba. ¿En qué forma mostraba su destreza esa vivienda oblicua? Vemos un imposible engendrando una realidad igualmente imposible, es decir, si extendemos una red sobre una ciudad, la única manera de quebrantar sus cordeles es llevarle a su centro dos rompientes de lanza, donde se cuelguen y destruyan sus ataduras.

La contracifra de lo anterior, lo incondicionado actuando sobre la causalidad, se muestra a través del súbito, por el que en una fulguración todos los torreones de la causalidad son puestos al descubierto en un instante de luz. En los idiomas donde el ordenamiento latino no gravitó con exceso, en el tránsito de la nominación, que fija el verbo, que ondula sobre la extensión, cobraban de repente la distancia que hay entre el nombre y el verbo. *Vogelon* (en alemán, el acto sexual), aislada tiene la oscuridad de lo germinativo. Esa oscuridad se rinde cuando vamos precisando dos sustantivos previos, *vogel* (pájaro) y *vogelbauer* (jaula para pájaros), no obstante, al llegar a la palabra *vogelon*, penetramos por un súbito la riqueza de sus símbolos, súbito que penetra en la acumulación de sus causalidades con la suficiente energía para hacer y apoderarse de su totalidad en una fulguración.

Ese intercambio entre la vivencia oblicua y el súbito, crea, como ya hemos esbozado, el incondicionado condicionante, es decir, el *potens*, la posibilidad infinita. La misma aparición del germen cae dentro del posible en la infinitud. El hombre persigue ese trueque de la nada en germen, del germen en acto, por apoderamiento de esa suspensión existente entre dos puntos o torreones causales, de los que se apodera por una vivencia oblicua, entre la causa extensión y el efecto que es como una prolongación o doble, que a su vez se abandona de nuevo a la infinitud causal. Al aparecer en el hombre esa relación entre el germen y el acto, pues es innegable que sólo el hombre al ascender del germen, lo hace por medio de un acto, que recobra constantemente sobre el germen, procurando por ese acto volcar de nuevo su germen en una nueva extensión. Ese recobrar del acto sobre el germen engendra un ser causal, nutrido con los inmensos recursos de la vivencia oblicua y un súbito, que hacen la extensión creadora, dándole un árbol a esa extensión, haciendo del árbol el uno, el *esse sustancialis*, y aquí comienza la nueva fiesta de la poesía, el *potens*, el posible en la infinitud. Es decir, el hombre puede prolongar su acto hasta llevar su ser causal a la infinitud, por medio de un doble, que es la poesía. Para lograr esa nueva dimensión de la poesía. ¿Frente a qué tiene que contrastarse ese *potens* en la infinitud?

Existe un *potens* conocido por la poesía para que la causalidad actúe sobre lo incondicionado, y otro *potens*, que desconocemos, por el que también lo incondicionado actúa sobre la causalidad. Ambos caminos serían de una diferencia cruel, si no existiese la encarnación, la *oikonomía*, o marcha del cielo, con sus innúmeros dioses cabalgando sus *potens*, sobre la tierra que los recibe, tratando de fijar en sus escudos, por medio también de sus *potens*, esa imagen, como los antiguos espejos de obsidiana que daban las sombras de las imágenes.

Al convertirse el germen en acto, lo incondicionado en causalidad, no como en los griegos colocando las pausas del sueño en las metamorfosis, sino por medio del *umbravit* de la sombra que avanza hacia nosotros, se lograba un perfecto doble de lo incondicionado sobre la causalidad y de la causalidad sobre lo incondicionado, por medio de la poesía que se apoderaba de esa imagen, formándose las siguientes parejas donde encarnaba esa relación: imagen-espejo, identidad-médula de saúco, extensión-árbol, unidad-el uno, *esse sustancialis*-ser causal, *umbravit-obradit* encarnación-resurrección.

En las anteriores parejas cada signo incondicionado engendraba un efecto causal, orgánico, fácilmente reconocible. Espejo, médula de saúco, árbol, el uno, ser causal, *obradit*, resurrección constituyen la prodigiosa respuesta al reto de lo incondicionado. El espejo o puerta para el doble, el Ka de los egipcios, símbolo que acoge una sombra y la destruye lentamente; en la médula de saúco, nos encotramos con el espejo interior de una linfa, de una sustancia universal, ya corpúsculo, ya *proton pseudos* de los aristotélicos; en el árbol, hijo de la extensión, surgido de las contracciones de lo extenso, o en la hoguera transmitida en el procesional. Un bosque es un procesional en lo incondicionado, como un árbol o una hoguera pueden engendrar un procesional en lo causalista. El mundo parmenídeo de la unidad, trasladado a la conciencia del movimiento en la extensión, nos regala el uno, número que como una ardilla corre entre el árbol o la hoguera y el bosque o el procesional. El *esse sustancialis*, la suprema esencia en la gloria de los bienaventurados, sólo puede ser vislumbrado por el ser causal, dueño de la vivencia oblicua y el súbito, de las relaciones entre lo incondicionado y lo causal.

En las dos últimas parejas que señalamos, *umbravit-obradit* encarnación-resurrección, es donde interviene el *potens* de los etruscos, el condicional si es posible. El *potens* sacerdotal de los etruscos pasa en los católicos al *virgo potens*, a la virginidad creadora en la infinita posibilidad. El *umbravit* es la sombra que acompaña al Espíritu Santo hasta el vientre de la virgen. Cuando la virgen oye la presencia de la transparencia angélica, siente el *umbravit* que la anega para que la siembre el Espíritu Santo. Luego hay un *obradit*, un brillo, el mejor color, una crepitación (de la onomatopeya griega *bremetú*, crepitar), para responder a la sombra invasora. Vemos en la virgen, por la aparición del *potens*, una relación prodigiosa entre el *umbravit* y *obradit*, entre la sombra y la crepitación de la energía solar. En la simbólica azteca el *obradit* actúa por medio de una pluma blanca. Coatlicue cuida el templo con exacerbada nitidez, sorprende una pluma blanca ovillada, que coloca debajo del seno izquierdo. Siente después el hinchamiento de la gravidez. Aquí la sombra ha sido reemplazado por la pluma.

La poesía había encontrado letras para lo desconocido, había situado nuevos dioses, había adquirido el *potens*, la posibilidad infinita, pero le quedaba su última gran dimensión: el mundo de la resurrección. En la resurrección se vuelca el *potens*, agotando sus posibilidades. Cuando el *potens* actúa en lo visible, sus derivaciones son el dominio de la *physis*; cuando se desarrolla en la invisible, nos regala el prodigio de la imagen de la resurrección, aunque ahí no se desdeñan todas las obligaciones del mundo físico, de acuerdo con la sentencia paulina: «Es sembrando un cuerpo animal, pero resucitará espiritual». De la misma manera, podemos afirmar que los recursos del *potens* frente a la resurrección, sólo pueden ser manejados por ese causal, el hombre en el centro irradiante de su plenitud.

Al llegar al ser causal, el decidido dominador de toda causalidad, a causalizar, por la invasión de la Suprema Esencia, el mundo de lo incondicionado, adquiría unos dominios tan vastos, que sólo la resurrección podía ser la guardadora de su ímpetu, que llegaba a las grietas por donde se esboza lo frío descendido. Sólo el poeta, dueño del acto operando en el germen, que no obstante sigue siendo creación, llega a ser causal, a reducir, por la metáfora, a materia comparativa la totalidad. En esta dimensión, tal vez la más desmesurada y poderosa que se puede ofrecer, el «poeta es el ser causal para la resurrección». El poema es el testimonio o la imagen de ese ser causal para la resurrección, verificable cuando el *potens* de la poesía, la posibilidad de su creación en la infinitud, actúa sobre el continuo de las eras imaginarias. La poesía se hace visible, hipostasiada, en las eras imaginarias, donde se vive en imagen, por anticipado en el espejo, la sustancia de la resurrección.

Septiembre y 1958

A partir de la poesía

Es para mí el primer asombro de la poesía, que sumergida en el mundo prelógico, no sea nunca ilógica. Como buscando la poesía una nueva causalidad, se aferra enloquecedoramente a esa causalidad. Se sabe que hay un camino, para la poesía, que sirve para atravesar ese desfiladero, pero nadie sabe cuál es ese camino que está al borde de la boca de la ballena; se sabe que hay otro camino, que es el que no se debe seguir, donde el caballo en la encrucijada resopla, como si sintiese el fuego en los cascos, pero sabemos también que ese camino sembrado de higueras, cepilla las virutas del perro de aguas cuando comienza su lucha con el caimán en las profundidades del légamo removido.

Si divididos por el espíritu de las nieblas o un sueño incon- cluso, tratamos de precisar cuando asumimos la poesía, su pri- mer peldaño, se nos regalaría la imagen de una primera irrupción en la otra causalidad, la de la poesía, la cual puede ser brusca y ondulante, o persuasiva y terrible, pero ya una vez en esa región, la de la otra causalidad, se gana después una prolongada dura- ción que va creando sus nudos o metáforas causales. Si decimos, por ejemplo, el cangrejo usa lazo azul y lo guarda en la maleta, lo primero, lo más difícil es, pudiéramos decir, subir a esa frase, trepar al momentáneo y candoroso asombro que nos produce. Si el fulminante del asombro restalla y lejos de ser rechazados en nuestro afán de cabalgar esa frase, la podemos mantener cubierta con la presión de nuestras rodillas, comienza entonces a trascender, a evaporar otra consecuencia o duración del tiempo del poema. El asombro, primero, de poder ascender a otra región. Después, de mantenernos en esa región, donde vamos ya de asombro en asombro, pero como de natural respiración, a una causalidad que es un continuo de incorporar y devolver, de poder estar en el espacio que se contrae y se expande, separados tan solo por esa delicadeza que separa a la anémona de la marina.

Tenemos, pues, que el cangrejo de lazo azul nos hizo ganar otra región. Si después lo guardó en una maleta, nos hizo ganar una morada, es decir, una causalidad metafórica. Pero he ahí que cualquier viajante de comercio puede guardar su lazo azul en una maleta, pero le falta ese primer asombro que inicia otra causalidad en la otra región, pues pasmo aquella corbata azul, en el viajante de vulgaridad cotidiana, se desinfla sin tocar la poesía.

Así, la poesía queda como la duración entre la progresión de la causalidad metafórica y el continuo de la imagen. Aunque la poesía sobre su causalidad metafórica, se integra y se destruye, y apenas arribada a la fuente del sentido, el contrasentido golpea el caudal en su progresión. Si la causalidad al llegar a su final no se rinde al continuo de la imagen, aquella fantasía en el sentido platónico no puede realizar la permanencia de sus fiestas.

Guiados por la precisión de la poesía, colocamos como una espera inaudita, que nos mantiene en vilo, como con ojos de insectos. Durante cerca de doce siglos antes de Cristo, hasta el siglo pasado, en las enloquecedoras precisiones demostradas por los arqueólogos, los epítetos homéricos, Terento, la de las grandes murallas, o la áurea Micenas, estaban como en acecho flotante, semejante a la holoturia atravesada por el amanecer. Hasta que la alucinación de Schliemann descansó en la contemplación de una tumba rectangular en Micenas, con los restos de diecinueve personas, entre ellas dos niños pequeños, no encontró su arraigo el epíteto homérico: «Los rostros de los hombres estaban cubiertos con máscaras de oro, y sobre el pecho tenían petos de oro. De las mujeres, dos tenían bandas de oro sobre la frente, y otra una magnífica diadema de oro. Los dos niños estaban envueltos en láminas de oro. Junto a los hombres estaban tendidos en el suelo sus espadas, puñales, copas para beber, de oro y de plata, y otros utensilios. Las mujeres tenían a su lado sus cajas de tocador de oro, alfileres de diversos metales preciosos, y sus vestidos estaban adornados con discos de oro decorados con abejas, jibias, rosetas y espirales de oro...». ¡Treinta y cuatro siglos para comprobar la veracidad de un epíteto!...

Comenzaba así a hervir los prodigios, desde la suerte del Almirante misterioso, para nosotros los americanos, que sorprende en la cabellera de las indias, como unas sedas de caballo. Aquí lo sutil se hace fuerte, lo acerado ahilado viste como una resistencia acerada, refugiándose en la convocatoria para lo secular eterno. Sorprende después un perro grande, pero sin habla, que lleva en su boca una madera, donde el Almirante jura que cree ver las letras. La imantación de lo desconocido es por el costado americano más inmediata y deseosa. Lo desconocido es casi nuestra única tradición. Apenas una situación o palabras, se nos convierten en desconocido, nos punza y arrebata. La atracción de vencer las columnas en su limitación, o las leyes del contorno, está en nuestros orígenes, pues parece como si el misterioso Almirante siguiese desde el puente nocturno el traspaso entre la sexta y la séptima moradas donde ya no hay puertas, según los místicos, y existe como la aventura de la regalía en el misterio. Sorprende, además, la diferencia extrema en el pequeño círculo mágico. Un árbol que tiene ramas como cañas, y otra rama que tiene lentiscos. Los peces tienen formas de gallos, azules, amarillos, colorados. Toda esa riqueza de formas produce espera y descanso. En medio de esa diversidad, el hombre se nutre de una espera, que tiene algo del arco y de la flecha aporética.

Aun la muerte entre nosotros parece que ordena, y el caso de Martí, tan viviente antes como después de su muerte, tiene antecedentes en la tierra de los hechizos. En 1530, en el Castillo de la Fuerza, coinciden el que va a enloquecer buscando la juventud, Juan Ponce de León, y el que ya adivina que la tierra no lo va a contener, si el camino del río dialoga con las sombrías hojas de la medianoche. Hernando de Soto, hechizado de su época, perenne habitador de un castillo, regalador de la misma sobreabundancia. El buscador de la juvencia, queda en asombro viendo como el otro le regala riquezas, le burla su desconfianza, con el indescifrable gesto bueno, sólo leíblé en la tierra de los prodigios y del eterno renacer. Le envía a su mujer con dinero, pues ya el otro sabe que la tierra no le podrá dar la paz, aunque bailen sobre su podredumbre, y los caballos hagan suerte, para despistar a los indios, que saben el secreto, y que apenas alejados los españoles, comenzarán a desenterrar al hechizado. Como en cuanto «sintió unas calenturas que el primer día se mostró lenta y el tercero rigurosísima», según nos dice el Inca Garcilaso, sintió que su mal era de muerte, apenas pudo hacerse de papel para dictar el testamento. Tres años siguieron a su muerte, en que amigos y su esposa Inés de Bobadilla, lo seguían buscando, dejando señales en los árboles y «cartas escritas metidas en un hueco de ellos con la relación de lo que habían hecho y pensaban hacer el verano siguiente». Desenterrado, sepulto en el río, continuaban desde las sombras las visitas del hechizado. El solo conocimiento de su muerte, tres años después de estar en la tierra de fondo de río, mata a su esposa, que había mandado con juventud y riqueza, al buscador de la juvencia, para decirle que estaba en el Castillo de la Fuerza. Ya el hechizado había estado en el entierro y en la casa de la muerte de los nobles curacas, repartiendo «la almorzada de perlas», como se decía al reparto hecho con las dos manos, para hacer cuentas de rosario, a pesar de que eran gruesas como garbanzos gordos, según decía el cronista. Llega así el hechizado a la casa de la muerte. Gigantes con cara de diamantes defendían la entrada de las maravillas. Luego, interminables ejércitos en los relieves, con hachas de pedernal, que descargaban la muerte centelleando. La quinta fila de arqueros con flechas de pedernal y cuenco de venado labrado en cuatro esquinas. Después, las picas de cobre. Y Hernando de Soto, que se adelanta para entrar en la casa de la muerte. Y el ejército, en el relieve de la casa de la muerte, disparando incesantemente, y el batallador que se desploma. Pero está más allá de ser guardado en la tierra, de ser mecido en el río, sobrevive tres años después de muerto, vuelve muerto para recoger a su esposa y volver a pasearse en su castillo.

No sólo los hechizos, enviándonos sus meteoros y sus cometas, sino a veces situaciones excepcionales, que se mantienen en unidad de espacio, logran penetrar en el invisible poético, dán-

dole como un centro de gravedad a su permanencia. En el periodo de la restauración Meijil, en el Japón, doscientos niños de las
mejores familias japonesas fueron enviados al Vaticano. Aquella
unidad coral de garzones penetraron en los pasillos seculares con
sus colores, con su piel, con su habla como el chillido de las ga-
viotas. Debió de ser una sorpresa mayor que la de los misioneros
llegados al Oriente. ¿Cuál habrá sido la reacción de la romanidad
ante aquel envío de lo más delicioso del feudalismo de los *sha-
guns*? ¿Al regresar a su país, qué impresión llevarían los garzones
japoneses de aquella majestuosa valoración teocrática? ¿Qué co-
pias engendraron, en los que eran pintores, la *Academia* y la *Creación*? Ellos que copiaron con tanta delicadeza y fidelidad las es-
tampas chinas, diferenciándose, no obstante, de sus modelos, en
formas significativas y muy visibles, por la colocación en la misma estampa, de un sapo domesticado por la magia taoísta o una
pesada hoja de helecho que se mueve gemebunda.

Era una forma de invasión y reconocimiento hasta entonces
desconocida. No eran los misioneros, los mercaderes o los guerreros iracundos, los que llevaban la responsabilidad secreta de
la visitación. Por las calles de la romanidad se veían aquellos mu-
chachos extraídos de la flor del feudalismo japonés. Por otra parte,
qué valor incomparable en esas familias, de permitir un viaje que
podía tener sus riesgos secretos. Y al mismo tiempo, qué confianza en la delicadeza de sus custodios que cuidaban las travesu-
ras y las moscas del diablo. Uno sólo que se hubiera perdido o
mostrado su desagrado, habría traído consecuencias no previ-
sibles.

En sombrías hileras de cruces, veintitrés sacerdotes francis-
canos, misioneros en el Japón, al mismo tiempo del canto y de
la gloria, penetran en la muerte. Con sus uniformes, que la altura
abrillanta como un metal terroso, con sus salmos apenas musita-
dos, con sus rostros nobles que la flaccidez de la muerte ladea,
irrumpen, como una milicia que penetra por las murallas trans-
parentadas, con la misma unidad, en el mismo coro, por el mismo boquete de la muerte. El mismo resplandor de veintitrés hombres, que al unísono repiten el gesto del Crucificado mayor,
marcha paralelizado en la escena entregada a la infamia, pues veintitrés lanzas buscan los costados, las risotadas no de una ronda,

sino de un regimiento, con algazara y tumulto de merendero sombrío, los jefes a caballo, las máscaras y los rabos diabólicos, los guardias que agigantan sus pasos para extender una herida, para vigilar impasiblemente una agonía, los indiferentes que se retiran como esperando el final del cansancio de la gloria y de la infamia. Pero ni siquiera tienen la tradición de la cruz, y el aspa vertical tiene casi una triple extensión que la horizontal, y para herir en el costado tienen que usar unas lanzas tan largas que parece que van a tocar una llama más que agrandar una herida. En lo alto, como una urna de aire dorado, fuerte, lista a la formación de sonidos, lo invisible que se llena como de la otra milicia, que viene como a preparar la recepción de los veintitrés hombres que llegan, ya en su transparencia, para agrandar la rueda de un resplandor mayor.

No solamente esos coros que han penetrado con algazara coloreada en la ciudad desconocida, o majestuosamente en lo invisible, sino que el hombre ha esbozado gestos, situaciones, fugas y sobresaltos, que unas veces exhalados por inexplicables exigencias, y otras por violencias de un destino indescifrable, lo rodean como si hubiese una zona de trabajos y expectativas, alejados de la mera carga individual, donde coinciden los acarreos corales, muchedumbres cogidas por idénticos destinos, marchando congeladas dentro de las mismas finalidades. En un salón podemos establecer la división de los que fuman y los que desdeñan la hoja encendida; en la cámara de la muerte, asisten los que parlotean y los que se adormecen. En una travesía, los que contemplan la estela, o los que bajan a valsar. Se acercan en sus potros los campesinos a un torneo de gallos, unos llegan silbando, otros cetrinos silenciosos, mascullan la borraja. Fulgurantes agrupamientos, que en un instante o en cualquier unidad de tiempo, establecen como una clave, una familia, una semejanza en lo errante o inadvertido. Claves que no existen en una demorada casa temporal, sino impuestas por una circunstancia, un agrupamiento aparentemente caprichoso o fatal, pero que establece una división por gestos o actitudes, por acudimientos o inhibiciones, tan importantes, dentro de ese breve reducto temporal, como una reorganización por lo económico, por las exigencias del trabajo, o por los linajes que se fundan o se suceden. Nada más lejos de poder contentarnos con la creencia de que son agrupamientos banales o dictados por el capricho. Muy pronto, en el ejemplo de los que en la travesía contemplan la estela, se cambian miradas, se acercan. Si continúan en la medianoche en la contemplación de esos dualismos engendrados por invisibles Nikés, ya se ciñen las manos. Treinta años más tarde, ese hecho tiene una asombrosa y patética resonancia, se evoca con júbilo o con socarronería, mientras unas meninas jugando a los yaquis disimulan sus risitas con dientes de leche. En el otro ejemplo, el guajiro silbante que se acerca al galleo, un colono oloroso a nicotina está en su diestra. *El Sultancillo*, al que le tiró su escarcela llena de doblas isabelinas, tumba y arrebata. De ahí sacó el silbante una promesa de primeros labrantíos. Después, moja los corazoncitos con la hija plañidera del rico *home*. Lo vemos después hincharse con un cucharón en la melaza. «Tiene tres ingenios», dicen ahora los copistas fracasados. Pero en el día de su muerte, cabeceando como una góndola, se ve llegar a un natural guajolote de mala brillantina, principal Tomás Risitas, pasándose la estrella de su espuela por los labios, para estimular una canción con lo de adentro.

En asombro o bulto que desconcierta un instante del vivir, a veces se reproduce coralmente, en idéntica situación y tiempo. Lo que fue hecho excepcional, de larga cauda, pasa a un todo, llevado por la energía proporcional a la misma intencionalidad, riesgo o frenesí, que mantiene esa coincidencia durante un tiempo que es al mismo tiempo contorno y sucesión del hecho. Intencionalidad y tiempo quedan en esas ocasiones tan bien soldados, que forman dentro del tiempo, como cuantidad sucesiva, un remolino aparte y como congelado para la visión. Que esos hechos son orgánicos dentro del mundo que los motiva y engarza, lo revela su característica más valiosa, es decir, que vuelven, que se reiteran, que son necesidad afanosa de reintegrarse y reincidir dentro de la ciudad. Surgidos esos hechos, cuando alcanzan la plenitud en su presentación, adquieren una trágica eficacia, por el rendimiento fabuloso que se exige de las personas que coinciden en él, por el paréntesis que ofrecen entre una incitación potencial y una extinción, que es una suspensión. Volverá a reincidir ese hecho privilegiado, pero deshecho el encantamiento que encuadraba esa coralidad en una misma unidad de tiempo, rompe el mecanismo interno de sus compuertas, que ruedan o se sobreviven con el tatuaje de aquella situación. Cautiverio que atrajo todas las luces en su marcha, pero que el tiempo de la dispersión fue extinguiendo sus luces y sus redobles, quedando como un procesional de pesadilla.

Nosotros entresacamos de esos coros actuando en la imagen, con un tiempo que llevan en su centro: la espera a los pies de la muralla, el adolescente errante, la retirada (anábasis o la Grande Armée) y el destierro.

¿Por qué escogemos como entidad coral imaginaria los que esperan a los pies de las murallas, y no la ciudad sitiada? Porque los sitiados se acogen a la permanencia o a la muerte. El fin de una ciudad sitiada es el fuego o la irrupción de los moradores bárbaros. Veamos cómo el gran Príamo, conducido en el carro por Hermes, se acerca al Aquileo, «le abrazó las rodillas, besó aquellas manos terribles, que habían dado muerte a tantos hijos suyos». Viene a buscar a su hijo muerto y él mismo arriesga la vida. Pero el que espera a los pies de las murallas, corre el riesgo de que su espera se trueque en otra entidad imaginaria: la retirada, el coro en fuga bajo el cierzo. A través de su hijo muerto, el que domaba los potros, Príamo establece un demorado contacto con Aquileo. «Príamo Dardánida admiró la estatura y el aspecto de Aquileo, pues el héroe parecía un dios; y a su vez, Aquileo admiró a Príamo Dardánida, contemplando su noble rostro y escuchando su palabra.» El rescate de Héctor y la tregua de once días, lograda por Hermes, es una larga pinta de luz entre los aqueos y los teucros. Dos entradas de Hermes, dos banquetes fúnebres, tiempo entre dos auroras. Es decir, la comunicación entre las dos fuerzas se hace imprevisible, el rescate del cuerpo de Héctor, por ejemplo. Y esto monstruoso: los donativos que acepta Aquileo, a espaldas de Agamenón, por la devolución del cadáver. El mismo Hermes que guía a Príamo hasta la tienda del Aquileo, resguarda la fuga después de la conducta reprobable del Aquileo. El dios guía en una acción noble y en una acción reprobable, pues en realidad el pasaje no tenía por qué hacerse a base de la nobleza de Príamo y de la mezquindad del Aquileo, que tasa su acción y aconseja la discreción con Agamenón y la astucia para burlar sus propias tropas. Después que el Aquileo queda dueño del campo, se le ve mezquino en esa acción de indudable grandeza. Su cortesía tiene un precio, su gesto no está solamente llevado por la suprema caballerosidad. Desde el principio de *La Ilíada*, se observa entre los que esperan a los pies de las murallas, la tendencia a la subdivisión, o al menos a la existencia de dos fuerzas, la de Agamenón Atrida, y el héroe, el que trae el origen misterioso y la protección de Dios. Apolo tiene que mantenerse lanzando sus bengalas para avisar los excesos del Atrida. La gula por las Criseida y Briseida dividen al Agamenón y al Pélida. El campamento sitiador sucumbe al que hiere de lejos, saetas tras saetas se ven caer a los héroes, víctimas de un maleficio. A pesar de la diferencia entre Agamenón Atrida y el Aquileo Pélida ¿qué los une? La condición excepcional, impuesta por la tensión entre los sitiados y los sitiadores. Hay una relación entre Héctor, Patroclo y el Aquileo, donde ya no puede figurar el Atrida, que establece en la situación excepcional, la solución igualmente excepcional, situación que se encarece cada vez más entre los que esperan a los pies de las murallas, pues Agamenón utiliza a Patroclo cada vez que la ocasión es propicia contra el Pélida. Hay un designio indescifrable, pero que no obstante actúa como si estuviese perfectamente descifrado. Después de la estallante cólera de Aquileo, viene la mansa entrega de Briseida al comando dirigido por Patroclo, del linaje de Zeus. En el canto final, la llegada del cortejo de Hermes y de Príamo encuentran al Pélida dispuesto a todas las soluciones, aun a la aceptación de las dádivas. La intervención de la divinidad es la única claridad posible en medio de los que esperan a los pies de las murallas. Si no hubiese un desciframiento que es como un puente entre el «hiere de lejos», y el hecho que se deshace en la interpretación divinal, el canto caería. Pero ahí se ofrece visible y externo, y al mismo tiempo, lejano y misterioso, un campo donde lo circular de los sitiados, la espiral abierta de los sitiadores, la manera de atraer y descifrar un encuentro entre los dioses, por un lado Afrodita, la chipriota diosa, y por el otro la diosa de ojos de lechuza. Aquiles, que tiene la mitad de su sangre del lado de lo divino, prorrumpe en gritos potentes contra la enemistad de los dioses, celoso de ese extremo del héroe pasado a los efímeros.

Vico cree que las palabras sagradas, las sacerdotales, eran las que se transmitían entre los etruscos. Pero para nosotros el pueblo etrusco era esencialmente teocrático. Fue el más evidente caso de un pueblo surgido en el misterio de las primeras inauguraciones del dios, el monarca, el sacerdote y el pueblo unidos en forma indiferenciada. El convencimiento que tenía el pueblo de que el dios, el monarca y el sacerdote eran la misma persona, le prestaba a cada una de sus experiencias o de sus gestos, la participación en un mundo sagrado. Por eso la división que Vico hace, entre los primitivos romanos, de las *quaestionem nominis* y las *quaestionem definitionis*, pensando que estas últimas eran «las ideas que se despertaban en la mente humana al proferir la palabra», eran, en esa dimensión etrusca, la misma cosa. Pues en aquel pueblo, el nombre y la reminiscencia, eco animista de cada palabra, cobraban un relieve de un solo perfil. Vico podía creer en la transmisión sacerdotal, pero se le hacía muy difícil la concepción del pueblo de sacerdotes, las innovaciones hechas por el pueblo entero. Vico, por ejemplo, se decide a colocar los dragones en el camino de los triunfos de Hércules. Después de haber dominado al león y a la hidra, viene su victoria en la Hesperia sobre el dragón. Pero el surgimiento del dragón en la tradición occidental, nos parece difícil y paradojal, pues en la primitiva cultura china, las primeras dinastías son llamadas de los cinco dragones, y entre sus primeros reyes, del periodo mítico. Fou Hi, Chin Noum y Hoang Ti, con una antigüedad de 2697 años antes de Cristo. Vico no podía comprender el hechizo entero de la ciudad, de la marcha del campesinado penetrando en lo irreal, en lo imposible. ¿Cómo pudieron llegar esas fábulas griegas a los japoneses, se pregunta Vico, o a la China, donde existe una Orden de Caballeros del Hábito del Dragón? La respuesta brinca de concluyente: porque Fou Hi, que corresponde a lo que pudiéramos llamar un equivalente del periodo cadmeo, lleva la letra y el número, y al mismo tiempo es el primer rey de dragones de la cultura china. Si existen cinco dinastías de dragones, con la mantenida presunción de que éstos son invencibles, pues no podían tener la menor noticia de los triunfos de Hércules, que llevaban al dragón a una flaccidez vencida. Entre el dragón que lucha con Hércules, y los dragones de las primeras dinastías chinas, debe de mediar la extensión cronológica que va desde la tortuga agrietada para la adivinación, en la China arcaica, y la lira de concha de tortuga, pulsada por Orfeo. Si a esto añadimos que el dragón verde es el característico en la China del Este, tenemos que llegar a la conclusión que era en extremo difícil esa influencia de la Grecia mitológica sobre una lejanía casi irreconciliable. Vico no pudo conocer esa otra naturaleza del pueblo como penetración de un coro en los designios.

No basta que la imagen actúe sobre lo temporal histórico, para que se engendre una era imaginaria, es decir, para que el reino poético se instaure. Ni es tan solo que la causalidad metafórica llegue a hacerse viviente, por personas donde la fabulación unió lo real con lo invisible, como los reyes pastores o sagrados, el monarca como encarnación viviente del Uno (que en la cultura china arcaica es el agua, el Norte y el color negro), o un Julio César, un Eduardo el Confesor, un San Luís, o un Alfonso X el Sabio, sino que esas eras imaginarias tienen que surgir en grandes fondos temporales, ya milenios, ya situaciones excepcionales, que se hacen arquetípicas, que se congelan, donde la imagen las puede apresar al repetirse. En los milenios, exigidos por una cultura, donde la imagen actúa sobre determinadas circunstancias excepcionales, al convertirse el hecho en una viviente causalidad metafórica, es donde se sitúan esas eras imaginarias. La historia de la poesía no puede ser otra cosa que el estudio y expresión de las eras imaginarias.

Si hacemos desfilar a los reyes de la nieve, en los países nórdicos, Hacha de Sangre, Diente Azul, Barba Partida, el que hace la señal del martillo de Thor antes de beber, Hakon, el que no quiso comer hígado de caballo, el cortejo fabuloso del tránsito del paganismo al cristianismo en Noruega, sorprendemos que la imagen errante, enloquecida, anegada en la identidad de su blancura, propicia a los fantasmas directores, que arengan dentro de grandes bloques de hielo, no forma una era imaginaria. Vemos a un joven alto, llamado Einar, en la nao Serpiente Larga, el mejor arquero de los invasores.

«—Hiéreme a ese hombre —dijo Eric a un arquero que tenía a su lado.

»Y en el preciso instante en que Tamberskelver estaba por

lanzar su flecha por tercera vez, una flecha le dio en la parte media, rompiéndola en dos pedazos.

»—¿Qué se ha roto? —preguntó el rey Olaf.

»—Noruega, en tus manos, rey —contestó Tamberskelver.

»Tryggeson observó con asombro que sus hombres luchaban reñidamente contra los de Eric, pero sin resultado, pues ninguno de ellos caía.

»—¿Qué ocurre? —preguntó Tryggeson.

»—Nuestras espadas están selladas y despuntadas, rey; no cortan.

»Olaf bajó a su arsenal y les entregó espadas nuevas, y, mientras lo hacia, observó que de su pecho brotaba sangre, aunque nadie supo dónde tenía la herida. Eric abordó por tercera vez. Olaf, a quien apenas le quedaba un solo tripulante, saltó por la borda (vieron su cota roja que aún brilló al sol del atardecer) y se hundió en las profundas aguas, para su largo descanso.»

Avivamos ahí una lejanía de la nieve, una imagen que no alcanza su forma, que no desfila en su configuración de causalidad metafórica, pero no la constituimos en era imaginaria. ¿Por qué? Hay subdivisiones, indecisiones incomprensibles, vaguedades donde lo misterioso no cobra como una punta de imantación. En realidad, toda esa monarquía de la nieve marcha como una caballería decapitada, hasta la aparición del bosque medioeval, donde Chesterton situó la imaginación de Shakespeare. No hay allí unidad en los milenios, la constitución de un contrapunto cultural. Es una vicisitud de la imagen, pero no una era imaginaria.

Demos un salto de siglos, al cual supongo que ya estaréis acostumbrados. Vislumbremos el séquito del mariscal Junot, entrando en la Lisboa hechizada de principios del siglo pasado. Entrando embobado en casa del marqués de Quintela, con la condición de servirles comida a cuarenta personas de su séquito. Riéndose como mariscalote, cuando su amigo el cónsul Rayneval va a visitar a la famosa hechicera María de la Peña, que le dice que se casaría en la nieve y moriría en el fuego. Comprobándose que haría himeneo en Rusia y mortaja en Madrid, profecía que no tiene significado para Junot, hasta que estallan las zarabandas del 2 de mayo. María de la Peña vivía en el barrio bajo de La Estrella, en Lisboa. El conde de Novión, de la nobleza lusitana, llega a la casa del mariscal en trance consular, para interceder por un soldado de su ejército, protegido también del príncipe de Waldek, pero que ahora la inquisición pretende, por una francachela báquica, donde intervino también la María de la Peña, mandarlos a los dos a la horca. Se emborrachó el alemán, y fue a divertirse a costa de la María de la Peña, para comerse las deliciosas castañas de la bruja. El titánico alemán alzó el brazo para pegarle: «Fisher, detente, o por mi amigo el diablo te juro que te pesará toda la vida». Avanzó el hercúleo alemán para pegarle, pero se cae de bruces, y apenas le toca un dedo a la vieja, se queda sin sentido, estremeciéndose cada vez que veía al diablo invocado. Fisher, el soldadote, decía, en un tudesco interrumpido de sílabas alcohólicas, al declarar que «había visto a un hombre negro y echando llamas entre él y la vieja». Pero no son sólo las hechiceras sarmentosas, sino el mismo marqués de Alorma declara que cena todos los viernes con la Virgen María, y con el misterioso rey Sebastián, especie de Hamlet portugués. Pero es tan solo en ese momento en que la energía del periodo napoleónico penetra en aquella ciudad desvaída por la brujería, los placeres y el cansancio de la nobleza. No es una era imaginaria, dura lo que una carga de Junot, bajo los anteojos del Emperador.

Vamos a aludir a las eras imaginarias, que nosotros hemos encontrado, donde se barajan metáforas vivientes, milenios extrañamente unitivos, inmensas redes o contrapuntos culturales.

La primera era imaginaria es la filogeneratriz. Comprende el estudio de las tribus misteriosas de los tiempos más remotos, tales como los idumeos, los escitas y los chichimecas. Los idumeos aparecen levemente aludidos en el Génesis. En el famoso soneto de Mallarmé, que comienza: *Te ofrezco el fruto de una noche de Idumea*, se alude a las reproducciones del periodo mitológico. Se adormece el hombre, es decir, el tiempo se borra, de su costado empieza a crecer un árbol, de sus ramas se desprende la nueva criatura. En otras interpretaciones, el falo crece como un árbol, mientras el hombre se abandona al sueño, salta del árbol la nueva vida. Estudio de lo fálico totémico. Estudio de todas las antiguas formas de reproducción. El hombre de Zohar, como expresión androginal, sexología angélica: estudio de los teólogos heterodoxos que van desde el zapatero Boehme al sueco Swedenborg.

Lo tanático de la cultura egipcia es la segunda era imaginaria. Estudio de la isla de Re, la aglomeración de los muertos. Las pirámides como penetración en el desierto, para que los gigantes del Egipto prehistórico vayan entrando en la meditación sobre la muerte. El rey es en el Egipto prehistórico una reminiscencia del periodo de los gigantes. Referencias a la cámara de la reina, en la pirámide Cheops, donde el viento que trae la semilla de la fecundación es también el que trae la voz de los muertos. Características esenciales de la cultura egipcia, liberada de la tardía influencia griega, romana o persa, es el único país del mundo que en la prehistroria ofrece una plenitud religiosa y expresiva.

En la tercera era imaginaria podemos estudiar lo órfico y lo etrusco. Subrayemos el espíritu de reconciliación órfico. Orfeo, hijo de Apolo, con sus mismas cualidades, pero más al alcance de los hombres. Su muerte representa el alejamiento de los dioses de la morada de los efímeros. En los países de excepción, la Tracia, por ejemplo, Linos y Anfión representan la belleza natural en regiones monstruosas. Fue el primero que descendió a los infiernos, que venció el tiempo, que se hizo transparente, que preludió a Cristo, a los ángeles. Fue el primero que mostró una doble naturaleza: de origen divino, su canto es para los humanos. Uno de sus himnos comienza: *Sólo hablo para los que están en la obligación de escucharme*. Conoce su destino y lo cumple, aun en la muerte.

Reyes etruscos, principalmente Numa Pompilio, estudiado por Plutarco. La fundación del templo de Vesta, guardador del fuego. La obtención del fuego puro, que viene del sol, por medio de los vasos cónicos rectangulares. Establece la purificación para que el *Hoc age*, haz esto, pudiera funcionar. El pueblo romano adoptó, dice Plutarco, las fábulas más absurdas, y que no existía nada tan increíble, ni nada tan imposible que no creyera capaz de hacerse, si él lo quería. Nace con los etruscos el *potens*, es decir, si es posible, es creíble, es verificable.

Espejo de la identidad en Parménides. El ser como emanación de la divinidad, previo al existir. Frase de Aristóteles, que sirvió de constante meditación a Kant y al obispo Berkeley: la piedra que está en el río, está en tu alma. Intento trágico en los griegos: saber que la piedra que está en el río no es la que está en el alma, pero intentarlo, aun sabiendo que es imposible. Final de la razón como diosa, el discurso sobre la diosa razón de Robespierre. Solución del problema del existir de la representación, el *alibi* en la mística oriental. Estudio de la poesía que va desde Parménides a P. Valéry, pasando por M. Scéve. Estudio de la identidad trocada en sustancia. De la sustancia en la médula de saúco.

Otra de las más significativas eras imaginarias es la etapa de los reyes como metáfora. El periodo cesáreo, el merovingio. Los reyes confesores (Eduardo el Confesor, entre los ingleses, y San Luís, rey de todos los franceses). Los reyes perseguidos: Fernando III el Santo, Alfonso X el Sabio, Sancho IV el Bravo, Alfonso XI. Los Hapsburgo: Carlos V, castigo que le imponen los españoles en Tordesillas, regreso de su guardia personal, los cien jóvenes de la guardia flamenca, y su aceptación por Carlos V, convirtiéndose en un español universal.

Decadencia de los reyes como metáforas, relación de Felipe IV con sor María de Agreda.

Estudio de fundaciones chinas. Sabiduría taoísta. La biblioteca confuciana, la biblioteca como dragón. Frase de Confucio: «No invento, sólo transmito». Conjuros del *Yi King*, los exagramas.

El culto de la sangre: los druidas. Los aztecas. La sangre como agua y fuego. El miedo cruel. Creación en palacio, durante el último emperador azteca, de la oficina de los sueños nefastos, para prevenir sobre la llegada de los malos.

Las piedras incaicas. Fortalezas de piedra. Las tres caídas de la luna en la tierra. Crecimientos del mar, justificando las construcciones primitivas incaicas, en lo alto de los picachos. Las piedras después del diluvio griego. Alusión a las fábulas de Deucalión y Pirra. El diluvio bíblico. Referencias a los gigantes en sus tumbas de Karnak. Frase de Nietzsche: «En cada piedra hay una imagen».

Conceptos católicos de gracia, caridad y resurrección. Por la caridad se establece una ambivalencia con los dioses, a mayor envío de gracia, mayor devolución de caridad. Ahí se engendra la santidad. El día del juicio, cuando los hombres nutridos de un vino que no embriaga y de una miel que no sacia, vean a las mujeres embarazadas pasadas a cuchillo, mientras se prepara un gran banquete en la Santa Salem, para celebrar la extinción de la especie humana, a cuyo banquete sólo podrán asistir las bestias del bosque y las alimañas. Si no se espera la resurrección, no hay plenitud, pues las bestias del bosque, por su inocencia, se impondrán a la criatura en pecado original. San Pablo no conoció, sólo vio a Cristo, por eso enarca los valores de la caridad y de la resurrección. Por la caridad, que es la única eliminación de concupiscencia que hay en el hombre, se puede, como hemos dicho, igualar la gracia, por la resurrección el hombre participa en el otro reino de Dios.

La última era imaginaria, a la cual voy a aludir en esta ocasión, es la posibilidad infinita, que entre nosotros la acompaña José Martí. Entre las mejores cosas de la Revolución cubana, reaccionando contra la era de la locura que fue la etapa de la disipación, de la falsa riqueza, está el haber traído de nuevo el espíritu de la pobreza irradiante, del pobre sobreabundante por los dones del espíritu. El siglo XIX, el nuestro, fue creador desde su pobreza. Desde los espejuelos modestos de Varela, hasta la levita de las oraciones solemnes de Martí, todos nuestros hombres esenciales fueron hombres pobres. Claro que hubo hombres ricos en el siglo XIX, que participaron del proceso ascensional de la nación. Pero comenzaron por quemar su riqueza, por morirse en el destierro, por dar en toda la extensión de sus campiñas un campanazo que volvía a la pobreza más esencial, a perderse en el bosque, a lo errante, a la lejanía, a comenzar de nuevo en una forma primigenia y desnuda. Sentirse más pobre es penetrar en lo desconocido, donde la certeza consejera se extinguió, donde el hallazgo de una luz o de una vacilante intuición se paga con la muerte y la desolación primera. Ser más pobre es estar más rodeado por el milagro, es precisar el animismo de cada forma; es la espera, hasta que se hace creadora, de la distancia entre las cosas. Las inmensas lentitudes de la extensión, que se hace creadora por la ley del árbol, es sorprendida por el estilo de la pobreza, en una fulguración, donde la realidad y la imagen están perennemente a la altura de la mirada del hombre pobre. La suerte que se echa sobre los pobres, vistas por quien más tenía que ver, gana de antemano el número sagrado y la batalla con la tumultuosa prole plutónica.

La vigilia, la agudeza, la pesadumbre del pobre, lo llevan a una posibilidad infinita. Me ronda de nuevo esta frase mía, que es como el resumen de todo lo dicho: lo imposible al actuar sobre lo posible engendra un *potens*, que es lo posible en la infinidad. Ahora se ha adquirido esa posibilidad, ese *potens* por el cubano. Toda imagen tiene ahora el altitudo y la fuerza de su posibilidad. Todos los posibles atraviesan la puerta de los hechizos. Todos los hechizos ovillan esa posibilidad, como una energía que en un instante es un germen. La tierra transfigurada recibe ese germen y lo hincha al extremo de sus posibilidades. Son así ahora alegres nuestros campesinos al estar muy adentro en la melodía de nuestro destino.

La Revolución cubana significa que todos los conjuros negativos han sido decapitados. El anillo caído en el estanque, como en las antiguas mitologías, ha sido reencontrado. Comenzamos a vivir nuestros hechizos y el reinado de la imagen se entreabre en un tiempo absoluto. Cuando el pueblo está habitado por una imagen viviente, el estado alcanza su figura. El hombre que muere en la imagen, gana la sobreabundancia de la resurrección. Martí, como el hechizado Hernando de Soto, ha sido enterrado y desenterrado, hasta que ha ganado su paz. El estilo de la pobreza, las inauditas posibilidades de la pobreza han vuelto a alcanzar, entre nosotros, una plenitud oficiante.

Se invoca al ángel de la jiribilla

Asoma ahora el ángel nuestro, el llamado para la invocación final ángel de la jiribilla. Igual, por lo menos, al ángel de la Bética; superior a la lucha entre el ángel y el duende, en que éste riega con niebla y con el espíritu de lo errante las alas intermedias.

Ángel nuestro de la jiribilla, de topacio de diciembre, verde de hoja en su amanecer llovizndo, gris tibio del aliento del buey, azul de casa pinareña, olorosa a columna de hojas de tabaco.

Ángel de la jiribilla, en el asombro, en el perplejo suave. No asombro mofletudo del Eolo. No perplejo en cariátide entre la guayaba aromosa y los reflejos de la bandeja de plata martillada en la frente. Asombro que encuentra el círculo del cocuyo para exorcizar la medianoche. Perplejo que enarca la cola del gallo, para no confundirse en la mañana cegadora. Perplejo que encuentra a la pluma verde de la cola del gallo.

Jiribilla del paroxismo, de la hondura del frenesí frente a la muerte. Jiribilla que asusta a la muerte y la obliga a la arrecida de la hoja del barbero clásico. Que le hace un cuento a la muerte, que le saca los dientes de ajo para su secuestro en caballo ligero. Rapto de la muerte en caballo pequeño sobre un tambor que llora, que rota en sentido contrario al de las agujas de un reloj.

Ligereza, llamas, ángel de la jiribilla. Mostramos la mayor cantidad de luz que puede, hoy por hoy, mostrar un pueblo en la tierra. Luz que lleva en sí misma su vitral y su harnero. Luz que encuentra siempre su ojo de buey, para descomponerse en la potencia silenciosa de la resaca lunar.

Jiribilla, diablillo de la ubicuidad. Simultaneidad en las estaciones, que unen el oro y el gris, como dos brazos. Como dos brazos que alzan la libertad en el espacio medido en los cuadrados de color y en el tiempo del sueño. Jiribilla inmóvil, la de la tortuga nuestra, que cuando se encoleriza le arranca un jarrete al toro. Tan venerable la tortuga nuestra como la llamada tortuga Pei Hi, en el Pabellón de la armonía suprema, es el palacio imperial de Pekín, cuyo rostro esboza un gesto amenazador y terrible, a pesar de que aspira a la longevidad. Lección que aprendemos de la helénica luz, que la tortuga llega al mismo tiempo que Aquiles, el de los pies veloces. Pero hay que tener los pies veloces como la luz.

Jiribilla, hociquillo simpático. Simpatía de raíz estoica. Fabulosa resistencia de la familia cubana. Arca de nuestra resistencia en el tiempo, cinta de la luz en el colibrí, que asciende y desciende, porque pesa menos que el aire. Simpatía de la jiribilla, que asciende y desciende, a la medida del hombre, como un templo con la luz instrumentada por Anfión, del linaje de Orfeo.

Sal de la salamandra, agujereando el fuego, incansable, caída al mar en la bahía de los hielos. Ángel de la jiribilla, que cambias la salamandra en la iguana del taíno, de lengua con los colores de la llama, larga como un brazo, que lleva su brasa a los tinajones, donde de noche se guarda el sol.

Ángel de la jiribilla, ruega por nosotros. Y sonríe. Obliga a que suceda. Enseña una de tus alas, lee: realízate, cúmplete, sé anterior a la muerte. Vigila las cenizas que retornan. Sé el guardián del etrusco *potens*, de la posibilidad infinita. Repite: Lo imposible, al actuar sobre lo posible, engendra un posible en la infinidad. Ya la imagen ha creado una causalidad, es el alba de la era poética entre nosotros. Ahora podemos penetrar, ángel de la jiribilla, en la sentencia de los Evangelios: *Llevamos un tesoro en un vaso de barro*. Ahora, ya sabemos que la única certeza se engendra en lo que nos rebasa. Y que el icárico intento de lo imposible es la única seguridad que se puede alcanzar, donde tú tienes que estar ahora, ángel de la jiribilla.

Enero y 1960

La imagen histórica

«A UNA distancia de un tiro de ballesta, dice maese Leonardo, el hombre dispara su imagen sobre otro hombre agazapado, en acecho de aquel desprendimiento.» ¿Dónde se ancla su imagen? En otro ojo avivado en previas candelas receptoras. Su torre óptica es en extremo breve y con escaso confort. Para captar la imprecisa precisión del desprendimiento de la imagen, Leonardo prepara la grafía de una precisa imprecisión, la visión se verifica al través del «agujero de una agujita». Mientras precisamos, sobre todo para el hombre actual, cuál es la marcha de ese venablo después que se extinguió la potencia acumulada en el cordaje, vemos el disparo como un bulto sin extremos y sin testa, y esa misma región central es recibida por la ventana de la agujita. Al perderse los fragmentos, la imagen se pulveriza. En algún círculo del Infierno, unos desdichados miran, según el verso de Dante, *como el sastre cuando va a enhebrar la aguja.* Sabemos que son pésimos ojos, que lanzan miradas desvaídas.

En el ejemplo anterior precisamos que la ausencia de diversidad es el primer muro que la imagen encuentra en su camino. Pero muy pronto los consejos para el suceso poético, desde la paz octaviana al *grand siècle,* esa tumultuosa distancia poética recorrida por las cartillas memorables de Horacio y de Boileau, reconocen que la extrema diversidad descalabra el poema. *Si pictor velit...* si un pintor caprichoso, dice la primera de esas grandes cartillas. Ved la ocurrencia de un pintor, que nos da un antruejo que ha asustado durante muchos siglos: un rostro con testa de caballo, mezclado con extremos de animales y plumas de aves, terminando con la cola de un indescifrable pez.

En el otro reglamento, el de Boileau, se impide al blondo Tirsis, pastor de la Umbría, en una coronada fiesta de estío, ornar con magnífico lapidario su testa, ni mezclar con su oro el relámpago de los diamantes: tiene que escoger en otro vecino campamento en sequía, un ornamento más rústicamente riguroso. Aun la fascinante imantación y la sangre tórrida de Lope de Vega, se obligan a la aceptación de esos melindres. Si cito sus palabras es para intentar borrarlas a su favor: «Pues hacer toda la composición figuras, dice Lope de Vega, es tan vicioso e indigno como si una mujer que se afeita, habiéndose de poner la color en la mejilla, lugar tan propio, se la pusiera en la nariz, en la frente y en las orejas». Persas amazonas desmembradas; del uno al otro mar, el trueque de las sirenas odiseicas en manatí gemebundo o en vacas marinas; las vírgenes guardianas del espíritu del fuego, sabiendo que en el mundo de la resurrección no hay bodas, vemos que desprende una imagen, que se burla como domadora que restalla su látigo, sonriendo dentro de un cuarzo de doble refracción.

He ahí que la imagen, contraejemplos de Horacio y de Lope de Vega, actúa sobre la diversidad más pintarrajeada, sobre la *hybris* más hidrópica. Basta que la imagen se desenrede en una reducción hacia un centro, o por el contrario sobre la infinidad, hacia la fiesta de la diversidad o hacia la desolación, para que esplenda removiendo el acto. Si el ser surge en esa conciencia de la nada, existe también un estado previo al ser, el ser universal o la primigenidad del ser, que pueden enarcar la imagen y hacerla actuante, destruyendo la *hybris* o diversidad, o la simple y monda extensión. La imagen nace de esa hirviente polarización, en que la pobrecita preimagen, enredada en lo diverso o fláccida frente a la extensión, lanza un reflejo, un rayo de penetración y disfrute.

Quizás en el primer ejemplo de Maese Leonardo no obtengamos una figura desmembrada, pero para la visión, para las escalas de la mirada, la expresión «a un tiro de ballesta», y el simple mirar por el «agujero de una agujita», no nos regalan una imagen diferente, aislada, rescatada, pero despiertan al mostrar la diversidad de su incorporación, rendida a la imagen concluyente, como un oso hormiguero que de su primera lanzada retrotráctil se apodera de innumerables hormigas, mostrando después su rosada paleta pulimentada como un metal tolemaico.

En lo que un maestro del budismo ha señalado como las escalas de su paraíso: el vestíbulo del alfarero, el árbol de coral, la cadena del ojo del tigre, el Ganges celeste, la terraza de malaquita, el infierno de las lanzas y el nirvana del perfecto, vemos que la imagen rueda de la extensión vegetativa al furor, una antítesis de imagen placentera frente a otra colérica, un árbol frente a un ojo de tigre, una terraza frente a las lanzas infernales. Y entre las dos parejas antitéticas, el río que fluye, que arrastra, que llega a los contemporáneos en el río del *Finnegan's Wake*, lleno de nombres de príncipes indios y de pequeños ríos irlandeses. Vemos en esas dos suertes corridas por la imagen, la coincidencia entre la vida eterna y la eterna vida. El vestíbulo del alfarero donde coinciden el dios que va a morir y el discípulo al lado de su dios buscado, aunque ignora su cercanía, y el reposo de la casa del carpintero, turbado por las llamas del ángel. Las cuatro torres carnales, en los jardines del Bosco, se igualan con la terraza de malaquita. La cabalgata de los aquejados de lujuria, con su aguijón de fuego, se entrecruza con los chillidos del infierno de las lanzas. Árboles, ríos, animalejos reconciliados, en el primitivo paraíso terrestre, y por semejanza, en el paraíso celeste o en la visión de la gloria. Pluralidad de hechizos, diversidad inocente, que aseguran el diseño de su morada futura, su imagen en los hijos de la resurrección. Corales lapidarios, lanzas, tigres, que también logran otra imagen partiendo de la nada del paraíso búdico. Transformaciones causales de un paraíso, hasta lograr el *aneantissement* de las siete ruedas o cadenas causales.

Como esas parejas mal avenidas pero de indiscutible coyunda, vemos siempre en la ringlera de lo sucesivo verbal las épocas oscuras y mitológicas. Así comienza un error, que todavía vocea en nuestros días, y que debía estar destruido desde las teogonías de Hesíodo. Lo mitológico es siempre esclarecimiento, árbol genealógico, combate donde los dioses visitan a los guerreros, prole engendrada por los dioses y los efímeros. Nuestra época que contempló el surgimiento de la realidad de Troya, quiere olvidar la cercanía del Helicón a los combatientes o a los invocantes. La sombra, como viviente desprendido del árbol, marcaba el aposento placentero de los dioses y los hombres. El hallazgo genial de Gianbattista Vico consistió en ver con evidencia que por la poesía el tiempo fabuloso, que si es oscuro, se hace mitología, que trenza un ramaje de dioses y de hombres con el mismo troncón. Esa adivinación, ese *Doerum interpretes*, que nos recuerda Vico, hacía de la poesía la línea donde lo imposible, lo no adivinado, lo que no habla, se rinde a la posibilidad. En el tiempo fabuloso, el dios imperante es Hércules, necesario para vencer el retoño con cien cabezas, protegido por Juno, mientras está convencida que favorece a la familia y a las nupcias. Así, aun en el Olimpo, vemos los cambios políticos de los dioses, de Juno retirándole su confianza a Hércules. Política reversible, pues los habitadores de Gea, la tierra, para disculpar sus licencias, buscaban las relaciones de Jove burlando a Juno. En el tiempo mitológico los dioses imperantes son Jove y Apolo, la plenitud de la creación y de la luz, engendrando la poesía. Hera, la pavorosa diosa de los descensos infernales, pertenece al tiempo fabuloso, cuando la poesía dependía de las carprichosas e inapresables visitas de Endimión.

Vico intuye que hay en el hombre un sentido, llamémosle el nacimiento de otra razón mitológica, que no es la razón helénica ni la de Cartesio, para penetrar en esa conversión de lo fabuloso en mitológico. Frente al mundo de la *physis*, ofrece Descartes el resguardo de sus ideas claras y distintas. Frente a los detalles «oscuros y turbios» de los orígenes. Vico ofrece previamente a las platónicas ideas universales, la concepción de sus universales fantásticos o imaginarios. Como vimos en la política de los dioses, las relaciones extramatrimoniales de Júpiter influyen en la reunión de las primeras familias del patriciado. Esos universales imaginarios, los mitos, nacen de la apetencia, según la frase de Vico, de «homerizar a Platón y de platonizar a Homero». Platón encuentra siempre en el poeta ese elemento teocrático mitológico. Si lo considera ser sagrado tiene que llevarlo al más lejano Helicón de la reminiscencia; si ligero por sus entradas y despedidas de los raptos y la mudez, por su frenesí con los coribantes y por su majestuoso recuerdo de los éxtasis. El Platón del *Ion o de la poesía* está aún entre la dialéctica socrática y su propia reminiscencia, pues si no cómo distinguiría entre los pasajes de Homero, los propios del especialista y los del adivino. Pero en el *Gorgias*, ante la amenaza del joven Calicles, evoca Socrates las praderas de la reminiscencia, las dos grandes fuentes que separan a los descendidos al Hades y la compañía de Minos y del rubio Radamanto. Minos, que Ulises ve de reojo en los infiernos, «teniendo en la mano un cetro de oro y administrando justicia a los muertos». Es decir, se ha cumplido la indicación de Vico, se ha «homerizado a Platón».

Ya podemos vislumbrar la imagen más allá del símbolo y más allá de la imaginación, pues hay en el símbolo como un recuerdo de la cifra que lo atesoraba. Una rama puede ser un símbolo de la fertilidad, si con esa rama penetramos en los infiernos, como en *La Eneida*, quien la porta la trueca en imagen. La imaginación que nace, gorgonas, centauros, de la comparación de dos formas reales. Por una fácil paradoja en la aceptación que le damos a la imagen, en ésta totalmente opuesta a la imaginación. La imagen extrae del enigma una vislumbre, con cuyo rayo podemos penetrar, o al menos vivir en la espera de la resurrección. La imagen, en esta aceptación nuestra, pretende así reducir lo sobrenatural a los sentidos transfigurados del hombre. Lo natural potenciado hasta alcanzar más cercanía con lo irreal, devolver acrecidos los carismas recibidos en el verbo, por medio de una semejanza que entrañe un desmesurado acto de caridad, aquí la poesía aparece como la forma probable de la «caridad todo lo cree», *charitas omnia credit*.

Tres frases colocaría yo en el umbral de esta nueva vicisitud de la imagen en la historia. Primera: «Lo imposible creíble», de Vico. Es decir, el que cree vive ya en un mundo sobrenatural, cualquier participación en lo imposible convierte al hombre en un ser imposible, pero táctil en esa dimensión. Acepta un movimiento sobrenatural, una propagación sobrenatural, un sobrenatural estar en todas las cosas. Segunda fase: «Lo máximo se entiende incomprensiblemente.» Es la línea trágica, inalcanzable, desesperada, que va desde San Anselmo a Nicolás de Cusa, que pretende hipostasiar el mundo óntico, el ser, en un cuerpo, en el mundo fenoménico. El ser máximo es, lo que es tiene que ofrecer una realidad, si no, tendríamos que aceptar que la posibilidad real no es. Tercera, esta frase de Pascal, como resguardo o conjuro: «No es bueno que el hombre no vea nada; no es bueno tampoco que vea lo bastante para creer que posee, sino que vea tan solo lo suficiente para conocer que ha perdido. Es bueno ver y no ver; esto es precisamente el estado de naturaleza».

Entrecruzados con esos nombres mayores del umbral, como atolondrada criatura de prolongaciones, pero de esencia imprescindible y secretamente reclamada, deslizamos también nuestro caduceo interrogante, pues el original se invenciona sus citas, haciendo que tengan más sentido en el nuevo cuerpo en que se les injerta, que aquel que tenía en el cuerpo del cual fueron extraídas.

El imposible, al actuar sobre el posible, crea un posible actuando en la infinitud. En el miedo de esa infinitud, la distancia se hace creadora, surge el espacio gnóstico, que no es el espacio mirado, sino el que busca los ojos del hombre como justificación. El hombre tiene la nostalgia de una medida perdida. Los niños muertos, en el mundo de la resurrección, es decir, en el de la plenitud de la imagen, resucitan como si hubiesen alcanzado su mundo de plenitud. Todo lo que el hombre conoce es como un enigma, conocimiento o desconocimiento de otra jerarquía, de lo que conocerá plenamente en la muerte, pero tiene vislumbres de que ese enigma posee un sentido. Lo imposible, lo absurdo, crean su posible, su razón. La imposibilidad de que el hombre justifique la muerte hace que ese imposible convierta la resurrección en un posible. Lo que no es verdad ni mentira, el hombre lo percibe como verdad. Cuando Leonardo afirma que hay once formas de nariz, *sabemos* que eso es una verdad. Sujeto y objeto se devoran, desapareciendo. Es lo que engendra la relación entre la razón espermática de los alejandrinos, de Plotino, de San Buenaventura, y la realidad inteligible de los hilozoístas, la materia signata de los escolásticos. La claridad de un hecho puede ser la claridad de otro, cuya semejanza no es equivalente, que permanecía a oscuras, pero la iluminación o sentido adquirido por el primer hecho, al crear otra realidad, sirve de iluminación, o sentido al otro hecho, no semejante. La precisión de sus cronologías y el esplendor de sus riquezas dominadas como un pastor en una fiesta de bodas, surgiendo de su pastoreo su magnificencia, Bossuet subraya de Abraham que muestra su magnificencia haciéndola aparecer principalmente ejerciendo su hospitalidad con todo el mundo, otorga grandes detalles sobre la fundación de Argos y la maldición de Inacus. La riqueza regalada casi por los dioses al periodo del pastoreo de Abraham, se convierte en un espejismo en las expediciones rechazadas por un oleaje de maldición. Una hospitalidad suntuosa regalada a los pastores y rechazada para los argonautas obstinados, como dos prisioneros atados de espalda, como el acordelamiento de las astas de cobre del reverso. El hombre es una respuesta, un seguir un hilo, que no se sabe cuándo se rompe. La respuesta de una pregunta intemporal. Existe una causalidad en lo no visible, no figurable, que aparecía como un juego entre los griegos. El hilo de un verso, dicho por alguien, continuado por otro verso o sentencia similar, nombre de hazañas de fundación de ciudades, que tenían la gracia de su ringlera o la igualdad de las sílabas finales. Cualquier respuesta era válida rendida por el conocimiento o la gracia, el acierto de la respuesta creaba la inicial causal. Al que no podía seguir el hilo, le mezclaban la rugosa lejía a su espumosa crátera. El hechizo desprendido por algunas ciudades del mundo antiguo, que oyeron más de cerca el respirar de los dioses. Varrón, dato de Vico, nos dice que en algunas pequeñas ciudades del Lacio, llegaron a rendirle culto a treinta mil deidades. Homero nos dice que en dos o tres ciudades del periodo mitológico, se hablaba la lengua de los dioses. De tal manera, que si a la ciudad de las treinta mil deidades llegase un extranjero con esa habla de los dioses, tendrían la extraña y maravillosa sorpresa de poder recibir la visita de esos treinta mil dioses restantes. Por ese hecho sobrenatural, el visitante, por sencillo que fuese, comenzaría a vivir como un diosecillo.

La existencia de los gigantes en la mitología, en las cronologías y en la reminiscencia, forman la imagen del hombre transfigurado, alcanzando otra especie, rompiendo las murallas del ser, adquiriendo la lanza de Baal, que es el mito del fuego en el cielo, del hombre llevando el fuego a las moradas celestes. Hacían los gigantes lo que querían con los cuerpos en el aire. La lucha de los gigantes contra Júpiter, lo fue también contra los semidioses, que iban a prevalecer en el vencimiento de las fábulas por los mitos. La escasa ayuda de los dioses decidió a los gigantes a escalar el cielo. Mientras Júpiter cosquillea en las estrellas del manto de Juno, Licaón quiere comprobar la divinidad de Júpiter matándolo. Existían los gigantes de la luz y las tinieblas. Hesíodo habla de los titanes en el tiempo fabuloso, talla colosal al servicio de los dioses, pero Ovidio, eco tardío del periodo mitológico, habla tan solo de los gigantes, desmesura de las tinieblas. En sus tumbas de piedra, en Karnak, yacen los gigantes rodeados de dólmenes, de reyes que en las pirámides sueñan los astros colosales acercándose a la tierra, y la luna cercana, entonces más brillante que el sol, las mareas extinguidas en las tumbas reales de los montes tebanos. Todavía San Agustín, en *La ciudad de Dios*, cree en ese encuentro de los hijos de Dios, los ángeles, con las hijas de los hombres, que engendraron los gigantes, nacidos de la confusión de las semillas, que vienen a ser arrastrados por el diluvio. Acaso los espíritus puros pudieron conocer en la carne. Una nueva cultura surgiría si los ángeles llegaran a hipostasiarse, si toda la materia adquierese la transparencia y la transparencia el espíritu puro. Y el espíritu puro conociese con las hijas de los hombres.

Encerrada en su tumba, Ifigenia oye que su prometido, el hijo de Peleo, fue educado por Quirón, el más sabio de los centauros, para impedir que aprendiese las pervertidas costumbres de los hombres. Oye que su salvador cumple su petición: «Yo he deseado mucho que viniese alguno de Argos». Aun en su encierro la visitan los linajes mitológicos y los envíos de la prodigiosa ciudad. No es su lejanía del período dialéctico la que le envía esos destellos, que hacen que aun en su encierro, perdido el poderío de su realeza, la rodeen como la reminiscencia de los gigantes fundadores de reinos. En pleno senado romano, Julio César declara que por su tía Julia desciende de dioses inmortales, declaración temeraria ante las tribunas del pueblo, si no fuera que ya en la Etruria sagrada el agricultor participó de la ciudad ascendiendo entre nubes y remolinos.

No sólo en la concepción sino en el relato de la concepción del Dios, interviene el Espíritu Santo. Al terminar ella de hablar, dice el evangelio apócrifo de San Bartolomé, «empezó a salir fuego de su boca». Para su relato busca apoyarse corporalmente en los apóstoles, «Pedro, siéntate a mi derecha —le dice— y apoya tu brazo izquierdo en mi brazo. Bartolomé, ponte de rodillas detrás de mí y apoya mis espaldas, no sea que al comenzar a hablar se me rompan los huesos. Tú, Juan, que eres virgen, pon tu mano en mi pecho». Si en la concepción interviene la sombra, en el relato es el apoyo lo que asegura la revelación del secreto. Ahí la imagen queda como una sombra apoyada. Oh, alma mía, intenta ya tan solo lo imposible, diremos agrandando el reverso de la frase de Píndaro, y lleva la poesía a la resurrección, ya que el conocimiento posible se ha convertido en Ouroboros y baila como la serpiente ante la flauta del Maligno.

Septiembre y 1959

Introducción
a los vasos órficos

ENTRE LAS ambivalencias de los dioses de la naturaleza y los efímeros y la aparición de la luz, corresponde a los humanos la aparición del canto. ¿Qué reino en la penetración nos regala la luz? ¿A qué doradas divinidades alaban las excelencias del canto? Entre esa penetración y esa alabanza, entre la luz y el canto, surge una expresión engendrada por una finalidad desconocida, que unas veces asciende con la plenitud del dios y otras desciende, en sus permanentes y acompasados paseos por las moradas subterráneas.

El orfismo nunca se contentó con la hipóstasis en el reino de los sentidos, de una esencia o figura divinal derivada a la presencia de los dioses de la naturaleza, establecía como un círculo entre el dios que desciende y el hombre que asciende como dios. Impregna esas dos espirales, que se complementan en un círculo, en la plenitud de un *hierus logos*, es decir, en un mundo de total alcance religioso, mostrado en una teogonía donde el hombre surge como un dios, coralino gallo de las praderas bienaventuradas. Desaparecen los fragmentos habitables de lo temporal, para dar paso a una permanente historia sagrada, escrita, desde luego, en tinta invisible, pero rodeada de un coro de melodioso hieratismo. Tanto la luz como el cono de sombras, penetran en las posibilidades del canto, hasta en el sombrío Hades, la morada de los muertos «que viven», siempre que el canto, que antes respondía presuntuosamente a la luz, responda también en la noche de los muertos. Los raptos, las persecuciones de los familiares más cercanos y el encuentro de dos dioses, continúan en el mundo subterráneo su furor, como si la luz calentase los sentidos en la plenitud del mediodía estival. En ese *hierus logos* del orfismo, la diosa que pasea desde el valle sombrío hasta la luz, se encuentra con la caminante apesadumbrada que va desde la sonrisa hasta la sombra devoradora. Una teme ser raptada, la otra se orienta hasta las voces conocidas, las eternas figuras que atraviesan el patio de la costumbre.

La mujer frenetizada, que blandiendo el tirso, exclama: *Alomene Leda, dichosa Europa*, y acaricia en el aire el cuello de un toro, está respaldada por una teogonía, que comprende un dios de la Tracia prehistórica; una religión, el orfismo del siglo VI. a. de J.C.; y el periodo de los misterios eleusinos, en que el orfismo retrocede o avanza, y es mayor el retroceso, ante la temática homérica, que los da a conocer en numerosos himnarios de ese siglo VI. Aunque se le atribuye a Orfeo, a una regalía hecha a los pelasgos por iniciados egipcios, lo cierto es que el mito de Demeter lleva la dorada luz aprensible de lo homérico. Casi todos los vasos órficos responden a esa proyección del mundo homérico sobre el orfismo. Orfeo ha sido reemplazado por Ulises, y en lugar de reflejar el periodo órfico prearcádico, se deja invadir por las visitas, reconocimientos, sombras paseadoras, madres que aconsejan el regreso a la luz, del descenso del Laertíada fecundo en recursos.

De los comienzos del Caos, los abismos del Erebo y el vasto Tártaro, el orfismo ha escogido la Noche, majestuosa guardiana del huevo órfico o plateado, «fruto del viento». La noche agrandada, húmeda y placentera, desarrolla armonizado el germen. En ese huevo plateado, pequeño e incesante como un colibrí, se agita un Eros, de doradas alas en los hombros, moviente como los torbellinos con sus inapresables ejes traslaticios. Tripulando el interior ambiótico de ese huevo, el Eros sobredorado, sentado al centro de los dos irregulares círculos, se prepara a la gemiparidad. Ese huevo, al cascarse, fija al Eros en el Caos alado, engendrando los seres que tripulan la luz, que ascienden, que son dioses.

Los pájaros contemplan con estrépito este cariacontecido

huevo plateado, puesto en el origen de los mundos como un pisapapeles que ellos desconocen. Bachelard nos ha recordado cómo en el sueño la sílfide precede al pájaro, se crea el *espíritu volador* antes de crear el pájaro. En esa teogonía órfica, la noche poblada de espíritus voladores, producto de la diversidad en las densidades, crea el huevo de Eros. A medida que profundizamos en la imagen del espíritu volador, nuestro afán ascensional se integra, el hombre como dios en los órficos se precisa por la imagen misma de su nacimiento, por el fruto del viento, que domestica las escamas displicentes y errantes del Caos rendido a la Noche del parimento. El Eros alado se mantiene en la luz ascensional, a horcajadas sobre los dos círculos que se rompen, levantando una reminiscencia perenne de la altura, de las regiones hechizadas por el canto, que por venir de lo más alto del árbol estelar, dominan el árbol colocado a la entrada del infierno.

Nos hemos aproximado a la noche de los órficos, al huevo órfico, en cuyo interior, jinete de los dos círculos, va el Eros dorado. Cada uno de esos círculos de la esciparidad, constituye el cielo y la tierra, los dioses y los hombres. Existe, pues, una noche celeste, un huevo órfico celeste, un Eros Urano, el cielo y los dioses, que están afanosos de integrarse en una apasionada vía unitiva con los mismos elementos terrestres, ya que hasta en el Eros Urano están fusionados lo celeste y lo terrestre, y están siempre impregnados en esa fusión reminiscente en los círculos ambióticos. En algunas hojas de oro, conservadas en el Museo Británico, se aconseja por los órficos en los himnos que allí se escribían, que se huya en el Hades de la fuente del ciprés blanco, que produce el somnífero olvido, que se busque, por el contrario, el Lago de la Memoria, y que allí se comience el recitativo: «Yo soy el hijo de la tierra y del cielo estrellado». El fervor que cada cual conserva de esa reminiscencia, traza la veracidad de su religiosidad. «No basta portar el tirso para ser una bacante», nos dice un verso órfico más afanoso de la verdadera fe, en el hervor de lo báquico, que de los ornatos en hojas y retorcimientos de la parra jugosa.

En un órfico «Himno a la noche», aparece ésta como la generatriz, fuente del universo, productora de la calma, multiplicadora del sueño, «cazadora de la luz en la casa de los muertos y que huye de nuevo a su casa», amiga universal, inacabada, los más disímiles cualificativos caen sobre la noche en esa invocación órfica, calificativos que unas veces son másculos y otros femíneos. Pero al final la apetencia de la invocación se cierra, deseando que la noche cace los terrores que lucen las sombras y que se truequen en bienhechores. Contrastando con la noche órfica, la de la alabanza y la solicitud de envíos dichosos, la noche parmenídea es rígida y tajante en su *es*. No fue antaño, dice el poema de Parménides, no será nunca, toda entera es el Uno, el continuo. ¿Cómo nace, de dónde viene? Su no existencia no se puede decir ni pensar, pues no se puede decir ni pensar que ella no haya existido. Así, se alcanza el génesis y desaparece la muerte. En la misma morada, en sí mismo reposa. No carece de nada, pero en otra oportunidad, carecía de todo. Prepara el *apeiron*, el continuo aristotélico. La noche parmenídea es como la identidad vuelta sobre el Uno de un continuo. Todos los dones que el himno órfico colgó de la noche, en la noche parmenídea desaparecen, aquí la noche fue siempre, reposando en la eternidad de su idéntico, disfrutando de una inmensa homogeneidad de la sustancia, en un yerto coro de rocas de donde no se escapa ni el rocío de la fecundación ni esa inmensa carpa húmeda de la morada de los muertos.

Dos vasos órficos, correspondientes al periodo de la influencia homérica en el orfismo, muestran el perfeccionamiento de los símbolos en el momento en que Ulises desciende al sombrío Hades. Uno de esos vasos se encuentra en el Museo de Munich, otro en el de Nápoles. Este último vaso fue el que contempló Rilke para sus *Sonetos a Orfeo*. En ambos se ven en el centro, parte superior, un trono con Plutón y Proserpina, presidiendo las figuras mitológicas y las irrupciones de Orfeo. Los dioses de lo imposible van apareciendo: Tántalo, Sísifo y las Danaides. Después, aparecen los dioses de la posibilidad: Heracles, Teseo y Piritó. El Cerebro aumenta su vigilancia para los nuevos visitantes de sus indescifrables dominios. En el vaso del Museo napolitano aparecen los dioses: Triptolemo, portando la decidida antorcha, acometida incesantemente por la flauta; el rubio Radamento, y el Trismegisto, con su vara de oro. Una familia entera, padres e hijos, se muestran con el gesto sereno de lanzarse a poblar la beatitud, aunque todavía no están iniciados. Se sospecha en el desfile de esas figuras reminiscencias de frescos eleusinos que seguían la manera de los frescos de Plygnoto en Delfos. En el lateral derecho, figura que porta una espada, la Dike, la justicia. En el lateral izquierdo, aparece la Ananké, portando un látigo. Con una lucidez demoníaca aparecen los ríos infernales, llenos de hojas de oro, con inscripciones en griego alusivas a las iniciaciones órficas. El tema de la jarra llena de agujeros, que simboliza a los no iniciados, aparece en esos vasos, y se repite con mucha frecuencia en todas las motivaciones artísticas, pinturas o vasos, de temas órficos. Los textos griegos de las hojas de oro, como ya señalamos anteriormente, nos indican que las almas caídas al Hades deben evitar el encuentro de la fuente de Leteo. Al lado de Heracles, un salero de excesivo tamaño, colocado en las cercanías de las Danaides, cuyo valor simbólico parece difícil de descifrar, a no ser que esté destinado al Can terrible de tres cabezas, vencido por el pulso férreo de Heracles. Es innegable que las figuras han sido escogidas por tener un azar difícil, una condenación en la vida, que se perpetúa en la muerte. Han pasado por los infiernos, o su existencia terrenal fue una prueba de laberintos, de imposibilidades, de infernal sabiduría. Sorprende, en los dos vasos, las figuras que aparecen a uno y otro lado del tronco. Figuras procaces, desnudas, con la ropa y el sombrero distribuidos en una forma irregular sobre sus cuerpos, como si quisieran causar una impresión drolática en el mundo de los muertos. Adolescentes y guerreros, doncellas y figuras maternales, aparecen mostrando la serenidad de sus cuerpos, mientras calladamente esbozan sus deseos al hacer visibles sus sexos.

En los dominios del color, con la presencia de ese sorpresivo huevo plateado, se ha alcanzado ya una opulenta escala de evaporación para los ojos. Esa escala, por las impulsiones del torbellino se trueca en espirales de chisporroteos del amarillo húmedo de las estrellas errantes, después en el coágulo de irregular circunferencia, cuyo contorno parece estar tachonado de simétricas magulladuras. En ese coágulo rotativo percibimos un azul hialino, muy transparente, pues todavía la luz lo refracta, debilitándolo; después, un azul de excepcional dimensión, un azul erébico diríamos, separado del anterior azul por un círculo carbonario, absoluto en sus exigencias separatrices. Sigue un amarillo, moteado de carbón y de sangre, y al centro un círculo rojo; muchas de las primitivas inscripciones órficas están hechas sobre hematites, morada del Eros, como en otros opulentos nacimientos mediterráneos, donde la diversidad del color en las conchas prepara el surgimiento de la figura, que comienza a ser mordida voluptuosamente por los salmones.

La aparición de los temas órficos corresponde a la ceremonia de cada uno de los misterios eleusinos los días de los misterios mayores y menores. Veamos los correspondientes a los motivos que rodean al segundo misterio mayor eleusino. Se alejan los peregrinos de la ciudad por el puente de Sísifo, rodeado de las más antiguas tumbas. Los símbolos de Sísifo y los descensos infernales son impuestos por los bosques de los alrededores de Atenas. Comienzan las brisas a ser tripuladas por las bromas y las insinuaciones. Arrancan los efebos ramas de los árboles, comienzan a golpear a las doncellas para incitarlas a las apetencias más germinativas. Las alusiones a los encuentros del toro con la blanca doncella, se oyen entre risotadas y ojos encandilados. La vieja sacerdotisa requiebra a una doncella, que comienza a ser protegida por un efecto duro de piernas. Un hombre rudo, mediocre y rupestre, se acerca para reemplazar a la timidez que no abraza. Está disfrazado de Sileno. Una mujer llorosa siente el fracaso de su vida, el Sileno le comunica una efímera alegría. Aparecen los sátiros marcando el compás del frenesí y repartiendo figurillas fálicas. El sonriente dios Término muestra su príapo estival. Por el camino, el procesional se enriquece con ofrendas de vino, higo y miel, para aumentar el caudal de las apetencias carnales. Se tienden para buscar en la siesta una tregua y la sombra de los pinos penetra, para calmarlos, los sentidos como flechas. Cuatro días después de estos ardores, se levantan nuevos himnos para saludar la luz. Los templos donde esa luz resuena están guardados por canes juramentados.

La diosa Demeter envía desde los infiernos la menta dañada, hay que mezclarla con el ayuno. La abstinencia tiene que mezclarse con los excesos del infierno. Desde la playa, surgiendo de las rocas, comienzan a surgir los caballos voladores, como una espada que arrancase de las rocas telas mágicas. Un aire de flauta comienza a desenvolver una cancioncilla recogida por Orfeo, mientras se alejan los portadores de tirsos. La canción de Orfeo, la flauta pánida y los gallos eleusinos, destruyen el sombrío manto de la enemiga de Psique. El coro responde: *saber su no saber es el nuevo saber*, que repetido como un estribillo tiene la luz de la canción de Orfeo, entonada por los pastores, dominadores del sueño cerca del río, que no pretenden usar indebidamente el tirso, que rechazan la dañada granada de Demeter. Esa respuesta del coro es una nueva punzada enigmática. ¿Estaba Orfeo de parte de los que por astucia sabían el no saber, es decir, fingían el no saber, la inocencia, el calmoso pacer de los animales en el tiempo sin tiempo? ¿O estaba situado en el periodo apolíneo, donde había una ambivalencia entre el saber y el no saber? En realidad, el periodo órfico trae una solución que no es ya la del periodo apolíneo. Trae un nuevo saber, un nuevo descenso al infierno. El coro grita una respuesta a una órfica canción de pastores, que se sentirían molestos si sucumbiesen al nuevo saber, ya que no tienen por qué disfrazarse de pastores. El nuevo saber órfico está en los sones que su lira va a extraer de los infiernos. Su canto sabemos que hiloizaba lo mismo al trompo infantil que a los frutos de los jardines sagrados.

Todo nuevo saber, utilizando sentencias de los coros eleusinos, ha brotado siempre de la fértil oscuridad. Ya vimos cómo la noche de Parménides se aisla siempre en un *es*, de la noche órfica, que siempre se espera como «inacabada». En medio de los inmensos procesionales eleusinos, atravesados por las canciones órficas, surge al final la consagración de la espina de trigo: «Ha sido hecho, será hecho, es hecho.» Demeter sonríe, del mundo subterráneo, de la oscuridad fértil ha brotado un nuevo saber, del grano sumergido se ha escapado lentamente la espiga visible. La dorada espiga muestra un *es*, una respuesta cabal al dios solar. Parménides, en el otro extremo, cree que lo propio del ente *es*. El griego de la plenitud tiene una henchida afirmación, el *es* de la espiga de trigo y el *es* del ente. Considera Parménides que sus sentencias poéticas son misterios y revelaciones, que su carro tirado por yeguas sagradas avanza protegido por las Helíadas, ninfas del rayo de luz. Hasta la aparición de la dialéctica, en el siglo IV a. de J. C., las principales cabezas griegas se empeñan en hablar como semidioses. El *es* órfico sigue el reto de las estaciones, muere y renace. Es, está y será. El *es* de Parménides no depende de sumergimientos, su ente es como su noche, un continuo, el Uno. Se ve en Parménides el afán de lograr un *es* que se paralelice con el *es* de la espiga de trigo, y que aún se empeña en superarlo, pues la identidad en el continuo afirma siempre la existencia del Uno, independiente de los caprichos de las estaciones.

En un cuadro de Picasso, de su periodo griego, aparece un efebo desnudo al lado de un caballo dórico. El equino muestra su esbeltez, totalmente domesticado, no obstante, el gesto imperioso con que el joven esgrime las riendas, parece como si su victoria sobre la bestia fuese reciente, hay una relación de tierna dependencia en ese juego de dos formas excesivamente cumplidas. Al fondo, el mar. En los temas órficos el caballo es breve, de estatura mucho más pequeña que el promulgador de los sones. Sabemos que muchas veces el alma, al escaparse de su morada, tripulaba un caballo inquieto, afanoso de penetrar en las regiones solares. No la otra parte, baja y sombría, el *Thymor*, que moría al morir el cuerpo. Los caballos etruscos se igualan al tamaño del hombre. Vienen de las regiones de Proserpina, a veces, están pintados de un azul que parece dejado por la sombra a las regiones de los vivientes como un esmaltado recuerdo. El onagro es un mulito de piel mágica, del que nos cuentan sus milagros en alguna novela de Balzac, pertenece a la cultura mágica oriental, sin tener relación alguna con el orfismo. El unicornio, que viene a morir tal vez cerca de la fuente de la memoria, es una de las últimas manifestaciones del orfismo. El unicornio de la tapicería se siente acorralado por la muerte y muere junto a la fuente de la remembranza. Por la breve esbeltez de su figura parece una transición entre el ciervo y el caballo. Busca las doncellas para hacerles confidencias y ternezas. Despierta celos de los cortesanos, que lo flechan. Muere en el centro de la plaza, cerca de la verticalidad de la fuente, rodeado de burlas y secretas desconfianzas. Luce asombro a la hora de la muerte, pues se sabe bueno y lo conmueve la colosal maldad de su circunstancia. Ligero y tiernamente receloso como el ciervo, grave y decidido como el caballo para encontrar la salida del desfiladero. Caballo rebajado a ciervo, al unicornio se le regala un hueso frontal, con el cual no se puede defender, es su fatalidad, ni de los perros ni del hombre. Duró poco, desde los fabularios de Plinio a los fines de la tapicería renacentista francesa.

En los infiernos, dos divinidades femeninas: Demeter y su hija Proserpina; en la luz, dos divinidades masculinas: Apolo y Orfeo, su hijo. Orfeo era hijo de Calíope, otros afirman que su padre era Eagre, divinidad de un río tracio. Quizás ahí podamos encontrar la causa de la no precisión de su figura. Nosotros nos atrevemos a pensar que en la raíz de la oscilación de Orfeo como figura mitológica o real, debe existir el lanzazo de una maldición.

Tal vez al contemplar Apolo los devaneos de Calíope con Eagre, lanzó sobre el problematismo de su prole una maldición cuyo contenido se ha perdido, pero que nos hace pensar que atacó la fundamentación misma de la existencia de su figura. ¿Cómo es posible que el orfismo se haya extendido desde la Tracia prehistórica hasta el siglo IV de nuestra era, sin que se pueda determinar la existencia de la figura que lo crea y que lo impulsa? Además, cuando los argonautas se encuentran en peligro, invocan a los Dióscuros, en una plegaria a los amigos, que les trae la enemistad de las amazonas y las lesbianas. En uno de los himnos órficos, en el que Jasón consagra la expedición a Corinto, el centauro Quirón entona el canto junto con Orfeo. Recuérdese que Quirón le entrega su saber a los hombres, con el natural reojo de parte de los dioses. El centauro Quirón fue el maestro del padre de Ifigenia, de la familia del destino espantoso.

Producto tal vez de esa maldición de Apolo, se vio condenado Orfeo a llevar parte de los dones de su padre a los infiernos, verificándose una dicotomía de poderes, como entre los egipcios la división de Osiris y Horus. Para uno, Osiris, la morada de la vida y de la luz; para el otro, Horus, el reino de los muertos, Apolo llevaría así su poder, en la luz, la justicia y el canto, por medio de su prole a los infiernos. La investigación histórica en la cultura helénica ha llegado hasta el siglo XV a. de J. C. en los últimos enjuiciamientos sobre la cultura micénica. A medida que se profundice el periodo comprendido entre ese siglo XV a. de J. C. y el siglo XX a. de J. C., época de la más poderosa relación entre la cultura griega y la egipcia, se irá descifrando el misterio de la existencia real de Orfeo, la causa del sumergimiento de su figura y los elementos oscuros que despertó y que fueron la causa de su ruina y de su muerte. Obsérvese que la divinidad con quien le es infiel Calíope a Apolo, representa la divinidad de un río, y que después de muerto Orfeo, su cabeza es arrancada del cuerpo y lanzada a un río, donde continúa cantando hasta que otras divinidades hostiles deciden ocultarlo por el fuego.

Enero y 1961

Confluencias

YO VEÍA a la noche como si algo se hubiera caído sobre la tierra, un descendimiento. Su lentitud me impedía compararla con algo que descendía por una escalera, por ejemplo. Una marea sobre otra marea, y así incesantemente, hasta ponerse al alcance de mis pies. Unía la caída de la noche con la única extensión del mar.

Los faroles de las máquinas iluminaban en planos zigzagueantes y comenzaban a oírse los ¿quién vive? Saltaban las voces de garita en garita. La noche comenzaba a poblarse, a nutrirse. De lejos, la veía como atravesada por incesantes puntos de luz. Subdividida, fragmentada, acribillada por las voces y por las luces. Estaba lejos y sólo sentía los signos de su animación, como un parloteo secreto en un fondón cerrado en la noche. Lejana y habladora, maestra de sus pausas, la noche penetraba en el cuarto donde yo dormía y sentía cómo se extendía por mi sueño. Apoyaba la cabeza en un oleaje que llegaba hasta mí en un fruncimiento de una levedad inapresable. Sentirme como apoyado en un humo, en un cordel, entre dos nubes. La noche me regalaba una piel, debía ser la piel de la noche. Y yo dando vueltas a esa inmensa piel, que mientras yo giraba se extendía hasta las muscíneas de los comienzos.

De niño esperaba siempre la noche con innegable terror. Lo era, desde luego, para mí, el cuarto que no se abre, el baúl con la llave perdida, el espejo donde alguien se sitúa a nuestro lado, una forma de tentación. No era la provocación para una aventura, ni la fascinación en la línea del horizonte. No iba a horcajadas sobre la noche cuando se retiraba, ni tenía que reconstruir para el otro sueño diurno, los fragmentos míos que la piel de la noche había dejado incomunicados sobre la cama.

La inmensa piel de la noche me dejaba innumerables sentidos para innumerables comprobaciones. El perro que durante el día había pasado muchas veces por mi lado sin casi haberme fijado en él, ahora, durante la noche, está a mi lado como adormecido, y es entonces cuando lo miro con la mayor fijeza. Compruebo el fruncimiento de su piel, cómo mueve el rabo y las patas queriendo apartar moscas inexistentes. Ladra dormido y enseña los dientes colérico. En la noche tiene enemigos invisibles que continúan fastidiándolo. Sus reacciones coléricas anteriores no dependen del homólogo de sus motivaciones diurnas. No depende en la noche de motivaciones, sino, sin saberlo, está engendrando innumerables motivaciones en la piel de la noche que me cubre.

La noche se ha reducido a un punto, que va creciendo de nuevo hasta volver a ser la noche. La reducción —que compruebo— es una mano. La situación de la mano dentro de la noche, me da un tiempo. El tiempo donde eso puede ocurrir. La noche era para mí el territorio donde se podía reconocer la mano. Yo me decía, no puede estar como en espera la mano, no necesita de mi comprobación. Y una voz débil, que debía estar muy alejada de unos pequeños dientes de zorrito, me decía: estira tu mano y verás como allí está la noche y su mano desconocida. Desconocida porque nunca veía un cuerpo detrás de ella: Vacilante por el temor, pues con una decisión inexplicable, iba lentamente adelantando mi mano, como un ansioso recorrido por un desierto, hasta encontrarme la otra mano, lo otro. Yo me decía, no es una pesadilla, más lentamente, pues puede ser que esté alucinado, pero al final mi mano comprobaba la otra mano. El convencimiento de que estaba allí, hacía decrecer mi angustia, hasta que mi mano volvía otra vez a su soledad.

Ahora, casi después de medio siglo, es que puedo esclarecer y hasta dividir en diversos momentos, mi nocturna búsqueda de la otra mano. Mi mano caía sobre la otra mano, porque ésta esperaba. Si la mano no hubiera estado allí, el fracaso, un miedo, desde luego, hubiera sido superior al miedo engendrado porque la mano estaba allí. Un miedo escondido dentro de otro. Miedo porque está la mano y posible miedo por su ausencia.

Después supe que en los *Cuadernos* de Rilke estaba también la mano, y después supe que estaba en casi todos los niños, en casi todos los manuales de psicología infantil.

Ahí estaba ya el devenir y el arquetipo, la vida y la literatura, el río heraclitano y la unidad parmenídea. ¿Retirar la mano? ¿Disminuir mi terrible experiencia porque ya otro la había sufrido? ¿Convertir una experiencia decisiva y terrible en simple juego verbal, en literatura? El tiempo transcurrido me daba una solemne lección: el convencimiento de que lo que nos sucede les sucede a todos. Esa experiencia de la mano sobre la mano seguirá siendo en extremo valiosa, aunque todas las manos extendidas se encontrasen con todas las manos de lo invisible.

Era una experiencia tan decisiva, que aunque la misma aparezca incluida como psicología infantil, todavía hay noches de la otra mano, las de la aparecida. Habrá siempre la noche en que acude la otra mano y las otras noches en que la mano permanece yerta y sin ser visitada.

No solamente esperaba la otra mano, sino también la otra palabra, que está formando en nosotros un continuo hecho y deshecho por instantes. Una flor que forma otra flor cuando se posa en ella el caballito del diablo. Saber que por instantes algo viene para completarlos, y que ampliando la respiración se encuentra un ritmo universal. Inspiración y espiración que son un ritmo universal. Lo que se oculta es lo que nos completa y es la plenitud en la longitud de la onda. El saber que no nos pertenece y el desconocimiento que nos pertenece forman para mí la verdadera sabiduría.

La palabra en los instantes de su hipóstasis, el cuerpo entero detrás de una palabra, una sílaba, un fruncimiento de los labios o una irregularidad inopinada de las cejas. El residuo de lo estelar que había en cada palabra se convertía en un momentáneo espejo. Una arenilla que dejaba letras, indicaciones. Una palabra solitaria que se hacía oracional. El verbo era una mano excesiva en su transpiración, un adjetivo era un perfil o una mirada de frente, los ojos sobre ojos, con la tensión de la oreja alzada del gamo.

Cada palabra era para mí la presencia innumerable de la fijeza de la mano nocturna. *Es la hora del baño, vamos a almorzar, a dormir, tocan la puerta*, eran para mí como inscripciones que engendraban incesantes evaporaciones, inmutables y obsesionantes esbozos de novelas. Eran larvas de metáfora, desarrolladas en indetenible cadeneta, como una despedida y una nueva visita.

La espera y llegada de la mano iniciaba la cadena verbal, o en el interminable desarrollo se encontraba la mano nocturna. A veces la espera de la mano era infructuosa y eso alejaba desmesuradamente una sílaba de la otra, una palabra de su otra compañera de navegación. Era un momentáneo vacío por lejanía, que engendraba tanto en una espera anhelosa como en un paradojal vacío de buen consejo. Era como una jugada que se volcaba, yo diría mejor que se derrumbaba, sobre un tablero desconocido. Una inquietante jugada verbal, porque algo se adelantaba, algo retaba y lanzaba su llamada, sobre una red que mostraba un solo pez afanoso de amigarse con todos los peces.

Encontraba así en cada palabra un germen brotado de la unión de lo estelar con lo entrañable, y como en el final de los tiempos la pausa y el henchimiento de cada uno de los instantes de la respiración estarán ocupados por una irreemplazable palabra única. En cada palabra habrá un germen sembrado en los vasos comunicantes de la oración, pero en ese mundo el germen verbal, como en la sucesión del espacio visible e invisible de la respiración, logra el asombro connatural en el hombre de una coordenada temporal. Lo estelar, aquello que los taoístas denominaban el cielo silencioso, necesitaba de las trasmutaciones en las entrañas de hombre, el horno de sus entrañas, sus secretas e íntimas metamorfosis en relación con las cuales existió tal vez el misterioso ojo pineal, el extinto espejo interior reconstruido por los griegos como *ser*, como el pascaliano *moi haissable*, como el *unificado yo* de los alejandrinos, que después adquirirá su expresión más alta en el agustiniano *logos spermatikos*, la participación de cada palabra en el verbo universal, participación que atesoraba una respiración, que une lo visible con lo invisible, una digestión metamorfósica y un procesional espermático, que trueca el germen en verbo universal, complementaria hambre protoplasmática que engendra la participación de cada palabra en una infinita posibilidad reconocible.

Pero el hombre no sólo germina sino también elige. Yo subrayaría la semejanza entre esos dos hechos que son para mí igualmente misteriosos, pues al elegir damos comienzo a un nuevo germen, sólo que como está en más directa relación con el hombre, le llamaremos acto. En la dimensión poética realizar un acto y elegir son como una prolongación del germen, pues ese acto y esa elección están dentro de la llamada conciencia palpatoria de los ciegos, si así me atrevo a llamarla es con el convencimiento de una mínima aproximación.

Es un acto que se produce y una elección que se verifica a contracifra en la sobrenaturaleza. Una respuesta a una pregunta que no se puede formular, que ondula en la infinitud. Una incesante respuesta a la terrible pregunta del domingo del demiurgo ¿por qué llueve en el desierto? Acto y elección que se verifican en la sobrenaturaleza. Ciudades a las que el hombre llega y no puede luego reconstruir. Ciudades edificadas con una lentitud milenaria y cortadas y destruidas desde la base en el instante de un parpadeo. Hechas y deshechas con el ritmo de respiración. Unas veces deshechas por el descenso súbito de lo estelar y otras hechas como una momentánea columnata de lo telúrico.

¿Qué es la sobrenaturaleza? La penetración de la imagen en la naturaleza engendra la sobrenaturaleza. En esa dimensión no me canso de repetir la frase de Pascal que fue una revelación para mí, «como la verdadera naturaleza se ha perdido, todo puede ser naturaleza»; la terrible fuerza afirmativa de esa frase, me decidió a colocar la imagen en el sitio de la naturaleza, perdida de esa manera frente al determinismo de la naturaleza, el hombre responde con el total arbitrio de la imagen. Y frente al pesimismo de la naturaleza perdida, la invencible alegría en el hombre de la imagen reconstruida.

¿Moran en una ruina? ¿Son cómicos en vacaciones? ¿Hay ahí un pintor? Miramos el cuadro de Goya, *La gruta*, una de sus menos vistas y mejores telas. Al fondo, el ciclo cárdeno y las nubes acabalgadas de el Greco, contrastaban con el sosegado vuelo de las colombas. Tapadas con el mantel, o por debajo de la mesa se ocultan para que las palomas se acerquen. Es un coliseo en ruinas, una plaza deshabitada, ala derrumbada de un convento. Frente a esa desolación han instalado un merendero donde un aparecido cubierto por un mantel picoteado por las palomas, engendra expectación y gracejo. Es un espacio desconocido y un tiempo errante que no se aposenta sobre la tierra. Sin embargo, paseamos en ese aquí y transcurrimos en ese ahora, y logramos reconstruir una imagen. Es la sobrenaturaleza.

No se manifiesta la sobrenaturaleza tan solo por la intervención del hombre en la naturaleza, tanto el hombre como la naturaleza, cada uno por su propio riesgo, concurren a la sobrenaturaleza. Entre los tártaros los niños muertos se casan. Se dibujan en finos papeles los guerreros que asisten a las bodas, los instrumentistas, los familiares portando las jarras para las libaciones. Firman los presentes y se conservan las firmas en archivos muy vigilados. Ambos familiares de los niños muertos, procuran acompañarse, viviendo en la vecinería. Entrelazan sus bienes y cumplen las fiestas de ritual. He aquí la vida bullendo en torno de los muertos y la pareja de niños muertos penetrando en la vida. Es la réplica a la afirmación de los morfólogos de la escuela goethiana, de que toda especie al perfeccionarse engendra una nueva especie, de la misma manera la naturaleza, al acrecer por la imagen aportada por el hombre, llega al nuevo reino de la sobrenaturaleza.

En las mastabas egipcias una puerta quedaba abierta para recibir el viento magnético del desierto. Vientos genéticos que siguen recibiendo los muertos. La penetración piramidal hacia el norte, en la tierra quemada, hacía que la cámara de la reina fuese construida con la orientación más favorable a la recepción del viento magnético en el destino genesíaco. Por eso he creído que la construcción de las pirámides, no sólo perseguía la finalidad de ser el más perdurable recinto de los muertos, sino cámara genesíaca de los reyes para procrear aprovechándose del viento magnético del desierto. Así se lograba la más verídica sucesión entre los reyes muertos y los reyes vivientes. Unas tras otras iban las pirámides adelantándose en la tierra quemada, en la región de los muertos, como el *humus*, la tierra fangosa era habitada por los vivientes, así al borde mismo de la muerte, la genesíaca cámara de la reina recibía la plenitud del viento magnético, al cual son tan sensibles los fantasmas elásticos de Baudelaire, los gastos, divinizados por la cultura egipcia.

Para los egipcios, el único animal hablador era el gato, decía un *como* que lograba unir las dos puntas magnéticas de su bigote. Esos dos puntos magnéticos, infinitamente relacionables, están en la raíz del análogo metafórico. Es un relacionable genesíaco, copulativo. Únanse los puntos magnéticos del erizo con los de zurrón, en ejemplo que nos es muy querido, y se engendra una castaña. El *como* magnético despierta también la nueva especie y el reino de la sobrenaturaleza.

La sobrenaturaleza poco tiene que ver con el *protón pseudos*, la mentira poética de los griegos, ya que la sobrenaturaleza no pierde nunca la primordialidad de donde procede, pues suma el uno con el uno indual, ya que el hombre es imagen, participa como tal y al final se encuentra con la aclaración total de la imagen, si la imagen le fuera negada desconocería totalmente la resurrección. La imagen es el incesante complementario de lo entrevisto y lo entreoído, el temible *entredeux* pascaliano sólo puede llenarse con la imagen.

El *horror vacui* es el miedo a quedarse sin imágenes, en las épocas en que predominaba la finitud combinatoria y pesimista de corpúsculos sobre la ruptura espiraloide del demiurgo. En numerosas leyendas medioevales aparece el espejo que no devuelve la imagen del cuerpo dañada o demoníaca, ya que cuando el espejo no habla, el demonio enseña su lengua saburrosa. Ese convencimiento innato en el hombre de saber que además la llave abre otra casa, de que la espada guía a otro ejército en el desierto, de que los naipes inauguran otro juego en la otra región. Por todas partes la reminiscencia de un incondicionado que desconocemos, engendrada por un causalismo en la visibilidad, que sentimos como la ciudad perdida que volvemos a reconocer. En realidad, todo soporte de la imagen es hipertélico, va más allá de su finalidad, la desconoce y ofrece la infinita sorpresa de lo que yo he llamado *extasis de participación en lo homogéneo*, un punto errante, una imagen, por la extensión. Es un árbol, una reminiscencia, una conversación apuntalando el río con el trazado del índice.

Germen, acto y después potencia. Posibilidad del acto, el acto sobre un punto y un punto que resiste. Ese punto es un Argos, un lince, y surca lo estelar. Sus huellas, como dotadas de una invisible fosforescencia, permanecen. En todo esto hay una posibilidad finita que la potencia interpreta y desenvuelve. El acto del hombre puede reproducir el germen en la naturaleza, y hacer permanente la poesía por una secreta relación entre el germen y el acto. Es un germen acto que el hombre puede lograr y reproducir. La únidad ululante y penetrante de una cacería, un grito de exaltación, la respuesta permanente de la orquesta en el tiempo, los guerreros a la sombra de los muros de Ilión, la *grande armée*, lo que yo he llamado las eras imaginarias y también la sobrenaturaleza, forman por un entrelazamiento de germen, acto y potencia, nuevos y desconocidos gérmenes, actos y potencias. Ya que sembrar en lo telúrico es hacerlo en lo estelar y seguir el curso de un río es caminar apartando las nubes, como en el teatro chino un movimiento de las piernas significa montar a caballo.

La potencia al aplicarse sobre un punto o al actuar en la extensión, lo hace siempre acompañada de la *imago*, unidad la más profunda conocida entre lo estelar y lo telúrico. Si la potencia actuase sin la imagen, sería tan solo un acto autodestructivo y sin participación, pero todo acto, toda potencia es un crecimiento infinito, una desmesura, en el que lo estelar apuntala lo telúrico. La imagen, al participar en el acto, entrega como una visibilidad momentánea, que sin ella, sin la imagen como único recurso al alcance del hombre, sería una desmesura impenetrable. De esa manera, el hombre se apodera de esa desmesura, la hace surgir y reincorpora una nueva desmesura. Toda *poiesis* es un acto de participación en esa desmesura, una participación del hombre en el espíritu universal, en el Espíritu Santo, en la madre universal.

El hombre en cuanto germen señala ese desarrollo en su circunstancia, un troncón anchuroso de base lo iguala con un fervor para la fundamentación, aunque no sabremos partiendo de la naturaleza qué series causales producen el esplendor o la podredumbre, ni en qué momento lo incondicionado va a penetrar indetenible en las series causales. En algunas ciudades del Asia, al pasar de la vida a la muerte, no se saca al muerto por la puerta, sino se rompe un muro de la casa como preparándolo para una nueva causalidad. En otras ciudades asiáticas, en el momento de la incineración, se introducen papeles dibujados por los amigos, las joyas y los alimentos, como para impartirle protección y compañía para un viaje que se presupone en una nueva extensión.

En contados vasos de elección, es la expresión que emplea la *Biblia*, su desarrollo en la vida marcha como acompañado de un prodigioso anticipo de la nueva extensión. De la paramera castellana brota la fundamentación teresiana, como una vivencia oblicua que se reproduce en Martí, colocando en el sitio de lo desértico el paradojal germen del desierto. Después de su prisión, Martí debió de sentir como un renacer en la imagen de la resurrección, como después de su muerte vuelve a resurgir en la carne. Lo desértico y su nueva aparición simbólica en el destierro se igualan, y por eso en el *Paradiso*, para propiciar el último encuentro de José Cemí con Oppiano Licario, para llegar a la nueva causalidad, a la ciudad tibetana, tiene que atravesar todas las ocurrencias y recurrencias de la noche. El descendimiento placentario de lo nocturno, el fiel de la medianoche, aparecen como una variante del desierto y del destierro, todas las posibilidades del sistema poético han sido puestas en marcha, para que Cemí concurra a la cita con Licario, el Ícaro, el nuevo intentador de lo imposible.

Paradiso, mundo fuera del tiempo se iguala con la sobrenaturaleza, ya que tiempo es también naturaleza perdida y la imagen es reconstruida como sobrenaturaleza. La liberación del tiempo es la constante más tenaz de la sobrenaturaleza. Oppiano Licario quiere provocar la sobrenaturaleza. Así continúa en su búsqueda por incesantes laberintos. Capítulo XII, negación del tiempo, detrás de la urna de cristal cambian incesantemente sus rostros el garzón y el centurión muertos, solamente que en el capítulo XIV, ya al final, el que aparece detrás de la urna es el mismo Oppiano Licario. Negación del tiempo lograda en el sueño, donde no solamente el tiempo sino la dimensión desaparecen. Muevo la enormidad de un hacha, logro velocidades infinitas, veo los ciegos en los mercados nocturnos conversando sobre la calidad plástica de las fresas, al final, los soldados romanos, jugando a la taba entre las ruinas, logro la *tetractis*, el cuatro, dios. El capítulo XIII intenta mostrar un *perpetum mobile*, para liberarse del condicionante espacial. La cabeza del carnero, rotando en un piñón, logra esa liberación, en esa dimensión de Oppiano Licario, la de la sobrenaturaleza, las figuras del pasado infantil vuelven a reaparecer. Es la infinitud cognoscente adquirida a la vera de Licario, sólo que el ritmo de los pitagóricos es distinto, del ritmo sistáltico, el violento, el de las pasiones, se ha pasado al ritmo hesicástico, al sosiego, a la sabia contemplación.

Licario ha puesto en movimiento las inmensas coordenadas del sistema poético para propiciar su último encuentro con Cemí. Era necesario que Cemí recibiese el último encuentro con la palabra de Licario. «La imagen y la araña, por el cuerpo», dice una de aquellas sentencias entregadas en la última noche. Aparece la hermana Inaca Eco Licario rindiendo la sentencia poética como la tierra prometida. La sombra, el doble, es el que rinde la ofrenda. El doble hace la primera ofrenda, rinde la primera imagen y Cemí asciende por la piedra del sacrificio a cumplimentar su patronímico de ídolo o imagen. Supongamos una estelar noche pitagórica de 1955. He estado varias horas oyendo *El arte de la fuga*, de Juan Sebastián, embebido en los entrelazamientos de la *fuga per canon*. Infinitas relaciones se logran en los espiraloides de la nocturna. Las construcciones y dilataciones del ritmo se reiteran en cada uno de nuestros pasos y crecemos caminando. Enfilamos una de esas calles dilatadas como los ríos paradisíacos. Las encendidas luces nocturnas de la funeraria, sin saberlo, tienen que detener al caminante, sobresaltándolo. La reiteración de la musiquilla en un tiovivo mantiene y apresura al paseante en una camioneta nocturna. La casa en su dimensión vertical, como un árbol enloquecido, nos lanza la tentación de su terraza final, donde protegidos por el priápico dios Término, dos bufones juegan al ajedrez. Hay ahí como la reiteración de una marcha circular. Al borde mismo de la muerte las coordenadas del sistema poético bracean con desesperación, agotada la naturaleza subsiste la sobrenaturaleza, rota la imagen telúrica comienzan las incesantes imágenes de lo estelar. Allí, en la más intocable lejanía, donde los pitagóricos les situaron un alma a las estrellas.

Es una sorpresa, la casa cegadora de luces, que el hombre interpreta espesando la saliva, en la conjugación de la circulación linfática con la sanguínea. Un *maestoso* y un *vivace* forman una nueva unidad que penetra como una pieza de ajedrez en lo invisible. Es también en el tiovivo una reiteración circular que se rompe en espirales, en lluvia de estrellas en la noche babilónica, en el cometa que precede y avisa la muerte de Julio César. Un gato negro, de gran tamaño, que va de una a otra multitud, avisando la muerte. Los exploradores globos anaranjados en la noche de Van Gogh, lanzados como piedras en el estómago de la ballena. Es la conversación secreta a la entrada de Toledo en el Greco. Es la musiquilla infinitamente reiterada del tiovivo, entre la casa encendida de la muerte y el infinito poliedro vertical donde la imagen quisiera establecer sus cuarteles de invierno. Es el afán indomeñable de llegar a la ciudad tibetana de lo estelar, donde el hombre conversa con el búfalo blanco, donde la sombra del vegetal penetra en el sueño. Un día le oí decir a uno de nuestros decimistas, al remontar un octosílabo: el alma se da en la sombra. Intuición coincidente con un teólogo que nos afirma que el hombre tiene que sentir como las plantas, pensar como los ángeles y vivir como los animales. Quizás en el otro extremo de la cuerda ocupada por el ángel, no esté la bestia, sino esa feliz coincidencia del *otium cum dignitate* del humanismo y el pacer de las bestias, ambos manifestaciones de la contemplación del cielo silencioso de los taoístas. El día que podamos establecer un esclarecimiento entre el ocio y el pacer, la verdadera naturaleza será habitada de nuevo, pues en ambos coexiste la espera de lo estelar, el mundo de la infinita abertura, pues la cabal relación del animal con su ámbito no ha sido todavía profundizada y desconocemos la manera como se establecen las interrelaciones del verbo universal, pero algún día el mundo de la *gnosis* y el de la *physis* serán unívocos.

Una sorpresa en el curso de las estaciones, lluvias, lluvias. El hilo frío al acostarnos nos da su primer rechazo, tenemos que apretar más la almohada contra la mejilla para sentir la dulzura del apoyarse, sensación como de navegar contra una resistencia que se puede vencer. El sueño, al prolongarse, ocupa nuevos fragmentos nocturnos. La lana nocturna, con lentitud sigilosa, se apodera del hilo diurno y el chivo sigue bailando, pero ya no en el rayo de sol. Lo oculto, la cerrazón, lo resguardado, abren sus puertas y ofrecen la nueva y silenciosa suntuosidad de un nuevo mercado. Las monedas de algodón sin tintineo adquieren telas mágicas. Los bultos, guardados en el almacén se acercan a las cuatro hogueras que brillan en los cuatro ángulos del mercado, son ahora rostros arracimados. Lo oculto, lo oscuro al llegar la nueva estación se configura, es el niño que sale todas las mañanas de su casa, en el poema de Whitman. Y vuelve y hace su relato. Se pierde y sigue en su relato, ¿lo oyen?

Yo veía en la casa grande del Campamento, la llegada del invierno. La cocina, el comedor y los dormitorios se sutilizaban más en las diferencias, su silencio sonaba más hacia adentro, la conversación se hacía más susurrante. Mi abuela nos visitaba con más frecuencia. Los preparativos para la visita eran muy extensos y cuidados, parecía que nos iba a acompañar por todo el invierno, pero ya al día siguiente en el desayuno, la oíamos decir: «no me gusta abandonar la casa de Prado», usando la palabra con que una reina se refiere a que un castillo ha sido abandonado o al referirnos a una vecina decimos que tiene sus hijos abandonados. Abandono y descuido intolerables para la abuela. Pasaba un día muy alegre, pero ya en el atardecer comenzaba a prepararse para el regreso. Pasaba yo el resto del día en la tristeza de esa despedida. Recorría con excesiva lentitud cada una de las piezas de la casa. Marchaba despaciosamente de la sala al traspatio y allí veía colgados los cubrecamas que iban a inaugurar el invierno. Alguien se acercaba y con largos ramajes comenzaba a golpear los paños. El polvo golpeando se trocaba en un chisporroteo que agrandaba o desaparecía los rostros que asomaban en el paño hasta que el ramaje los borraba. Me gustaba en los neblinosos días invernales contemplar esos rostros que sólo mi *imago* proyectaba, que después desaparecían como estornudando por el polvillo.

Esos rostros intenté fijarlos en un poema:

> Golpea el pastor con su cayado,
> las más delgadas telas.
> después del inútil ruido del azoro,
> otra llamada, que ya no está, nos viene.
> Ese ruido, naciendo en otra puerta,
> se deshace en las preguntas de una muerte.
> Ruido de otro total se perdería,

si no fuese universal la carne de la tela.
Nadando en nuestro instante alguien viene
a brindar su cuello por regusto o sucesión
y aunque el cayado se aplaque por las venas,
saca, saca las caras de la tela.
El golpe no es el que corresponde a cada cara
y cada cara se pierde por la tela.

Pero el poema estaba impartido por una temeridad, su título de esoterismo pitagórico y matemática simbólica estaba recorrido por otra ingenuidad adolescentaria. Estaba acompañado el poema de otro recuerdo, no eran ahora las nubes del otoño, sino las operaciones algebraicas. Lo que se esconde detrás de la luna llena del cero. Una cantidad negativa venía a apuntalar a otro crecimiento en la reminiscencia. Aparecen en los paños invernales, detrás de las nubes polvorosas, ángeles mofletudos o huesudas testas cabeceantes, rezumantes a brea y alquitrán. Recordad que las figuras surgidas de chisporroteos, de polvo arremolinado o de nubes, ofrecen visibles residuos alquitranados en los dientes, en la punta de los dedos o en el lóbulo de las orejas, ¿son tal vez los signos de una procedencia u origen? Desconocidas filiaciones del mundo de carbón y de las fulguraciones son a veces traicionados, y eso los hace reconocibles, por las espinillas o por el polvillo que les quedó de su conversación con María la luna.

Escondidos en el menos cero, en las cajas polvorosas, los rostros seguían huyendo. Cuando el ramaje comenzó a golpear los paños, los signos arañaban en las cantidades negativas para ir reteniendo unos rostros, unas líneas entrecruzadas, hasta que al fin el paño estaba animado por conversaciones, por sobremesas, y por rostros intercambiables. Parecía que las máscaras fuesen guardadas en escaparates de tres lunas y que reapareciesen de una a otra estación.

La casa ofrecía no tan solo esa esperada metamorfosis, sino una continuada maravilla oculta. El cuarto de estudio del coronel. Mesas con planos y diseños, panoplias, títulos, condecoraciones, esferas armilares, proyecciones de Mercator. Estaba más allá del cuarto dormitorio de mis padres, que nosotros nunca traspasamos. Ese más allá era el cuarto de estudio, donde el coronel pasaba gran parte de la tarde y de la noche. Si alguna vez penetrábamos en esa pieza, por alguna puerta furtivamente abierta, retrocedíamos corriendo, asustados, como quien penetra en una atmósfera que lo refracta. Entrábamos lentamente, mirando a un ángulo, a una sombra, a un mueble gimiente, y salíamos corriendo, disparados como flechas.

Era también un regalo del curso de las estaciones. Se abría a la curiosidad de los otros moradores de la casa en el afelpado tránsito de un estío a un invierno. Allí se podía ver un pedazo de mármol negro y verde, dibujos comparativos de dagas florentinas y berlinesas, un juego de ajedrez de obsidiana, con las piezas del tamaño de una mano. Se abría para airearse sencillamente, pero para nosotros era una forma de conjuro, un reto, algo que convidaba a un acto de excepción y a un retroceso de disimulo. Estos aparecidos en el cambio de las estaciones, estos fugaces transcursos que están más allá de lo conocido, se verificaban con lentitud, como con una morosidad resguardada de la reiteración. La insistencia no parecía acompañar sus naturalezas. Eran fugaces, entrevistos, sombrosos, pero como nos colmaban, hoy, separados de nosotros por el arenoso polvillo de lo temporal, parece como si se hubiesen repetido hasta la saciedad, como si innumerables rostros siguiesen saliendo de los paños, como si hubiésemos pasado verdaderas temporadas más allá de las Columnas de Hércules.

De esa pieza, desván, biblioteca, descanso para lo errante, iría desovillando la magia que he percibido siempre en toda morada del hombre, como el resguardo de un caracol que ofrece sus laberintos defensivos a la embestida de la marina nocturna.

Era el convencimiento de que allí, en lo lejano de lo inmediato, se encontraban todos los chisporroteos de una invisible fragua. Todos los moradores estaban adormecidos, pero en aquel recinto que no era igual que los otros, percibíamos esa desigualdad por nuestros más secretos vericuetos, se verificaban movimientos milenariamente despaciosos o centrados por una rueda de vertiginosa rotación. Allí la vida adoptaba movimientos indescifrables, restos de una liturgia marina, pero los adormecidos acudían con sus pequeñas conchas para la audición estelar y anchurosos facistoles consentían el entorno de las salmodias.

El convencimiento de que el dragón, lo que está y no está, aparece y desaparece, necesita de un resguardo más allá de las Columnas de Hércules, disponía también de la biblioteca como una sobrenaturaleza. Allí, por la soledad se busca una compañía, y más específicamente en la biblioteca pública, donde la compañía busca una soledad. La lucha contra el dragón tenía que cumplirse en las incesantes relaciones de soledad y compañía. Del recuerdo del cuarto misterioso, más allá de las columnas, en el Campamento, surgirá mi concepto sobre la cultura china: la biblioteca como dragón. Lao-tse, el del sentido de lo increado creador, fue un bibliotecario y el doctor Kung-tse, el Confucio de los jesuitas, trabajó los últimos catorce años de su vida en el *Yi King*, el libro de las mutaciones, de lo visible y lo invisible, donde el dragón se aposenta en un libro para hablar con los muertos y establecer las coordenadas entre lo insignificante y la desmesura estelar. Y como avivando con el fuego lo legible, se puede hablar con lo invisible.

El solo afán de intentar llevar a un libro lo inaudible, lo invisible, de que lo increado creador adquiera un sentido, nos dice que ese combate con el dragón tiene que estar más allá de las columnas que será en una era imaginaria, que se aposentará en la sobrenaturaleza. Así como en alguna leyenda medioeval se afirma que el demonio gusta de dormir a la sombra del campanario, lo increado creador gusta de hacer el día en la biblioteca, porque la biblioteca ha comenzado por ser un inaudible, un invisible y así la naturaleza volverá a encontrarse en la sobrenaturaleza.

Hemos perdido también el sentido vivencial de algo tan decisivo para el hombre como la hoguera, la copa de agua, el espejo o la espada, como es el alfabeto, resguardo para que las caravanas no se pierdan en el desierto. Con el recuerdo de la casa, el río, las plantaciones, el toro, en el alfabeto nos encontramos con las cinco letras aportadas por la poesía. Son signos no descifrables, no deben ser signos de reminiscencias de figuras, como símbolos de la pervivencia del secreto reto atesorado en un alfabeto. Es la ofrenda de la poesía, cinco letras desconocidas, errante análogo de lo estelar con lo telúrico, de la nube entrando en el espejo. Eran las letras que están en el fondo y saltan como peces cuando bebemos agua en el cuenco de la mano.

Me asomaba de nuevo al traspatio y esa distancia entre el confín de la casa y la línea del horizonte se poblaba también de desconocidos. La presencia de la mano sobre la mano en la medianoche se trocaba en el desfile de los mulos penetrando en el bosque, en lo oscuro. Los observaba y veía cómo penetraban en un destino que desconocían con la más invencible resistencia. Atravesaban la caída y la redención, soportando una total pesadumbre. Cuanto más me acercaba, más precisaba el temblor de su piel. Sudaban, temblaban y penetraban. Desconocían su destino, pero resistían. Penetran en su caída, como en su gloria y su resistencia ilumina el traspaso de los grandes acarreos. Se diría que frente al castigo que reciben ofrecen el castigo de su resistencia. Penetran sin saberlo más allá de las columnas, respiran como un fuelle en la sobrenaturaleza y transportan las anchurosas fundamentaciones de las eras imaginarias. Sus distancias están ocupadas por las transformaciones incesantes de la poesía. La resistencia del mulo siembra en el abismo, como la duración poética siembra resurgiendo en lo estelar. Uno, resiste en el cuerpo, otro, resiste en el tiempo, y a ambos se les ve su aleta buscando el complemento desconocido, conocido, desconocido.

Por el desusado aumento de las colecciones de retratos, percibía que iba de lo cenital y ardido, de las maneras del *splendor formae*, a lo oscuro y sumergido. A la muerte de mi madre, su cuaderno de retratos aumentó mi colección, en la de ella predominaban los descendidos al sombrío Hades, y en la mía mis contemporáneos, gozosos aún en la región de la luz. Lo que yo ahora puedo contemplar con aparente serenidad, fue para mí un encontronazo violentísimo y sin remedio. Era como si las antiguas relaciones, los más patéticos relatos familiares, se poblasen de nuevo, acudiesen a la sobremesa y pudiesen dialogar calmosamente con nosotros, sin el menor sobresalto por nuestra parte.

Entre tantas vertiginosas pruebas, yo me encontraba como sumergido en lo oscuro. Las fotografías mientras más se alojaban en los confines del pasado, cobraban para mí un resplandor amortiguado de la lectura hecha bajo un farol de gas. Aquellos retratos recobraban su alegría serena, su sedosa compañía. Eran aparecidos reales, tangibles existentes en la imagen, la que les prestaba un cuerpo andante, una voz oíble y una estremecida despedida.

La imagen que había abandonado como un huevo, los corporizaba de nuevo. Habitaban el palacio de las ventanas verdes, transcurrían por la ciudad de las cien puertas, asistían para oír misa en la Catedral de La Habana. Esa población exquisita, delicadísima, nunca gimiente ni apresurada, no necesitaba de mí para llegar a la casa donde se aposentaba el dragón. Soy yo el espíritu atolondrado por esos aparentemente confundidos emigrantes, el que escucha, persigue y suma de nuevo el algodón y el perfume de la vainilla, la oscilante lámpara y el ancestral amarillo de los encajes. Ahí está Andresito, el niño prodigio con su violín, muerto en un accidente en una tómbola para recaudar fondos para la independencia. Tocaba esa noche con el *smoking* que usaba frecuentemente su padre. Se cae del elevador y muere, y mi abuelo que muere poco después de tristeza. Y mi abuela que, cuando relataba este hecho, terminaba como una antistrofa de alguna tragedia griega, ¿por qué tenía que ser mi hijo? De niño yo quería ser el violinista, el que llegase a expresarse a trueque de enfrentarse con el *fatum*. Se configuraba en mí constantemente aún a través de la muerte. Era el ausente, con lo mejor de la familia en la tenebrosa Moira, ocupaba todo el *simpathos* familiar y me gustaba oírles relatar a mi abuela y a mi madre cómo eran sus horas de estudio y la noche de su muerte. Y la delicadeza de mi tía Queta, hermana de mi padre, enamorada en secreto de mi tío Alberto, hermano de mi madre, que bajo su capa de tío endemoniado de todas las familias, atesoraba un estilo de conversación que siempre he buscado esté en la raíz de mis relatos.

En 1880, mi abuelo materno, muy cubano, emigrado revolucionario años más tarde, hace un viaje a España. Por la misma fecha mi abuelo paterno, vasco, muy español, hace su viaje a Cuba, años después ambas familias entrelazan su destino en tal forma que cuando me han llamado vasco criollo he sentido un peculiar orgullo, pero mi verdadero orgullo no tengo siquiera que confesarlo.

Pocos años antes de su muerte, mi abuela abrió un escaparate titánico, que se encontraba en el último cuarto de su casa de Prado, donde mi juventud sintió cómo se abalanzaba hacia mí el aluvión de lo reminiscente. Ahí estaban el *smoking* de mi abuelo, con el cual había muerto mi tío Andresito, los trajes con los que mi abuela había asistido a las bodas de sus hijas. Estaba también allí una desmesurada escribanía con pozuelo para la tinta y unos renos de plata labrada, y sobre la escribanía una manilla de ámbar muy usada en el XVIII y XIX, para rascarse. Esa ingenua oleada reminiscente pasa a la segunda estrofa de mi obra «Oda a Julián del Casal», para sugerir el título de una de sus obras, aludo al reno de la escribanía y a una manilla de ámbar por la espalda. A veces pienso con deleite que en el día de las despedidas, ese escaparate titánico volverá a abrirse para mí. Oímos de nuevo:

> *Déjenlo que acompañe sin hablar,*
> *permitidle, blandamente, que se vuelva*
> *hacia el frutero donde están los osos*
> *con el plato de nieve o el reno*
> *de la escribanía, con su manilla de ámbar.*

Era un ruego que hacía por Casal y por mí.

Dentro del escaparate mágico, el violín del tío Andresito, resguardado del polvo en su caja bien cerrada, mostraba unas silenciosas vetas en la madera. Estrías de ámbar, pequeño túmulo de jaspe, diminuta y graciosa ciudadela edificada por Anfión. En aquellos desfiles de mis *Pensamientos en La Habana*, donde no quiero escoger mis zapatos en una vitrina, donde preciso que el rasguño en la tiorba no descifra, donde conjeturo que la primera flauta se hizo de una rama robada, aparece de pronto «el violín de hielo amortajado en la reminiscencia», que despierta la serafina del bosque que ata y destrenza en la reminiscencia. Es el violín el que parece exhalar la orquestación final: «mi alma no está en un cenicero».

Una antigua leyenda de la India nos recuerda la existencia de un río, cuya afluencia no se puede precisar. Al final su caudal se vuelve circular y comienza a hervir. Una desmesurada confusión se observa en su acarreo, desemejanzas, chaturas, concurren con diamantinas simetrías y con coincidentes ternuras. Es el Puraná, todo lo arrastra, siempre parece estar confundido, carece de análogo y de aproximaciones. Sin embargo, es el río que va hasta las puertas del Paraíso. En los reflejos de sus ondas desfilan el vestíbulo del farero, el árbol de coral, la cadena del ojo del tigre, el Ganges celeste, la terraza de malaquita, el infierno de las lanzas y el reposo del perfecto. La incesante contemplación del río va entregando su dualismo, la aventura del análogo y las parejas que se retiran a sus isletas. Un árbol frente a unos ojos, un árbol de coral frente al ojo del tigre; las lanzas frente a la terraza, después las lanzas infernales frente a la paradisíaca terraza de malaquita. Dichosos los efímeros que podemos contemplar el movimiento como imagen de la eternidad y seguir absortos la parábola de la flecha hasta su enterramiento en la línea del horizonte.

Julio y 1968

Este libro se acabó de imprimir
el día catorce de junio de mil novecientos ochenta y nueve
en los talleres de Sirven Gràfic.